Nous remercions le ministère du Patrimoine canadien,
la SODEC et le Conseil des Arts du Canada
de l'aide accordée à notre programme de publication

SODEC Québec

ainsi que le Gouvernement du Québec
– Programme de crédit d'impôt
pour l'édition de livres
– Gestion SODEC.

Illustration de la couverture:
François Thisdale

Couverture:
Conception Grafikar

Édition électronique:
Infographie DN

Dépôt légal: 4e trimestre 2004
Bibliothèque nationale du Canada
Bibliothèque nationale du Québec

123456789 AGMV 0987654


ISBN-2-89051-905-8
11122

# LE SECRET SOUS MA PEAU

L'édition originale en langue anglaise
de cet ouvrage a été publiée par
Harper Collins Publishers Ltd. sous le titre
*The secret under my skin*


Cette traduction n'aurait pas été possible
sans l'aide du Conseil des Arts du Canada

**Données de catalogage avant publication (Canada)**

McNaughton, Janet, 1953-

[The secret under my skin. Français]

Le secret sous ma peau

(Collection Chacal ; 28)
Traduction de : The secret under my skin.
Pour les jeunes de 14 ans et plus.

ISBN 2-89051-905-8

I. Doray, Jocelyne, 1955- II. Titre III. Titre : The secret under my skin. Français. IV. Collection

PS8575.N385S3314 2004 j813'.54 C2004-941514-X
PS9575.N385S3314 2004

# LE SECRET SOUS MA PEAU

Janet McNaughton

Traduit de l'anglais par
Jocelyne Doray

aventure

ÉDITIONS
PIERRE TISSEYRE

5757, rue Cypihot, Saint-Laurent (Québec) H4S 1R3
Téléphone: (514) 334-2690 – Télécopieur: (514) 334-8395
Courriel: ed.tisseyre@erpi.com

*Pour Michael,*
*Ma fenêtre sur l'avenir*
*Et mon devenir*

# Avant-propos

J'ai écrit ce livre pour aider les jeunes lecteurs à entreprendre une réflexion sur le monde qu'ils veulent créer. Il n'est pas inéluctable que ce monde ressemble à celui que j'ai imaginé dans *Le secret sous ma peau*, mais c'est toutefois ce vers quoi nous nous dirigeons, je le crains, si nous maintenons le cap. Je suis persuadée que les prochaines générations sauront mieux que les précédentes comment s'y prendre pour préserver notre planète et ses habitants.

Mon roman se déroule dans un avenir imaginaire, mais le décor est bien réel. Le parc national du Gros-Morne est le plus important parc du Canada atlantique. Il est situé sur la côte ouest de Terre-Neuve, à proximité d'un énorme fjord, la baie Bonne. Ce site est protégé depuis 1988 par la Convention du patrimoine mondial de l'UNESCO.

Il n'y a ni Grand Hôtel ni ville appelée Kildevil, mais il existe une montagne du nom de Killdevil, d'où l'on peut apercevoir des aigles pêcheurs qui plongent dans la mer pour attraper du poisson. J'ai décrit assez fidèlement le paysage, les collines et l'anse de la baie Bonne. La piste de randonnée des Jardins verts passe par la cheminée d'anciens volcans et mène aux hauts plateaux, une petite portion du manteau terrestre ayant émergé après la collision des deux continents, il y a des millions d'années. La roche luisante et orangée des hauts plateaux évoque la surface de la lune.

Le parc national du Gros-Morne existe réellement et quiconque s'y est déjà rendu sait à quel point cet endroit est magique.

# Prologue

## La bioguide

La navette volante du métier à tisser va et vient. Marella a bien appris les leçons des six derniers mois. Ses mains, rougies et enflées, s'activent machinalement, laissant ses pensées libres de fuir l'atelier sombre pour voler vers la ville scintillante. Elle veut évoquer ces lieux qu'elle adorait, les serres où poussent les biojoyaux, les salons de divination où les médiums s'entretiennent avec les morts et vous prédisent un avenir fantastique. Elle se contenterait même d'une boutique luxueuse pleine de vêtements fabriqués avec les étoffes qu'on lui apprend maintenant à tisser. Mais, comme d'habitude, son imagination la trahit et elle se retrouve au chevet de sa grand-mère, dans la chambre d'hôpital. Le murmure grinçant du métier lui rappelle le souffle rauque de la vieille femme, et son souvenir brûlant l'emprisonne comme un fantôme dans sa chaîne.

— Marella, tu sais que je ne serai bientôt plus de ce monde, avait-elle murmuré avec peine. C'était comme une gifle cuisante et inattendue, la première fois qu'elle disait la vérité.

— S'il te plaît, non, avait murmuré Marella.

*S'il te plaît, on peut encore faire semblant quelque temps que c'est toi qui prends soin de moi.*

— Marella, je n'ai pas le choix…

Elle avait resserré sa poigne sur le bras de sa petite-fille pour lui faire comprendre que c'était inévitable.

— Il y a certaines choses que tu dois savoir. Nous n'avons plus d'argent. Toute la fortune qui devait te permettre de bien vivre jusqu'à ton mariage a été dépensée jusqu'au dernier sou. Au fond, c'est une bénédiction que je meure. Ils allaient bientôt me chasser, à moins de te garder comme employée, pour que l'hôpital se rembourse.

Marella en avait frissonné. Depuis tous ces mois qu'elle croisait les domestiques dans les couloirs de l'établissement, l'idée qu'elle puisse un jour compter parmi eux ne l'avait même pas effleurée. Sa grand-mère avait lu dans ses pensées.

— Ne t'en fais pas, mon amour. Ça n'arrivera pas.

— Mais alors, qu'est-ce que je vais devenir ? Je n'ai que toi.

— Je sais. Mais j'ai pris des arrangements. On ne va quand même pas t'envoyer dans un camp de travail, n'est-ce pas ?

Elle avait faiblement esquissé un sourire attendri.

Marella avait aussitôt su à quoi s'attendre. La suite ne lui plairait pas. Dans le passé, elle aurait protesté, elle aurait réagi. Plus maintenant. Elle baissa la tête.

— Où m'envoies-tu ?

— Essaie de comprendre, ma chérie. J'ai fait tout ce que j'ai pu. Il y a une guilde de tisserandes à l'autre bout de l'île. Elles ont accepté de te prendre comme apprentie.

C'était toujours mieux que le camp de travail.

— Mais grand-mère, pourquoi si loin ?

*Si loin de tout.*

— La ville est trop dangereuse. Et tu n'en as jamais vu le Cœur. Une jolie fille comme toi, bientôt dix-sept ans, c'est trop risqué, ici. Tu seras plus en sécurité chez les tisserandes. Elles prendront soin de toi.

Marella se rappelle, et ses yeux se remplissent de larmes.

Pas aussi bien que toi, grand-maman, soupire-t-elle, pas aussi bien que toi.

La porte s'ouvre. Marella se penche sur le métier pour cacher son visage derrière le long rideau doré de sa chevelure clairsemée. Vite, elle essuie ses yeux humides sur sa manche et fait

mine d'examiner son travail. Quand elle lève enfin le regard, ce n'est pas Maya qui se tient là, celle qui lui enseigne son métier, mais Nora Marchand, la tisserande en chef. Marella n'est pas surprise :

— Je suppose que vous êtes venue me parler de la cérémonie du foulard ?

La tisserande en chef fronce les sourcils. Marella n'essaie même pas de feindre le respect. Elle sait que les autres tisserandes la traitent dans son dos de « petite morveuse », et ça lui plaît. Nora ne réagit pas.

— Montre-moi tes mains.

Marella hésite, puis elle les brandit devant elle. Des rougeurs horribles les couvrent comme des bourgeons de biojoyaux. Un liquide clair suinte de la peau enflammée, fendillée.

— Depuis combien de temps tes mains sont-elles dans cet état ?

— Oh ! depuis des semaines, répond-elle avec une indifférence affectée.

La tisserande en chef inspecte une mèche des cheveux de Marella, qui s'oblige à rester de marbre.

— Et tes cheveux ? Quand as-tu commencé à les perdre ?

— Il y a quelque temps déjà.

Marella se recule et ramasse ses cheveux dans sa main d'un geste protecteur.

— Mais, ma chère, on commence à voir la peau de ton crâne.

— C'est une raison de plus de procéder au plus vite à la cérémonie du foulard. Quand je porterai le foulard des tisserandes, plus personne ne sera forcé de voir mes cheveux.

Nora Marchand ne tient pas compte de l'insolence.

— Marella, je sais combien tu as du mal à t'habituer à ta nouvelle vie. Nous acceptons très rarement comme apprenties des filles qui viennent de la cité protégée de St. Pearl parce qu'il est trop difficile d'abandonner le confort de la ville pour vivre ici. Mais nous n'avons pu ignorer la prière d'une mourante. Le travail ne te plaisait pas et pourtant, tu t'en tires très bien. Tu as beaucoup de talent. Mais ton organisme réagit aux fibres et aux teintures. Ce phénomène perdurera si tu deviens tisserande et nous n'avons pas les moyens de t'offrir les médicaments qui soulageraient tes souffrances.

Marella en a des sueurs froides.

— Vous n'allez pas m'obliger à partir, n'est-ce pas ?

La tisserande en chef sourit.

— Non, mon petit. Nous avons promis à ta grand-mère de nous occuper de toi. Nous pourrions te garder comme servante, mais il y a une autre solution. Qu'est-ce que tu connais de la Voie ?

— C'est une sorte de religion, non ?

— Ta réponse ne m'étonne pas, mais tu te trompes. Les maîtres de la Voie sont les gardiens du savoir. Est-ce que tu sais ce qu'est un bioguide ?

— Une personne dotée d'une sensibilité particulière et dont l'organisme réagit…

Marella s'interrompt, car elle commence à comprendre.

— Vous croyez que je pourrais être bioguide ?

— Oui. Il y a ce village, sur la côte. Kildevil. La guilde des tisserandes y tient un grand rôle, et un maître de la Voie vit aux limites du village. Si tu es d'accord, tu peux aller y vivre dès cet automne pour entreprendre ta formation. On a d'abord utilisé les bioguides à l'époque de la Noirceur, quand la terre était en danger. Les bioguides s'exposent rituellement à l'environnement, de leur plein gré, pour que la population sache à quoi s'en tenir sur le niveau de pollution. Ce rôle ne comporte pas autant de risques qu'il y a cent ans, mais on continue de vouer aux bioguides le plus grand respect. Et la Voie pourra se procurer les médicaments dont tu as besoin. Les maîtres de la Voie ont recours à la technologie et ils jouissent de plus de confort que nous, les tisserandes.

Marella se sent le cœur plus léger.

— J'aurai de nouveau une vie normale ?

La tisserande secoue la tête.

— Marella, seuls les privilégiés de St. Pearl peuvent jouir de ce monde nanotechnologique que tu dis normal. Dès qu'on sort de la cité, c'est l'inconnu. Ta vie sera plus agréable qu'elle ne l'a été avec nous, mais les plaisirs seront rares.

Marella soupire. La ville lumineuse recule encore un peu dans son souvenir. Elle ferme ses poings enflammés, puis elle baisse la tête.

— Je vais y aller, soupire-t-elle. Est-ce que j'ai le choix ?

# 1

# Le Grand Hôtel

Nous dormons dans le sous-sol du Grand Hôtel. Avant, le Grand Hôtel avait un nom dont plus personne ne se souvient. Les gardiens l'appellent le Centre modèle d'assistance sociale. Nous, on dit « le camp de travail ». Mais les murs nous protègent de la pluie et de la neige. Nous dormons dans des lits. Je n'ai pas à mendier ou à chaparder des cartes-monnaie, ni à combler les caprices bizarres d'inconnus pour pouvoir manger, comme au temps où je vivais dans le Cœur, au milieu de la Tribu. Mais on travaille dur, à la décharge publique, et on ne trouve pas facilement le sommeil, la nuit venue. Alors j'écoute, le soir, les autres enfants raconter leur histoire, celle d'avant. Quand ils avaient une famille, un foyer. À tour de rôle. « J'avais une maman et elle m'aimait… » « Mon père avait du travail. Il nous apportait des bonbons… » Et je

crois ce qu'elles racontent parce que les enfants de la rue qui ont perdu leur famille trop tôt n'ont même pas la chance de se rendre jusqu'ici.

Je ne raconte pas ma vie. Jamais. Si on me pose des questions, je prétends que j'ai tout oublié. Mais c'est faux. Je garde mes souvenirs pour moi toute seule parce qu'ils sont différents. Ils n'ont rien de réconfortant. Rien de beau. Les autres s'accrochent au passé comme aux lambeaux d'un vieux duvet. Mes souvenirs à moi sont coupants, comme des tessons de verre. Ce soir, je vais au lit en souhaitant me fabriquer des rêves avec les souvenirs des autres. Je voudrais échapper au tourbillon des ombres menaçantes qui m'assaillent. Mais ce soir est comme tous les soirs. Encore une fois, j'aboutis au milieu de la ville étrange. L'air y est chaud et dense. Nous sommes en bordure d'un grand parc entouré d'immeubles, dont quelques-uns sont en pierre. L'un d'eux a un toit vert et arrondi. J'observe toutes ces choses autour de moi sans effort, ma tête reposant sur l'épaule de la Personne.

Soudain, je me transporte ailleurs. La pénombre envahit l'espace au-delà du cercle de lumière où je me trouve. J'entends de la musique et du bruit. Je suis fascinée par un bol jaune posé devant moi sur la table, et qui brille dans la lueur peu familière de la nuit. Brusquement, des bras m'arrachent à ma chaise. J'entends une femme qui hurle. C'est comme un long gémissement

sans parole. Puis, plus rien. La noirceur m'entoure et je perçois le pas précipité de quelqu'un qui court. Je me réveille en sursaut.

Ce sont mes souvenirs. Qui me croirait si je les racontais ? Est-ce qu'ils ont un sens ? Je sais seulement qu'un jour, quelqu'un m'a tenue dans ses bras. Qui ? Si seulement mon regard déviait de quelques centimètres, qu'est-ce que je verrais ?

Quand mon cœur cesse de battre à tout rompre, je reste allongée là, immobile, à me dire que j'aimerais tant savoir. Si je pouvais me souvenir de la Personne, une mère ou un père, je serais peut-être quelqu'un, à mon tour. Mais je ne suis rien. Rien qu'une voix dans ma tête. Je sais seulement qu'un jour, quelqu'un m'a serrée sur son cœur pour me protéger, même si plus tard, j'ai perdu mes repères. Je suis restée seule au monde. Et quelqu'un m'a donné cet *objet*, mon *objet*, la seule chose que je suis parvenue à garder tout ce temps. Sans savoir à quoi il peut servir.

Tandis que je reste allongée là, perdue dans mes pensées, un ronronnement se fait entendre dans le noir. Le bruit se rapproche : je reconnais le grondement régulier d'un moteur à hydrogène. Le faisceau des phares balaie la vitre givrée des fenêtres. Qui peut bien venir par ici, à cette heure ? Mais le bruit s'atténue. Le véhicule emprunte le chemin de la colline. On ne trouve qu'une seule maison, tout là-haut, et elle appartient à un maître de la Voie. Je n'ai jamais vu de véhicule sur cette

route auparavant. Une petite fille gémit. Avant qu'on puisse entendre sa plainte, je vole à ses côtés. Elle se redresse dans son lit et ouvre de grands yeux.

— Les lumières, est-ce qu'elles sont là pour nous ?

J'écarte doucement une mèche de cheveux sur son visage luisant de sueur.

— Non. Ne crains rien. Recouche-toi.

Elle secoue la tête :

— J'ai peur.

— Recouche-toi. Je reste près de toi, d'accord ?

Elle fait oui de la tête. Au bout de quelques minutes, ses paupières se ferment. Elle suce son pouce et s'endort, mais je reste. On ne sait jamais.

# 2

# La rumeur

Quand les gardiens allument les néons, quelques-unes des filles ronchonnent et s'enfouissent sous la couverture. Je suis fatiguée parce que je manque de sommeil. À peine ai-je ouvert les yeux que je cherche mes gants. Ils ont plus d'importance que tout. Je les attache à une patte de mon lit pendant la nuit, mais sitôt levée, je les enroule autour de mon cou. Ils sont en klevar. Je les ai eus quand on a muté une des filles au service alimentaire. Elle les a lancés dans les airs en déclarant : « Je me tire d'ici ». Ils ont atterri à mes pieds. D'autres filles ont voulu s'en emparer, mais j'ai été plus rapide. Et j'y tiens.

Je ne les quitte pas des yeux et j'enfile ma combinaison de protection contre les rayons ultraviolets, puis je vais faire ma toilette avec les autres.

Le matin, d'habitude, c'est le train-train, mais aujourd'hui c'est différent. J'entends ici et là des chuchotements fébriles.

— ... Tard dans la nuit, après le couvre-feu.

Je n'ai pas oublié la présence du véhicule et j'écoute attentivement.

— Elle a sans doute un T-U de neuf.

— De neuf, ouais, c'est ça, lance une voix sur un ton persifleur, et qu'est-ce qu'elle fait, celle-là ? Rien.

T-U. Taux utilitaire. Nous avons toutes un T-U. « Tu es ce que T-U es », comme disent les filles. La note la plus élevée est de dix. Si tu travailles à la décharge, le maximum est de deux. Les enfants qui ont un boulot plus spécialisé, par exemple jardinière ou serveuse, obtiennent parfois une note de trois ou quatre. Les enfants de la rue n'ont pas de T-U. Personne ne se soucie de leur disparition, peu importe la raison, que ce soit pour le trafic d'organes ou parce que les escadrons de la mort ont procédé à leur « retrait ».

Le souvenir d'Hilary remonte depuis les ténèbres de ma mémoire déchirée. Elle me pousse tout au fond de la tanière, dans l'obscurité où nous nous terrons, tandis que des mains gantées de noir la poursuivent. Elle pose un doigt sur ses lèvres en m'intimant de me taire. Et moi, je comprends, je comprends tout. Hilary se retourne une dernière fois avant de disparaître pour toujours dans la lumière aveuglante du jour. Et tandis que nous quittons notre antre au coucher du soleil, j'aperçois une masse abandonnée au milieu de la rue, sa dépouille, peut-être.

N'Y PENSE PAS. N'Y PENSE PAS. N'Y PENSE PAS.

J'ouvre les yeux. Je ne me suis pas roulée en boule sur le sol. Les heures n'ont pas fui. Je recommence à respirer. Il y a un bon moment que, dans ces cas-là, l'obscurité ne m'engouffre plus comme avant. Quand je tends à nouveau l'oreille, les filles n'ont jamais cessé de parler.

— À quoi peut bien nous servir une bioguide, au fond ? demande l'une d'elles.

— Je ne sais pas. Elle est peut-être utile à quelque chose.

Maintenant, ça y est, je sais ce qui se passe.

# 3

# La décharge

Nous sortons après le petit-déjeuner, et avant de franchir la porte, nous revêtons une visière de protection contre les rayons ultraviolets. Maintenant que la couche d'ozone a été détruite, il est risqué de s'exposer au soleil. Au camp de travail, nous menons une vie diurne parce qu'on nous fait porter des habits protecteurs. Dans le Cœur de St. Pearl, les gens comme nous ne sortent que la nuit et dorment le jour pour échapper aux rayons mortels. Au cours des premières années passées ici, je pensais devenir aveugle. Je continue de trouver quelque chose d'étrange à la vie en plein jour.

Nous sommes une soixantaine d'enfants et trois gardiens à emprunter le chemin vers Kildevil, mais nous n'allons jamais jusqu'au village. Ce serait une grave erreur. Au bout de quelques centaines de mètres, nous quittons la route pour

entrer dans la décharge. Les visières de protection ne filtrent que la lumière. L'air embaume le parfum sucré de l'herbe et des arbres. La première fois que je suis venue ici, j'avais peur de toutes ces choses vivantes, mais maintenant, je les aime. Même la décharge est agréable aujourd'hui, on pourrait presque s'y sentir bien. Le sol est moelleux sous mes pas, comme une éponge : des couches et des couches de toutes ces choses que les gens jetaient, à l'époque. Comment leur existence pouvait-elle être à ce point remplie d'objets dont ils pouvaient se débarrasser si facilement ? C'est un mystère.

Le groupe se déploie dans tous les sens. Je choisis toujours un endroit en retrait où je serai seule, et je travaille dur. Comme ça, personne ne m'embête. Je détache les gants du lacet qui les retient autour de mon cou et je les enfile. Les doigts de klevar ont gardé la trace du travail de la veille. Au boulot.

Notre tâche consiste à récupérer tout ce qui est utile. Les bouteilles de plastique, les bouchons, le verre, les liasses de papier, le polystyrène. Nous devons extraire toutes ces choses à la main pour éviter de les détériorer. C'est notre travail, l'été. Durant l'hiver, nous donnons un coup de main à la culture hydroponique. J'aime bien, en plein hiver, me trouver dans une pièce pleine de bacs dans lesquels poussent des laitues et des tomates. C'est pour cette raison qu'ils chauffent l'Hôtel.

La culture hydroponique n'exige pas trop de nous, si bien que nous allons à l'école, le matin. À les entendre, nous recevons une bonne instruction. Nous apprenons à lire et à écrire, à soustraire et à additionner, toutes ces choses que je savais déjà avant d'arriver ici. On nous apprend aussi comment les technologues ont détruit l'environnement.

Aujourd'hui, à la décharge, je suis tombée sur un bon filon. De nombreux sacs remplis de papier d'excellente qualité, propre et sec. Au bout d'une heure, l'une des petites le remarque. Une nouvelle. Elle s'appelle Alice. Elle se rapproche lentement de moi. Ça m'est égal. Le travail à la décharge est difficile pour les plus jeunes. Mais bon. Melissa se rend compte du manège :

— C'est trop facile pour vous, nous dit-elle. Dégagez.

C'est toujours comme ça. Inutile de rouspéter. Les tatouages sur le visage de Melissa témoignent de l'importance qu'elle avait dans sa tribu. On a dû l'en chasser pour qu'elle finisse au camp de travail ; il a fallu qu'elle commette une faute très grave, par exemple qu'elle tue un autre membre de la tribu. Je m'éloigne peu à peu, mais Alice ne bouge pas.

— Ce n'est pas juste, proteste-t-elle, nous étions là les premières.

Alice ignore tout des tribus. Elle a un vrai nom, Alice Briseglace. J'en déduis qu'elle a échoué

ici dès qu'elle a perdu sa famille. Elle n'a jamais vécu dans la rue. Elle ignore ce qu'elle risque en s'opposant à Mel, qui la domine d'une bonne tête et la toise de toute sa hauteur.

— Dégage, morveuse, ordonne-t-elle. Cette mine est à moi, maintenant.

Tout le monde attend la suite. Les gardiennes observent la scène sans bouger. Je suis tendue comme un arc. Il est stupide de vouloir contrarier Mel, mais si Alice ne recule pas, je vais devoir intervenir. Je ne peux pas rester les bras croisés. Au bout d'un long moment, Alice me cherche des yeux.

— Très bien, dit-elle en tournant le dos à Mel, c'est à toi, maintenant.

Dans un rictus, Mel exhibe plusieurs dents cassées.

— Bien vu, morveuse, lance-t-elle, je suis une amie intime de Lem le loup. Si tu me cherches encore une fois, tu verras qu'une de ces nuits, il t'enlèvera.

Son rire nous poursuit tandis que nous nous dirigeons vers l'endroit qu'elle a quitté, où l'on ne trouve que du verre cassé.

Je ne crois pas un instant que Mel dise la vérité. Personne ne connaît Lem le loup. Il vit dans la colline au-delà de la vallée, passé la maison du maître, dans un lieu qui s'appelle la « pente de ski ». Nous ne voyons jamais Lem le loup, mais les enfants disent qu'il est fou. Pire. Ils disent qu'il

mange tous ceux qui s'approchent de chez lui. Mais il n'a pas toujours été ainsi. Chaque année, pour la Cérémonie de la mémoire, on nous raconte l'histoire du technocauste, et comment Lem le loup est devenu fou. Ce jour approche.

# 4

# La Cérémonie de la mémoire

La Cérémonie de la mémoire a lieu le dernier jour d'octobre. Elle marque un tournant dans l'année. Au cours de la semaine qui précède, nous fermons la décharge pour l'hiver et nous passons la journée dans les hangars de tri à emballer tout ce que nous avons recueilli au cours de l'été pour l'expédier. Le soir, après dîner, on nous enferme au sous-sol, dans les dortoirs. Les gardiennes bouclent les issues qui mènent à l'étage et nettoient les aires réservées à la culture. La plupart des fillettes n'y voient pas d'inconvénient. Elles passent la soirée à fabriquer des poupées qu'elles appellent les « mecs » avec des morceaux de tissu et de papier. Certains de ces mecs ne sont que des torsades de papier sur lesquelles on a dessiné un visage, mais parfois ce sont de vraies poupées. Les enfants qui n'ont jamais participé

à la Cérémonie de la mémoire passent des heures à coudre leur mec. L'une des fillettes, Poppy, est arrivée dans mon dortoir depuis quelques mois seulement. Elle a fabriqué des bras et des jambes à son mec, lui a brodé un visage, a utilisé des brins d'herbe séchée pour lui faire des cheveux. Elle serre sa poupée contre son cœur quand elle dort. Personne ne lui dit de ne pas faire ça. Les mecs sont importants pour la Cérémonie de la mémoire. Je les déteste.

Moi, durant la semaine qui précède la Cérémonie, je n'ai plus beaucoup l'occasion de m'adonner à la lecture. Il n'y a que dix écranlivres, mais la plupart des enfants n'y touchent jamais. L'un des écranlivres a une page qui reste vierge, peu importe ce qu'on y télécharge. J'y ai mis un signet pour ne plus tomber dessus par erreur. Personne ne s'occupe de la biblio-tech. Depuis quelque temps, plus rien ne se passe quand je tente de télécharger de nouveaux textes. Il n'y a pas beaucoup de titres, la plupart sont des manuels scolaires et des histoires sur les enfants de la rue qui trouvent le bonheur au Centre modèle d'assistance sociale. Je ne pense pas que les auteurs de ces histoires aient jamais vécu dans la rue. Je pense même qu'ils n'ont jamais mis les pieds dans un centre comme le nôtre. Mais j'adore lire. L'écranlivre est mon ami le plus fidèle.

Au bout de la deuxième année, j'avais déjà lu tous les livres proscrits. Je l'ignorais jusqu'à

ce que je tombe sur un écranlivre dans la biblio-tech et que j'appuie sur la clé « lectures proscrites ». Un message que je n'avais encore jamais vu s'est mis à clignoter : « Félicitations ! Tu as complété ton programme de lectures proscrites. Fais part de ce message à ta gardienne-éducatrice et tu recevras un certificat ! » Une vraie douche froide. Je ne voulais pas de certificat. Je voulais d'autres textes, pas ces histoires qui ne valent pas vraiment la peine qu'on les lise plus d'une fois. Je n'allais pas les relire indéfiniment. J'étais stupéfaite ; j'ai appuyé sur la clé « sujets » et je l'ai maintenue enfoncée. Une liste de noms que je n'avais encore jamais vus m'est apparue : Shakespeare, Shelley, Yeats. C'est comme ça que j'ai découvert la poésie.

Les textes poétiques sont rares. Ils sont tous très anciens. Je n'ai mis que quelques mois pour lire tous ceux de la biblio-tech, mais ça n'a pas d'importance. La poésie n'a rien à voir avec ces histoires qu'on n'a envie de lire qu'une seule fois. La poésie, pour moi, c'est un peu comme la jetée dans le port de St. Pearl. Jour après jour, on voit des trucs nouveaux qui émergent tout autour. Parfois des trucs bien, et parfois des trucs inutiles, mais toujours quelque chose de neuf. Je lis ces poèmes encore et encore. Mais je m'arrange pour lire dans un endroit où personne ne peut me voir. Il vaut toujours mieux ne pas se faire remarquer ; c'est pourquoi, la plupart du temps, j'emporte

l'écranlivre dans la salle des plantes hydroponiques, car je peux m'y cacher. Au début, je redoutais que les gardiennes n'interviennent parce que j'avais complété le programme des lectures proscrites. Elles n'entretiennent pas la bibliotech, mais elles en contrôlent l'utilisation. J'ai fini par me rendre compte qu'elles ne m'embêteraient pas. Quand on lit, on se tient tranquille. Mais durant la semaine qui précède la Cérémonie de la mémoire, je ne peux pas me cacher pour lire et donc, je ne lis pas du tout.

Il faut absolument garder le secret sur le déroulement de la cérémonie ; les nouvelles ne doivent surtout pas savoir d'avance ce qui s'y passe. Si une fille en parle et que les autres s'en aperçoivent, elle se fait rouer de coups. Il y a beaucoup de nouvelles cette année, peut-être une cinquantaine, et environ la moitié d'entre elles sont très jeunes. La plupart des filles sont ici depuis assez longtemps pour vivre et travailler en plein jour. Celles qui viennent d'arriver vivent la nuit, dans une pièce séparée, le temps de la transition. Mais elles seront présentes à la Cérémonie, bien que nous n'ayons encore eu aucun contact avec elles. Les plus petites ne restent pas pour le grand feu. Seulement pour l'histoire.

C'est une semaine difficile. La rumeur se répand chez les nouvelles que quelque chose d'effrayant est sur le point de se passer, et il y a des bagarres et des crises de larmes. On dirait que la

semaine n'en finira jamais et puis voilà, c'est le grand moment. Nous travaillons dans le hangar de tri, comme d'habitude, mais l'air y est plus lourd, comme avant un orage. Les filles courent dans tous les sens, sans arrêt, brandissant leur mec sous le nez des autres pensionnaires. Et enfin, à la nuit tombée, les gardiennes nous rassemblent dans la rotonde.

La rotonde a sans doute la même allure qu'à l'époque où le Grand Hôtel venait d'ouvrir ses portes. C'est une grande salle avec une cheminée, ce qui en fait le lieu idéal pour la Cérémonie de la mémoire. Trois énormes fresques colorées ornent le dôme, au plafond. Mais ce soir, la lumière reste au ras du sol, et les images du dôme sont plongées dans le noir. On n'utilise pas d'électricité pour la cérémonie. Les torches fichées dans le mur dessinent tout autour des ombres vacillantes. Tandis que nous entrons en file indienne dans la salle, nos regards se tournent vers l'âtre gigantesque, à l'autre extrémité de la rotonde, où un grand feu brûle tous les rebuts accumulés au cours de l'année. Une seule chaise vide attend, là, devant la cheminée. C'est la chaise de la conteuse.

Puis, c'est au tour des plus petites d'entrer ; elles ont le visage peint, orange et noir. Elles n'ont pas de poupées ; elles tiennent à la place des lampes qui luisent d'un éclat orangé. Elles sont très sages et balaient le décor de leurs yeux écarquillés. Elles ne comprennent pas. Il n'est jamais

agréable d'avoir peur. Je n'ai pas oublié. Je voudrais bien prendre l'une de ces petites dans mes bras pour la rassurer, mais bien sûr, je ne peux pas. Nous formons un demi-cercle sur le sol, devant le feu. En temps normal, les gardiennes ont du mal à maintenir le calme. Ce soir, personne n'a besoin de nous dire quoi faire.

Puis, la gardienne en chef s'assoit sur la chaise. Elle s'appelle Novembre. Elle aussi, elle a vécu dans la rue avant de venir ici, comme la plupart d'entre nous. Quand une fille arrive dans un centre comme celui-ci sans avoir d'identité, on lui donne le nom du mois de son arrivée. Elle est beaucoup plus jeune que la gardienne en chef qui l'a précédée, et qui débitait ce qu'elle avait à dire sans conviction. Novembre, pour sa part, semble croire dur comme fer tout ce qu'elle raconte. Ses cheveux platine sont coupés ras. Ce soir, elle a dans les yeux une lueur qui m'est devenue familière et que j'ai appris à craindre.

— Il est important pour nous toutes de comprendre l'histoire du technocauste, commence-t-elle enfin, pour que nous sachions que la technologie est dangereuse, et que c'est pour cette raison que son avenir est entre les mains de la Commission. À une époque révolue, le soleil ne brûlait pas nos yeux, il n'engendrait pas de cataractes qui nous brouillent la vue, ni de cancers qui nous minent la vie…

Depuis quatre ans que je suis ici, je la connais par cœur, cette histoire. On imagine mal le monde qui existait avant que l'environnement se détériore et que l'eau et le sol se remplissent de toxines. Mes pensées s'évadent.

— … Et les technologues ont compris qu'ils deviendraient riches en vendant leur secret à un membre du monopole malfaisant, et le plus mauvais d'entre eux était Lem le loup.

À ces mots, les filles brandissent leur mec à bout de bras et l'agitent au-dessus de leur tête. Les gardiennes montrent aux plus jeunes comment faire clignoter leur lampe orangée.

— Lem le loup et son épouse vivaient là-haut, du côté de la pente de ski, dans une maison équipée de la technologie la plus moderne, tout ce qu'il faut pour détruire l'environnement. Ils croyaient pouvoir devenir riches, mais les agents du monopole les ont trompés. Ils ont emporté avec eux les secrets de la technologie, sauf qu'avant de partir, au lieu de cartes-monnaie, ils ont donné du poison à Lem le loup. Sa femme est morte, mais le poison n'a pas eu le même effet sur le loup. Non. Pas du tout. Quand il a bu le poison, tout son corps s'est illuminé d'une lueur orangée.

Soudainement, les traits de gardienne Novembre se découpent dans le faisceau d'une lumière orange sinistre qui rend son visage terrifiant. Les petites poussent des cris. Je sais aujourd'hui qu'il y a des diodes dans ses vêtements, mais

je suis malgré tout parcourue d'un frisson de terreur.

— Lem le loup est devenu fou, mais il n'est pas parti. Il est là, tout près, il vous attend. Si vous sortez seules la nuit... IL VOUS ATTRAPERA !

Ces derniers mots, elle les hurle, et à nouveau, les fillettes crient. Les plus vieilles secouent leur mec et mugissent. Avant que le silence ne retombe, les petites qui portent les lampes orangées quittent la pièce. Pour elles, la Cérémonie de la mémoire est terminée.

Quand gardienne Novembre recommence à parler, elle a retrouvé un ton normal.

— Maintenant, vous savez tout du technocauste et vous comprenez pourquoi les technologues devaient mourir. C'est à cause d'eux que la terre a tant souffert. Nous avons de la chance à la préfecture de Terra Nova. Nous vivons éloignés des zones désertiques. Nous n'avons pas été engloutis par la mer après la fonte de la calotte polaire. Les zones industrielles sont loin, c'est pourquoi l'air qu'on respire ici est bon.

Elle affiche un mince sourire mesquin en s'éloignant du feu.

— N'oubliez jamais que la technologie est dangereuse et que la Commission doit en garder le contrôle. Et maintenant, ordonne-t-elle en haussant la voix, montrez-nous comment les technologues sont morts.

Les filles se précipitent vers l'âtre pour y jeter leur mec. Les gardiennes s'assurent qu'elles ne s'approchent pas trop des flammes, mais chaque année, je m'étonne que dans la ruée, aucune d'elles ne tombe au milieu des braises. Je crois que c'est le moment le plus terrifiant de la Cérémonie de la mémoire. Je reste à l'écart et j'attends que la cohue se calme. Mon mec n'est qu'un bout de papier, je l'ai fabriqué à la dernière minute. Quelques-unes des nouvelles ont l'air perdues, désorientées. Je vois Poppy et sa jolie poupée qu'elle a mis des jours à coudre. Elle la serre sur son cœur et ses yeux se remplissent de larmes. Une fille plus vieille l'attrape par le bras et l'entraîne près du feu.

— Allez, lui intime-t-elle, c'est le mec ou c'est toi.

Elle plaisante, mais Poppy ne le sait pas. Elle hurle tandis qu'on lui arrache brutalement la poupée, qui atterrit au milieu du feu dans un crépitement de flammèches. Les enfants applaudissent bruyamment. Je détourne les yeux pour ne pas voir la détresse sur le visage de Poppy. On a droit à cette scène tous les ans. L'année de mon arrivée, j'étais à sa place.

Après qu'on ait jeté tous les mecs au feu, les gardiennes nous entraînent à l'autre bout de la salle, où elles ont préparé une boisson chaude qu'elles appellent du cidre et qui a le goût d'un

fruit qu'on désigne sous le nom de « pomme ». Nous ne voyons jamais de vraies pommes, mais un jour, j'aimerais bien y goûter. Poppy est encore toute remuée, elle a le visage enflé à force de pleurer, elle sanglote. Une gardienne s'approche d'elle et lui tend une tasse.

— Bois ça, chère, tu te sentiras mieux.

Poppy secoue la tête. La gardienne lui met la tasse entre les mains.

— J'insiste, dit-elle, et on sent la menace sous son ton mielleux. Poppy l'a compris puisqu'elle boit la tasse sans piper.

— À la bonne heure ! fait la gardienne.

Après avoir empilé nos tasses, nous retournons toutes au dortoir, sauf les filles qui s'occupent du service alimentaire. Les nouvelles s'imaginent que la Cérémonie de la mémoire est terminée. Elles ont tort. Quand on éteint les lumières, nous sommes toutes allongées, bien réveillées. Ce n'est pas que le sommeil tarde à venir, comme d'habitude... C'est autre chose. Je sens une tension énorme au-dedans de moi. Nous éprouvons toutes la même chose. Bien sûr, nous sommes surexcitées à cause du grand feu et de l'histoire, mais je me demande si le cidre n'a pas quelque chose à voir avec l'anxiété que j'éprouve. Personne n'a jamais refusé de boire le cidre. Je pense que la gardienne aurait forcé Poppy à l'avaler si nécessaire.

Je reste là, les yeux rivés sur la fenêtre, et je sais à quoi m'attendre. Malgré tout, mes cheveux se dressent sur ma tête quand je vois le faisceau orange qui se rapproche, toujours plus près, si près qu'à la fin, toutes les filles le remarquent, même celles qui n'étaient au courant de rien. Un cri monte dans le dortoir, comme si nous étions une seule et même créature. Le faisceau passe.

— C'est la raison pour laquelle vous devez éviter de vous approcher de la pente de ski, murmure une des plus vieilles. Lem le loup est là, et il vous mangera !

Nous entendons le cri des filles dans le dortoir voisin et nous savons qu'elles viennent à leur tour de voir la lueur. Quelques nouvelles pleurent, les plus jeunes et les plus craintives. Je suis à peu près certaine, aujourd'hui, que ce sont les gardiennes, ou encore les filles du service alimentaire qui braquent sur nous le faisceau de lumière orange. C'est seulement un élément de la Cérémonie de la mémoire, sans doute le plus utile. Parce qu'il est parfois difficile de s'assurer que toutes les filles restent à l'intérieur durant la nuit. Et dehors, rien n'est jamais sûr. Peut-être que Lem le loup existe réellement et qu'il attrape les enfants. Peut-être pas. Mais il y a des gens qui font le commerce des enfants sains, pour vendre leurs organes à des personnes malades, ou pour d'autres tâches auxquelles je préfère ne pas penser. Nous étions très prudents, même en vivant

dans la rue, mais malgré tout, des enfants disparaissaient. Alors, on se dit qu'il n'est pas si bête, au fond, de nous faire peur pour que nous restions sagement au lit.

# 5

# L'élue

Après la Cérémonie de la mémoire, la routine hivernale s'installe. Les filles qui travaillent comme jardinières préparent les bacs de multiplication des semences. Pendant la germination des graines, nous n'avons qu'à nettoyer les bacs et à tailler des paillassons. C'est du travail facile, et c'est le moment le plus agréable de l'année. Nous avons classe tous les matins. Je sais déjà tout ce qu'on nous enseigne. Je me garde bien de le dire, cependant.

C'est Hilary qui m'a montré à lire. Elle me prenait sur ses genoux et utilisait du papier qu'elle avait chipé quelque part. Je revois ses doigts délicats et crasseux tracer patiemment les lettres. « Tous les enfants devraient savoir lire », affirmait-elle. Elle ne m'a jamais dit qui lui avait appris tout ça. Depuis toujours, quand je plonge dans la lecture, je m'y sens à l'aise comme un poisson

dans l'eau. On dirait que les mots me portent comme le courant. Qu'ils sont ma source.

À cette époque de l'année, on peut facilement terminer son travail en vitesse et disparaître au milieu de l'après-midi avec un écranlivre. Les salles hydroponiques sont remplies de tables vides, tant que la multiplication des semis n'est pas terminée, si bien qu'il est facile de trouver un endroit où se retirer pour lire. Je m'assois sur le sol, un écranlivre sur les genoux, adossée au mur sous les fenêtres, cachée par une forêt de pattes de table. Je m'efforce de lire un poème écrit par un homme du nom de Shakespeare. C'est curieux, on dirait que, sous sa plume, les mots se comportent différemment que d'habitude, comme s'ils étaient animés d'une vie propre. Le sens de ses poèmes ne se livre pas facilement et c'est pourquoi j'y retourne sans cesse. Aujourd'hui, je lis :

> Irai-je te comparer au jour d'été ?
> Tu es plus tendre et bien plus tempéré :
> Des vents violents secouent les chers
> boutons de mai,
> Et le bail de l'été est trop proche du terme :
> Parfois trop chaud est brillant l'œil
> du ciel,
> Souvent ternie sa complexion dorée…

Je suis sur le point d'accéder à un hyperlien sur les métaphores quand j'ai soudain sous les

yeux les bottes d'une surveillante. Je pense que je peux m'attendre au pire parce que j'ai quitté le travail dès que j'ai pu, mais elle consulte une liste et demande :

— C'est toi, Lobelia Septembre ?

Je déteste le nom qu'on m'a donné quand je suis arrivée ici, mais j'opine.

— Quelqu'un veut te voir dans la rotonde après le dîner. À dix-neuf heures. Sois ponctuelle.

Je pense que c'est tout, mais elle reste là et ne bouge pas.

— Tu n'as pas envie de savoir pourquoi ? Je lève enfin les yeux sur elle. C'est une nouvelle gardienne, à peine plus âgée que les pensionnaires les plus vieilles. Elle n'a pas du tout l'air hostile. J'approuve d'un signe de tête.

Ses yeux s'allument d'excitation.

— Eh bien, c'est vraiment un événement. Le maître qui vit dans la colline et la bioguide viennent nous rendre visite ce soir ; elle doit choisir quelqu'un pour l'aider dans son travail.

Elle agite une feuille devant elle.

— Il nous a fallu la matinée entière pour examiner tous les dossiers de la biblio-tech et pour établir une liste des filles qui conviendraient le mieux.

Je n'en crois pas mes oreilles.

— Combien y a-t-il de noms sur la liste ?

— Quinze. Et il a même été un peu difficile d'en trouver autant. Alors tu as une chance sur

quinze d'être choisie. Bonne chance, ajoute-t-elle avant de tourner les talons.

Je me demande comment une personne comme elle a pu aboutir parmi les gardiennes, mais je suis soudainement frappée par l'importance de ce que je viens d'apprendre. Je vais peut-être trouver une issue en devenant l'aide de la bioguide. Mais pourquoi choisirait-elle l'une d'entre nous ?

Le maître et la bioguide sont ici pour les besoins des gens de la ville, pas pour nous, les enfants de la rue, et peu importe que la maison du maître se trouve à deux pas, dans les collines, nous ne le voyons jamais. Je ne sais pas grand-chose de la Voie, mais les bioguides possèdent une sensibilité particulière. Quand leur organisme réagit aux toxines dans l'environnement, on émet un avertissement écologique. À l'époque où je vivais dans la rue, à St. Pearl, je pensais que ces avertissements n'étaient qu'une façon de nuire à nos efforts pour passer inaperçus. Je me demande aujourd'hui comment nous avons pu survivre en si grand nombre. Je reste pensive un long moment avant de retourner à Shakespeare.

Au dîner, je suis trop excitée pour manger. On nous appelle enfin dans la rotonde, et nous y entrons en file indienne. Je suis curieuse de voir le maître et la bioguide, et je me demande qui sera choisie. Je connais à peine les autres filles qui lisent des écranlivres. Il est déjà suffisam-

ment difficile de ne pas être comme tout le monde ; s'il fallait qu'on nous rassemble, nous deviendrions une cible pour les autres. Mais je suppose que la bioguide choisira une fille grande et jolie. Je suis petite et laide. Personne ne voudra de moi.

Ce soir, la rotonde baigne dans la lumière. On a peine à croire qu'il s'agit de la salle où l'on nous regroupe pour la Cérémonie de la mémoire. Personne ne jette même un coup d'œil du côté de la cheminée dont l'âtre est vide. Je regarde les images incrustées dans la pierre du dôme, au-dessus de ma tête, si haut que je dois faire un effort pour ne pas perdre l'équilibre. Ces images représentent l'Anse à l'Ouest, la montagne du Gros-Morne et les hauts plateaux. Autant de lieux que les gens visitaient, à l'époque, durant leur séjour au Grand Hôtel. Je n'y suis jamais allée.

Gardienne Novembre semble particulièrement nerveuse tandis que ses compagnes nous obligent à nous mettre en rang.

— Maintenant, écoutez-moi bien, nous n'avons pas beaucoup de temps. Vous êtes toutes des pupilles de la Commission. Vous me comprenez ? La Commission vous a sauvées, elle vous donne de quoi vous vêtir, elle vous nourrit et elle vous éduque. N'oubliez jamais que vous devez tout à…

Elle s'interrompt brusquement et s'empourpre tandis qu'elle dirige son regard tout au fond de la salle. Machinalement, nous tournons la tête

vers un homme qui se tient à l'entrée de la rotonde, accompagné d'une jeune femme drapée d'une toge blanche.

— Mais vous arrivez trop tôt, s'exclame gardienne Novembre. Nous nous étions entendus sur dix-neuf heures trente.

L'homme est grand et puissant, mais il n'est pas jeune. Il traverse la salle avant d'ouvrir la bouche. Il semble tout à fait calme.

— Dans ce cas, j'ai dû me tromper. Acceptez mes excuses. Mais les filles sont là. Voyez-vous une raison de ne pas commencer ?

— Non, répond gardienne Novembre.

Cette fois, quand elle se tourne vers nous, elle a l'air furieuse.

— Comme vous le savez déjà, les bioguides nous protègent des toxines qui nous entourent. Ils jouent un rôle très important. C'est pour cela que lorsque le maître nous a demandé notre aide, nous ne pouvions refuser.

L'homme nous sourit, et pas seulement avec ses lèvres comme la plupart des visiteurs.

— Je m'appelle William Morgan. Je suis un maître de la Voie. J'ai grandi tout près d'ici, à Kildevil.

Cet homme me surprend. Il est rare que les quelques individus qui s'aventurent jusqu'ici nous regardent. La majorité d'entre eux restent un peu à l'écart, comme si nous étions malpropres.

Cet homme s'adresse à nous comme à de vraies personnes.

— Laissez-moi vous présenter notre nouvelle bioguide. Elle s'appelle Marella.

La fille en toge blanche s'approche. Des mèches de cheveux pâles s'échappent d'un nuage de tissu fin enroulé autour de sa tête. Quand elle marche, on dirait qu'elle flotte. Je regarde son visage et j'en ai le souffle coupé. Ses yeux sont du même bleu que la mer, comme ceux d'Hilary. Elle est belle.

À nouveau, c'est le maître qui parle :

— La cérémonie initiatique pour l'investiture de Marella en tant que bioguide aura lieu bientôt. Nous croyons qu'elle a besoin d'une tutrice pour passer les épreuves.

À ces mots, je la vois qui se rembrunit. Le maître ne semble pas s'en soucier.

— On vous a réunies ici parce que vous avez toutes utilisé la biblio-tech et que vous avez lu. Ce soir, elle choisira l'une d'entre vous. Celle qu'elle aura choisie viendra vivre avec nous.

Le groupe accueille ces mots avec un murmure d'excitation. Aucune de nous ne s'attendait à cela. Et maintenant, je donnerais ma vie pour aider cette fille qui ressemble à Hilary, pour fuir cet horrible endroit, mais ces pensées-là, je les écarte. Dans ma vie à moi, l'espoir est toujours déçu. Je dois me protéger de l'espoir.

Gardienne Novembre fait un pas dans notre direction.

— La personne que vous choisirez pourrait peut-être, malgré tout, revenir dormir ici, car…

— La formation est très complexe, gardienne Novembre, nous étions d'accord, interrompt le maître, qui ne semble guère surpris.

Il est courtois, mais même moi, je comprends qu'il ne cédera pas. Gardienne Novembre acquiesce à contrecœur ; le maître fait un signe de la tête et la bioguide s'avance pour mieux nous examiner. Les filles s'écartent un peu quand elle approche, de peur de la toucher ; elle est trop bien pour nous. Je ne supporte pas l'idée qu'elle me regardera. J'ai les yeux rivés sur mes pieds, j'attends que tout cela finisse enfin. J'attends le moment de redescendre au dortoir. J'attendrai ensuite que tout le monde soit endormi, et alors, je pourrai pleurer parce qu'elle ne m'aura pas choisie.

Puis je l'entends dire :

— Celle-ci.

Et c'est fini. Mais personne ne bouge. Elle ajoute :

— Qu'est-ce qu'elle a ? Elle est sourde ?

Quand je relève le menton, toutes les filles me dévisagent.

— Elle n'a rien, répond la gardienne en chef, elle est timide, je crois.

La bioguide s'adresse à moi.

— Comment t'appelles-tu ? demande-t-elle avec impatience.

Je tente de répondre, mais pas un son ne sort de ma bouche. J'essaie de nouveau.

— Blé Sama, dis-je d'une voix enrouée.

On dirait un croassement. Les autres filles s'esclaffent.

— C'est quoi ? Une sorte de surnom ? demande la bioguide.

Ce n'est plus à moi qu'elle s'adresse.

On s'agite un peu dans la salle tandis que les gardiennes se consultent.

— Oui, explique l'une d'elles au bout d'un moment. Nous l'avons appelée Lobélia Septembre. Elle prétend que Blé Sama est son vrai nom. C'est seulement le surnom dont on l'affublait dans la rue.

Je me tais.

— En tout cas, c'est elle que je veux, dit la bioguide.

— Est-ce qu'elle sait bien lire ? demande le maître.

— Oh ! oui ! répond une des gardiennes.

— Alors ça ira, ajoute le maître, approbateur.

— Nous l'accompagnerons jusque chez vous.

— Non. Elle doit venir avec moi maintenant, déclare le maître de sa voix calme, sans fléchir.

Je me souviens tout à coup de mon objet.

— Mais… mes affaires ! dis-je.

Les gardiennes rient. Je regarde le maître droit dans les yeux et j'implore :

— S'il vous plaît. Je n'ai presque rien, mais j'y tiens.

Je m'attends à ce qu'il m'ignore et pourtant, à ma grande surprise, il acquiesce doucement :

— Oui, bien sûr.

Gardienne Novembre s'avance, un peu trop vivement me semble-t-il.

— Nous l'escorterons jusque chez vous bientôt.

— Non, rétorque-t-il. Je viens avec vous.

Je me fais l'effet d'un os que deux chiens se disputent. Il y a un enjeu dans tout cela et je suis au centre, mais j'en ignore la raison.

Je descends les marches de l'escalier, comme dans un rêve. Pourquoi m'a-t-on choisie, moi ? Pourquoi *moi*? Au dortoir, je rassemble mes effets, je retire mon objet de sa cachette et je le glisse dans mon sac de couchage roulé en boule. Une gardienne pointe du doigt les gants que je porte autour du cou.

— Tu n'en auras plus besoin, maintenant, dit-elle.

Poppy est là, tout près. C'est la petite qui a perdu sa poupée pendant la Cérémonie de la mémoire. Ses gants sont déjà tout troués. Je prends les miens et je les lui offre en cadeau. On dirait qu'elle a peur. « Prends-les », dis-je. Elle ne répond pas, mais je lis de la gratitude dans ses yeux.

Je garde la tête haute au moment de quitter les lieux. Je suis l'élue. Tout sera différent, à présent.

# 6

# La maison du maître

La dame qui nous accueille à la porte se renfrogne dès qu'elle m'aperçoit. « Celle-là ? » demande-t-elle en plissant le nez. Je ne sais plus où poser les yeux. Il y a du bois partout, la maison est chaleureuse, peinte de couleurs vives, remplie de jolies choses. Je ne suis pas à ma place, ici. La bioguide ne m'a pas adressé la parole depuis que nous avons quitté la rotonde. Le sentiment d'avoir été élue s'est évaporé. J'ai envie de déguerpir et de retourner d'où je viens, où j'étais en sécurité. La femme est vieille, cinquante ans peut-être. Elle est d'une propreté immaculée, de stature imposante, et une épaisse natte grisonnante descend le long de son épine dorsale. Elle semble plus étonnée que furieuse.

— Montrez-lui les pièces où je vis, ordonne Marella sans même jeter un coup d'œil dans ma direction.

La vieille dame hésite, puis elle ajoute vivement :

— Elle doit d'abord prendre un bain avant de pouvoir vivre dans cette maison. Et il lui faut des vêtements neufs.

Elle désigne le paquet de hardes que je serre dans mes bras.

— Tout ça, je vais le brûler.

La bioguide n'a pas l'air contente, mais avant qu'elle ait eu le temps d'ouvrir la bouche pour répliquer, le maître intervient. Sa voix a l'effet d'un baume.

— Bien sûr, Érica, fais pour le mieux. Elle pourra commencer son service demain.

J'emboîte le pas à la femme. Nous traversons la cuisine baignée de lumière et nous descendons au sous-sol où flotte une odeur terreuse ; il y fait aussi bon qu'ailleurs dans la maison.

— Les salles de bain sont à l'étage, m'informe la femme qui s'appelle Érica, mais je crains que tu ne saches pas bien t'en servir. Il faut d'abord te décrasser.

L'immense jacuzzi en bois est rempli d'eau fumante.

— Je suppose que tu as des poux.

Je ne suis pas certaine d'aimer cette personne, qui semble déplaire à ma bioguide.

— J'en ai eu, mais à présent, je suis presque sûre que je n'en ai plus. Nous avons reçu un traitement la semaine dernière.

Elle plisse les lèvres.

— Eh bien, on n'est jamais trop prudent. Est-ce que tu sais ton âge ?

Je secoue la tête.

— Pas vraiment. Les gardiennes disent que j'ai environ treize ans.

Elle marmonne entre ses dents, circonspecte, en m'enlevant mes vêtements.

— Sous-alimentée. Depuis combien de temps vis-tu dans ce camp de travail ?

Je m'étonne de l'entendre parler de « camp de travail ». La plupart des adultes parlent de centre modèle d'assistance sociale.

— Ça fera quatre ans en septembre. C'est pour cette raison qu'on m'appelle Lobelia Septembre.

— Est-ce que tu veux qu'on t'appelle par ce nom ?

Le nœud qui me serrait la gorge se relâche un peu. C'est bien la première fois qu'on me pose cette question.

— Non. Ce n'est pas mon vrai nom. J'en ai un. Même si c'est un drôle de nom, c'est le mien.

Les mots se bousculent dans ma bouche tant je suis ravie de pouvoir enfin les exprimer.

— Et quel est ce nom ?

Le ton de sa question a quelque chose d'espiègle.

— Blé Sama.

— Curieux... Quel âge avais-tu quand tu as échoué dans la rue ?

— Difficile à dire. J'étais toute petite. C'est à peine si je savais parler.

— Qui sait, peut-être que Blé Sama, c'était ta façon de prononcer ton véritable nom.

J'approuve d'un hochement de tête. Cette explication cadre assez bien avec mes souvenirs. J'attends qu'elle me pose la question à laquelle je ne veux pas répondre. Je ne peux pas parler d'Hilary.

— Et combien de temps as-tu vécu dans la rue ?

Me voilà toute nue. Je grelotte un peu, bien que l'air soit tiède.

— Tu as froid, enchaîne-t-elle. Pauvre enfant. Allez, vite dans la baignoire.

J'obéis de bon cœur. Elle me tend un gant de toilette et un morceau de quelque chose de blanc, de dur et de parfumé.

— Qu'est-ce que c'est ?

Elle me jette un regard étonné.

— Du savon. Avec quoi te lavais-tu, là-bas ?

— Il y a des douches près du réservoir de spiruline. On prend une douche par semaine. On nous asperge d'abord d'eau savonneuse, et puis on se rince à l'eau claire.

Je m'abstiens de lui dire à quel point ce système est inefficace. La plupart des filles se retrouvent avec du savon dans les cheveux pour le

restant de la semaine. Je m'assois dans le jacuzzi et j'ai de l'eau jusqu'au cou.

— C'est chouette, dis-je.

— Tant mieux. Ici, tu peux prendre un bain quand ça te plaît. Plus qu'une fois par semaine.

Elle me montre comment utiliser le gant de toilette et le savon.

— Maintenant, lave-toi. Je vais te débarrasser de ces vêtements. J'en ai d'autres qui devraient t'aller.

Tandis qu'elle rassemble mes effets, mon objet tombe sur le sol en claquant.

— Comme c'est étrange, s'étonne-t-elle en le ramassant.

Je voudrais le récupérer. Je ne montre jamais mon objet à qui que ce soit. Elle tourne entre ses doigts le boîtier noir et plat. De minuscules vis de métal maintiennent en place les deux faces qui le composent. À l'intérieur, un ruban luisant et brun relie deux bobines.

— Qu'est-ce que c'est ?

Trop tard pour me dérober.

— Je ne sais pas, dis-je avec franchise. D'aussi loin que je me souvienne, j'ai toujours eu cet objet. C'est la seule chose que j'ai toujours gardée auprès de moi.

Je me demande si je peux faire confiance à cette femme. Mais j'ose.

— Peut-être... Peut-être que ça vient de mes parents. Je ne sais pas ce que c'est.

— On dirait un genre d'outil désuet, dit-elle en le posant sur une étagère à côté de serviettes propres.

— Il est en sécurité ici. Je reviens dans une minute pour t'aider à laver tes cheveux.

— Je peux utiliser le savon.

— Non. On emploie autre chose pour les cheveux.

Elle quitte la pièce, et je m'enfonce dans la baignoire jusqu'aux oreilles. Je soupire d'aise. Je ne me souviens pas d'avoir jamais été aussi bien. Est-il possible que j'aie déformé mon véritable nom parce que j'étais trop petite, à l'époque, pour le prononcer correctement ? Blé Sama. Oui, c'est très possible. Hilary m'a si souvent raconté comment elle m'avait trouvée. C'était une de mes histoires préférées, avant de m'endormir. « J'avais un nom déjà tout trouvé pour toi, mon lapin », chuchotait-elle en caressant mes cheveux tandis que je fermais les yeux. « Je t'aurais appelée Sucre d'orge. Mais tu disais avoir un nom et tu insistais, "Blé Sama, Blé Sama, moi, Blé Sama !" Tu criais tellement qu'à la fin, je redoutais qu'on t'entende et qu'on découvre notre cachette. Alors voilà, c'est ton nom. Blé Sama. » Et je m'endormais dans ses bras, heureuse d'être tombée sur elle et sur personne d'autre.

Je me frotte. Érica le remarque quand elle revient dans la pièce.

— Tu pâlis à vue d'œil en te débarrassant de toute cette crasse. Mets ta tête sous l'eau.

Elle prend une bouteille sur l'étagère et verse un liquide frais et parfumé sur ma tête. Puis, elle frotte et ça mousse. C'est fantastique.

— Qu'est-ce que c'est ?

— Du shampoing. Nous avons certains produits que les gens ordinaires ne voient jamais, poursuit-elle. À cause de la bioguide. Nous avons tous les savons, tous les médicaments dont elle a besoin. Renverse la tête, maintenant.

Elle rince mes cheveux et les lave une seconde fois, si bien qu'ils crissent de propreté. Je suis au paradis. Elle soulève une mèche comme pour la soupeser.

— Tu sais que tu aurais une jolie tête avec une coupe convenable.

Elle est plus gentille que je ne le pensais. Elle commence à me plaire.

Tout en finissant de me laver les cheveux, elle me confie :

— Marella n'est pas comme nous l'espérions. En général, les bioguides sont enthousiastes à l'idée d'apprendre des tas de choses. Mais elle, non. William a de la difficulté à lui enseigner quoi que ce soit. Nous fondons tout de même de grands espoirs sur elle.

Elle exhale pourtant un soupir qui n'a rien de rassurant. Je trouve étrange qu'elle critique

ma bioguide et qu'elle appelle le maître par son prénom.

— Allez, sors de là maintenant. Il commence à se faire tard.

Elle me tend une grande serviette douce et une robe de chambre, puis elle me tourne le dos pendant que je me couvre. Je récupère mon objet avant de quitter le sous-sol.

Dans la cuisine, elle ouvre une porte.

— C'est l'escalier de service. Il conduit à ta chambre.

Nous montons dans une pièce dont les murs sont blancs et nus, et qui semble plus confortable que ce que j'avais imaginé. On y trouve un lit, une commode et une fenêtre couverte de rideaux blancs. Elle m'indique une petite salle de bain, puis elle pointe du doigt une porte en face de ma chambre.

— Les quartiers de la bioguide sont là.

— Mais où dormez-vous?

Je ne voulais pas lui poser la question, mais cela m'a échappé.

Elle sourit.

— Auprès de William, bien sûr. De l'autre côté du couloir.

Mon visage doit exprimer la surprise. Elle rit.

— Me prenais-tu pour une servante? Mais, mon petit, je suis Érica Townsend, l'épouse du maître.

Comme elle ne semble pas se moquer de ma naïveté, je pense que je peux lui sourire à mon tour.

Puis, Érica s'en va. Je me demande si tout cela est bien réel. La chambre est simple et petite, mais c'est la mienne. Le lit est propre, douillet, confortable. On y dort dans des draps plutôt que dans un sac de couchage ; il y a même un oreiller. Je suis détendue parce que la journée n'a pas été dure, et à cause du bain. Mais je n'arrête pas de repasser dans ma tête les événements de la soirée. Pour un peu, j'aurais peur de m'endormir et de me réveiller dans le sous-sol du Grand Hôtel. Au bout d'un moment, j'entends Érica, le maître et ma bioguide qui montent l'escalier. Puis, j'entends la voix de Marella, et seulement la sienne. C'est comme un soliloque interminable, une chanson sans musique. Enfin, tout s'éteint dans la maison et tout est calme. Je tire la couverture sur mes oreilles toutes propres. Je ferai mon possible pour aider Marella. Qui sait, nous serons peut-être amies ? Puis, je m'endors.

# 7

# Le thé vert

Quelqu'un me tord l'oreille, et je me réveille. Encore une des grandes qui fait des siennes. J'ouvre la bouche pour alerter les gardiennes, mais une main s'écrase sur mes lèvres.

— Ne t'avise surtout pas de hurler, dit une voix.

Je retombe sur l'oreiller et je me frotte l'oreille en tâchant de respirer normalement. Je suis dans la chambre où Érica m'a laissée. Une lueur blafarde filtre derrière les rideaux blancs. Marella est debout à côté de mon lit. Elle a déjà revêtu sa toge de bioguide. Un turban lui enserre la tête.

— Ça fait quinze minutes que je suis réveillée, ronchonne-t-elle. Cela ne doit jamais plus se reproduire, est-ce clair ?

Je voudrais rétorquer que je ne sais pas ce qu'elle attend de moi. Je crains de la froisser, donc j'approuve en hochant la tête.

— Bien, maintenant sors du lit.

Au moment où elle se retire, je me rappelle que je n'ai rien à me mettre, mais dans le tiroir supérieur de la commode, je trouve des sous-vêtements propres. Dans un autre tiroir, il y a des collants et des tuniques qui sont presque à ma taille. Érica a dû les ranger là, hier soir, pendant que je prenais mon bain. J'enfile les vêtements et je passe en vitesse dans la pièce à côté.

Une lumière dorée pénètre dans la chambre de la bioguide par deux lucarnes au plafond. Elle a négligemment jeté un couvre-lit aux tons clairs sur ses couvertures et ses oreillers. Les meubles sont en bois, splendidement sculptés. De jolis objets étranges décorent la chambre, du verre aux couleurs vives et toutes sortes de cailloux brillants. Je ne vois pas Marella. Soudain, j'entends un bruit. Derrière la cloison, je découvre une alcôve avec de grandes fenêtres, adjacente à la chambre où je dors. Marella est assise à une petite table, le regard tourné vers la pente de ski. En approchant, j'aperçois un plan de travail.

— Tu peux faire du thé, ordonne-t-elle.

Je n'ai pas la moindre idée de ce qu'elle veut dire. Au camp de travail, il faut une formation particulière pour se charger des services alimentaires, et on ne la donne qu'aux pensionnaires les plus anciennes. Mon embarras semble l'amuser.

— Eh bien, tu ne sais vraiment rien de rien. Je vais te montrer comment faire, une fois et une seule.

Elle insiste sur les trois derniers mots.

— À l'avenir, tu m'apporteras une pleine théière de ce thé vert tous les matins quand tu viendras me réveiller. Est-ce je me fais bien comprendre ?

J'approuve sans quitter des yeux ses mains qui s'activent. Quand elle a fini, elle dit :

— À toi maintenant. Montre-moi comment il faut faire.

Je m'exécute, et elle esquisse un mince sourire.

— Te voilà bonne à quelque chose.

Elle prend place à sa table. Je suis plantée là, comme une potiche.

— Apporte le plateau. Ensuite, tu rangeras la chambre.

La table est tout à côté de l'endroit où elle se tient, mais j'obéis. Une fois que j'ai ramassé ses vêtements et que j'ai fait le lit, elle me rejoint dans la cuisinette.

— Maintenant, je suis prête pour le petit-déjeuner. Lave la vaisselle et ensuite, va rejoindre Érica.

Elle quitte la chambre par la porte qui donne sur le couloir.

Je lave la vaisselle, puis je range ma chambre en tâchant de museler le sentiment de déception qui m'envahit. Marella n'est pas aimable, mais pourquoi le serait-elle ? Du simple fait qu'elle m'a choisie, j'ai pensé que nous pourrions être

amies. Le jour où je suis arrivée au camp de travail, j'ai pensé que j'y trouverais peut-être quelqu'un comme Hilary. Cela ne s'est jamais produit. Les gardiennes se tiennent aussi loin que possible des pensionnaires, et nous devons nous débrouiller toutes seules. J'aurais dû apprendre ma leçon. Je jette un dernier coup d'œil à ma chambre, puis j'emprunte l'escalier de service pour descendre à la cuisine.

Érica est à déjà à l'ouvrage. Elle triture une grosse masse informe sur un coin de table.

— Ces deux-là peuvent se détendre avant de commencer la leçon, mais moi, j'ai du travail.

Elle frappe la masse du poing avec une telle force que je sursaute.

— Le pain ne se fait pas tout seul.

Elle frappe de nouveau la boule, et je réalise peu à peu qu'elle ne fait rien de mal.

— Qu'est-ce que c'est ?

— De la pâte à pain, mon petit. Elle marque une pause et me lance un de ses regards scrutateurs.

— Tu sais de quoi je parle, n'est-ce pas ?

J'approuve et soudain, j'ai le cœur gros. Je détourne les yeux. Hilary pouvait chaparder n'importe quoi comme un as. Pour cette raison, une des tribus assurait notre protection. Elle s'emparait de toutes sortes de choses, mais surtout, elle volait du pain frais, tout chaud, dans les ruelles derrière les boulangeries. Elle courait se réfugier

dans notre antre et rompait la miche pour m'en donner de gros morceaux encore fumants. Nous pouvions manger toute une miche à nous deux en quelques minutes. Elle savait aussi comment faire du troc pour se procurer l'essentiel. Un jour, elle a même réussi à obtenir pour moi une drôle de poupée dans une robe rose bonbon. « Toutes les petites filles devraient avoir leur poupée, mon cœur », disait-elle.

Érica ne remarque pas que je me soustrais à son regard.

— Qu'est-ce que tu mangeais, au camp de travail ?

— Des protéines végétales et des algues transformées, de la spiruline et des légumes de jardin.

*Avec ou sans l'accord des gardiennes.* Mais ça, je ne le précise pas.

Elle plisse les lèvres.

— De la spiruline ! On ne devrait pas avoir à manger des algues. Les personnes qui ont un faible T-U ne peuvent pratiquement jamais manger de vrais aliments. Pas étonnant que tu sois si maigre.

Elle assène un nouveau coup de poing à la masse. Je ne trouve à cette chose aucune ressemblance avec le pain de mes souvenirs.

— Notre nourriture est bien supérieure.

Elle m'examine de la tête aux pieds.

— On devrait pouvoir te faire grossir un peu. Assieds-toi.

J'obéis. Je me demande ce qu'elle veut dire par « de vrais aliments ». Quand je vivais dans la rue, je mangeais un peu n'importe quoi. Au camp de travail, on nous a appris que les gens civilisés ne mangent que des plantes, jamais de viande. La spiruline a un goût affreux, mais je croyais que nous mangions la même nourriture que les gens ordinaires. Érica m'offre de grosses tranches de pain dans une assiette. Pas de cette chose spongieuse qu'elle maltraite depuis un moment. Du pain, comme dans mes souvenirs. Puis, elle me tend un verre rempli d'un liquide blanc. Un vrai verre, rien à voir avec ces contenants rayés et ébréchés en celluloïd qu'on utilise au camp de travail.

— Qu'est-ce que c'est ?

— Du lait.

— Du lait ?

Cette fois, elle se contente de soupirer.

— Le lait est fait de protéines. Ça t'aidera à grandir. Il contient du calcium pour renforcer tes os.

J'agite le liquide dans le verre. Je fais semblant d'y goûter. Je me contente toutefois de le sentir. Aucune odeur. Ça ne ressemble pas du tout à quelque chose de comestible.

— Comment fabriquez-vous le lait ?

— Ce n'est pas nous, mais les vaches et les chèvres qui le fabriquent dans leur corps pour nourrir leurs petits.

Sa voix trahit une certaine impatience.

C'est dégoûtant !

— Vous voulez que je boive quelque chose que les vaches fabriquent dans leur corps ? Je ne peux pas.

L'idée me révulse.

Érica semble furieuse. Un court instant, je crains qu'elle m'oblige à boire le liquide, puis elle se détend.

— Je ne peux pas te forcer à faire ce qui est bon pour toi.

Elle m'enlève le verre des mains.

— Tu veux du thé ?

— Oui. S'il vous plaît.

Je sais au moins que le thé n'est pas produit par le corps d'une vache. Le pain est délicieux. Je m'efforce de ne pas l'enfourner d'un seul coup, comme nous en avions l'habitude, Hilary et moi. Érica pose le thé sur la table. Ce n'est pas du thé vert et clair comme celui que boit Marella. C'est une décoction brune comme de la boue. J'en avale une grosse gorgée brûlante.

— C'est chaud, dis-je en hoquetant.

— La plupart des gens mettent du lait dans leur thé, réplique Érica.

Elle se tourne vers des récipients de nourriture posés sur le plan de travail et passe chacun d'eux devant un scanner qui émet un bip sonore. Quand elle a terminé, elle les range dans un panier.

— William n'aura pas besoin de toi avant cet après-midi. Quand tu auras fini de manger, peux-tu faire quelque chose pour moi ? Sais-tu où se trouve la pente de ski ?

J'acquiesce d'un signe de tête.

— Bien, alors tu peux aller porter cette nourriture chez Lem le loup.

La croûte de pain que j'allais engouffrer retombe dans l'assiette, mais Érica me tourne le dos. J'ai été vraiment stupide de refuser la nourriture qu'elle m'offrait. Déjà qu'elle trouve que je fais des manières... Si je refuse d'accéder à sa demande, on me chassera d'ici. Vaut-il mieux que je sois dévorée toute crue par Lem le loup ou que je retourne croupir au camp de travail ? Ma réponse me surprend moi-même :

— D'accord.

Mais je repousse mon assiette.

Érica fait la moue.

— Pour une affamée, je te trouve bien capricieuse.

Je voudrais lui dire que le pain avait un goût fantastique jusqu'à ce qu'elle me demande de risquer ma vie, mais je me tais.

— Tu es toute pâle, s'inquiète Érica, tu ne te sens pas bien ?

Je secoue la tête pour lui signifier que tout va bien. Elle me tend le panier. Il est lourd. Je le saisis en me demandant s'il s'agit d'une sorte d'épreuve. Mais Érica n'a pas l'air inquiète. Est-

il possible qu'elle n'ait aucune idée de l'effort qu'elle exige de moi ? Devant la porte, je m'arrête.

— Où sont les visières ?

— Oh ! Tu n'en as pas besoin.

Elle doit lire la panique sur mes traits, car elle poursuit :

— Je t'assure, Blé, ce n'est pas nécessaire.

Elle me tend un tube.

— Mets un peu de ça sur ton visage et je vais te trouver des lunettes.

Le tube contient une lotion.

— Qu'est-ce que c'est ?

— Un écran solaire. Pour protéger ta peau contre les rayons ultraviolets.

— Vraiment ?

— Oui. Et prends ceci.

Elle me tend une paire de lunettes noires. L'idée de sortir sans visière m'effraie au point que je n'ose pas bouger. Érica le remarque.

— Je te dis la vérité, Blé. Tu n'as rien à craindre. Crois-moi.

— Dans ce cas, pourquoi est-ce qu'on nous force à porter une visière ?

Érica tique et jette un coup d'œil derrière son épaule comme pour s'assurer que personne ne nous épie.

— Je t'expliquerai plus tard.

Et je sors.

J'éprouve une sensation si étrange d'être là, dehors, sans visière, que je dois faire une pause

pour m'orienter. Le Grand Hôtel est en bas de la colline. Hier encore, c'était chez moi. Il y a quelques minutes à peine, j'étais ravie d'en être sortie. Mais je n'en suis plus aussi sûre. Je sais où se trouve le sentier vers la pente de ski. On s'est empressé de nous en indiquer l'emplacement pour ne pas qu'on l'emprunte par erreur. Si l'on m'avait dit, hier encore, que je me rendrais de mon plein gré chez Lem le loup, j'aurais ri. Maintenant, je ne ris pas. Le sentier est escarpé, ombragé par les bouleaux, les érables et les épinettes. C'est magnifique, mais je tremble de peur. Quelque part, du fond de ma mémoire, les bribes d'une histoire remontent ; une fillette marche dans les bois, comme moi, elle porte un panier de victuailles. Et elle se rend quelque part où quelqu'un l'attend, un personnage avec de grandes dents qui veut la manger. Qui la mange, peut-être bien. Mais c'est un souvenir si lointain qu'il s'estompe rapidement.

Je me demande si je ne devrais pas me débarrasser du panier dans le bois et mentir à Érica. Mais à nouveau, je pense que c'est peut-être une épreuve. Je ferais n'importe quoi pour éviter le camp de travail.

À la fourche où le sentier bifurque vers la pente de ski, on peut lire TÉLÉSIÈGE sur un vieil écriteau en métal. Je m'oblige à mettre un pied devant l'autre. Ce sentier donne sur deux tours rouillées, les premières d'une série qui remonte

le long du talus. Des fenêtres, au dernier étage du Grand Hôtel, on peut en voir les pointes au-dessus de la cime des arbres. Qu'est-ce qu'elles font là ? C'était peut-être un élément d'une machine sophistiquée. Si ce qu'on raconte est vrai, la maison de Lem le loup est au pied des premières tours. Quand elles surgissent devant moi, j'entre dans le sous-bois pour camoufler ma présence et m'approcher sans me faire remarquer. Difficile d'avancer : le panier est lourd et il m'encombre. Les branches d'arbre s'accrochent à ma tunique neuve et m'écorchent le visage, si bien que je regrette de ne pas porter de visière. Puis, j'aperçois la clairière devant moi. Je me terre derrière une grosse épinette et je retire mes lunettes pour éviter que la lumière ne s'y réfléchisse. La maison de Lem le loup est exactement là où le raconte la légende.

Deux énormes tours en métal soutiennent le mur frontal. Je n'ai jamais vu de maison plus étrange. Elle me rappelle les taudis de la zone, au sud de St. Pearl. Les enfants qui s'aventuraient de ce côté disparaissaient sans laisser de trace. On dirait que cette bicoque a été construite avec les moyens du bord. Elle est particulière, toute en bois, sans parpaing ni revêtement de métal. L'étrangeté des lieux tient surtout aux éléments qu'on y a rajoutés. J'en reconnais quelques-uns, par exemple les capteurs solaires. D'autres ne sont sans doute pas très utiles pour une maison

si petite, par exemple, trois différentes sortes d'éoliennes surmontées de cônes d'où sortent des fils, ou encore des grilles de métal qui doivent bien servir à quelque chose. Mais qui sait. Ce fou de Lem le loup les a peut-être installées là parce qu'il aime leur allure.

Tout à coup, la porte s'ouvre à toute volée. Lem le loup surgit sur le seuil. Je suis figée sur place. Bien que l'épinette cache ma présence, j'ai le cœur qui bat si fort qu'il pourrait presque l'entendre. Le loup est exactement comme je l'avais imaginé. Il porte des vêtements rapiécés et il a de longs cheveux roux bouclés, grisonnants. Il hume l'air comme un animal. J'ai peur qu'il flaire ma présence. Puis, il s'étire en grognant, on dirait une bête qui rugit. Il a de grandes dents jaunes. Elles ont l'air pointues. Je me demande si je dois me débarrasser du panier et me sauver. Il quitte la maison et se dirige vers une petite cabine en bois. Les toilettes. Il en referme la porte et je l'entends mettre le loquet. Pourquoi ce fou met-il le loquet au milieu des bois ? Je ne m'arrête même pas pour y penser.

Je quitte ma cachette et je cours aussi vite que possible, malgré le panier qui me gêne. Je le lance sur les marches de l'escalier avant de pivoter sur moi-même et de dévaler le sentier sans me retourner, si vite que je redoute de perdre pied et de dégringoler jusqu'en bas de la colline abrupte, mais je ne tombe pas. J'ai la certitude

que Lem le loup me talonne, mais rendue à la fourche, quand enfin je m'arrête pour regarder derrière moi, je suis seule. J'ai la poitrine en feu. Pliée en deux, je me pends à l'écriteau pour reprendre haleine. Je suis à bout de souffle, mais je souris. Lem le loup a sa pitance et il ne m'a pas mangée, moi. Si c'était une épreuve, je l'ai réussie. Soudain, j'entends des branches qui craquent dans la colline, tout là-haut. Je cours jusqu'à la maison du maître, cette fois sans me retourner.

Érica est toujours dans la cuisine. Elle a l'air étonnée.

— Bonté divine, Blé, tu n'avais pas besoin de tant te presser pour rentrer. C'est une si belle journée. Tu aurais pu profiter de ta promenade.

Elle n'a pas l'air de bien saisir le danger qui me guettait et l'étendue de mon courage.

— Où est le panier, l'as-tu laissé sur la véranda ? demande-t-elle.

— Je devais le ramener ?

Je pose la question, sauf que j'ignore comment j'aurais pu m'y prendre ?

— Oui. Je le remplirai à nouveau dans quelques jours. Ce n'est pas très loin. Tu iras le chercher plus tard.

J'ai les genoux qui flanchent, mais Érica regarde par la fenêtre et ne remarque rien.

— Ou plutôt… Laisse tomber. Il fait si beau. J'irai le chercher moi-même plus tard.

Je m'assois, infiniment soulagée. Érica me dévisage.

— Tu es épuisée, n'est-ce pas? Tu n'as pas suffisamment mangé au petit-déjeuner. Qu'est-ce que je pourrais bien te donner, je me le demande.

Elle saisit un fruit rouge et rond dans un compotier posé sur le plan de travail et elle me l'offre.

— Tiens, dit-elle.

Je le prends dans ma main. C'est lisse et doux.

— Qu'est-ce que c'est?

Érica soupire.

— Tu n'as jamais vu de pommes?

— Oh! C'est une pomme. On m'a dit ce que c'était.

Mes dents déchirent la peau et pénètrent dans la chair sucrée.

— C'est bon, dis-je, la bouche pleine, et Érica s'esclaffe.

À nouveau, elle triture la pâte molle et spongieuse sur le plan de travail. L'idée d'avoir à manger cette chose informe me donne la nausée. En revanche, j'adore le goût de la pomme. Je la mords à belles dents jusqu'à ce qu'il n'en reste plus que le cœur et les pépins. Le soleil illumine la cuisine. Tout est calme, sauf quand Érica malmène la pâte à pain, sur la planche.

— Je suis montée dans la chambre de Marella et dans la tienne, en votre absence, m'informe-

t-elle. Tu les as bien rangées, Blé. Je suis sûre que tu te sentiras bien ici.

Ses encouragements me réconfortent comme le bain chaud de la veille. Chaud et apaisant. Je me sens si bien, cela m'effraie. Je ne dois pas m'imaginer qu'ici, c'est chez moi. Je risque gros rien qu'à faire semblant. Quel est mon rôle, au juste, dans cette maison ? La curiosité me submerge.

— Érica, pourquoi suis-je ici ? Hier soir, le maître a dit que Marella avait besoin d'aide pour étudier.

Avant de répondre, elle appuie sur le bouton d'un panneau de commande, au mur. Le courant est coupé dans la cuisine.

— Nous avons quelques ennuis avec l'alimentation électrique... William et Marella n'ont pas le droit de rencontrer les citadins jusqu'au jour de l'investiture. Cela fait partie du rituel depuis des siècles. C'est pour cette raison qu'on ne peut pas demander à une personne de Kildevil de l'aider, mais les choses ne vont pas comme prévu.

— Alors, je vais l'aider à se préparer pour la cérémonie ?

Érica hésite.

— Pas exactement. La Commission nous encourage à donner aux bioguides une formation parce que c'est grâce à eux que les gens se souviennent jusqu'à quel point on a endommagé l'environnement dans le passé. À l'époque de la

Noirceur, quand les cheminées des zones industrielles crachaient leurs nuages empoisonnés, les bioguides s'exposaient aux substances toxiques pour que les gens ordinaires sachent à quel moment il était dangereux de sortir. Et alors, on émettait des alertes. En deux mots, l'organisme des bioguides réagissait à la pollution.

Je me demande ce qu'elle veut dire quand elle parle de l'époque de la Noirceur, mais je n'ose pas l'interrompre.

— Les choses ont changé, poursuit-elle, et nous espérons que les bioguides pourront jouer un rôle différent. Marella doit prouver qu'elle peut s'adapter en utilisant des outils indispensables et en recueillant des renseignements utiles à la terre. Mais elle n'arrête pas de faire des erreurs. Au cours des prochaines semaines, elle devra se soumettre à certaines épreuves pour montrer qu'elle peut assumer ses nouvelles responsabilités, mais elle ne semble pas très enthousiaste et elle se querelle sans cesse avec William. Nous espérons que tu pourras la motiver dans son apprentissage, comprends-tu ?

— Je crois, dis-je.

Il y a tant de choses que je veux savoir. Je ne sais plus quelle question poser.

— Je me souviens des alertes à la pollution, à St. Pearl. On ne s'en préoccupait pas et pourtant, je ne connais personne qui soit tombé

malade. Depuis que je suis ici, il n'y a plus du tout d'alertes à la pollution.

Érica me lance un regard que je ne sais pas interpréter.

— Tu es astucieuse. Je crois que je peux te dire la vérité. À l'époque de la Noirceur, les alertes à la pollution avaient un sens. L'air qui provenait des zones industrielles tuait des gens. Les bioguides mouraient en si grand nombre qu'il était même difficile de leur trouver des remplaçants. Mais tout ça, c'est du passé.

— À cause du technocauste ?

Le regard d'Érica s'assombrit. J'ai dû dire quelque chose d'idiot. Quand elle ouvre à nouveau la bouche, elle parle tout bas.

— C'est ce qu'on vous raconte là-bas, hein ?

J'ai la gorge si serrée que je ne peux qu'approuver en hochant la tête. Puis, c'est le silence, et pendant un instant, je me dis que la conversation est terminée et qu'Érica ne me dira peut-être plus jamais rien. Je suis sur le point de me faufiler hors de la pièce quand enfin elle ajoute :

— Je ne peux pas te parler du technocauste, Blé, mais tu dois savoir qu'on t'enseigne beaucoup de faussetés au camp de travail. S'il te plaît, crois-moi quand je te dis que tu ne connais pas toute l'histoire. Tu apprendras beaucoup de choses dans cette maison. On pourrait même commencer ton éducation dès maintenant. Blé, les alertes à

la pollution dans la ville n'ont plus aucun fondement. La Commission les utilise à d'autres fins.

— Que voulez-vous dire ?

— La Commission trouve utile de vider les rues de St. Pearl de temps en temps et de faire croire aux gens qu'il est trop dangereux d'aller et venir. Tant et aussi longtemps que les gens craignent les alertes à la pollution, ils dépendent de la Commission pour les protéger. Ils n'hésitent pas à investir la Commission de pouvoirs toujours plus grands.

— Mais pourquoi les bioguides coopèrent-ils ?

— Ils ne coopèrent pas. Les villes n'ont plus de bioguide. Plus de maître. Ils se sont tous retirés dans des endroits comme ici.

Je me souviens de la tension, hier soir, entre le maître et gardienne Novembre. Je commence à comprendre.

— Vous voulez dire que vous êtes en guerre avec la Commission ?

Érica rit.

— Je n'irais pas jusque là. Un complexe géré par la Commission se trouve tout près d'ici, en bas de la colline. Les bioguides ont toujours renforcé le pouvoir de la Commission. Pendant longtemps, la Voie collaborait avec la Commission. Mais la rupture est survenue à cause du technocauste. Disons que nous sommes en guerre,

même si personne ne meurt. En d'autres termes, c'est une lutte de pouvoir.

— Mais si les bioguides ne servent plus à rien, pourquoi avons-nous toujours recours à eux ?

— Sans eux, les gens se sentiraient perdus. Tous les mois, après l'investiture, Marella devra exposer son corps à l'eau, à l'air et aux produits de la terre, dans le rituel du sacrifice lié à sa fonction de bioguide qui date de la Noirceur. Les gens ont encore besoin du sacrifice pour être rassurés. Sans compter que toutes les créatures s'adaptent quand l'environnement se modifie. La Voie tente d'aider les bioguides à s'adapter à leur nouveau rôle.

Elle enfouit la pâte à pain dans des moules et essuie ses mains sur son tablier.

— Tout cela doit te sembler bien étrange. Mais attends, tu n'as encore rien vu.

— Que voulez-vous dire ?

— Tu te souviens de ce que j'ai raconté sur les épreuves ? William cherche à savoir si Marella possède des talents particuliers. Tu l'aideras à se préparer pour ces épreuves et tu l'accompagneras pour limiter les dégâts. Je suppose qu'elle t'a choisie parce que tu as l'air de pouvoir endurer n'importe quoi.

J'en ai la chair de poule. Que me réservent ces épreuves ? Je me le demande.

— C'est quoi, ces épreuves ?

Érica s'apprête à dire quelque chose, puis elle y renonce et serre les lèvres.

— Mieux vaut que William t'en parle lui-même. Je t'en ai probablement déjà dit beaucoup trop.

Elle appuie de nouveau sur le bouton du panneau de commande et le courant revient. Elle allume le four et y dépose les moules à pain.

— Voilà. Nous aurons bientôt du pain.

J'ouvre de grands yeux.

— Vous voulez dire que vous allez le cuire ? Je pensais qu'on le mangeait comme ça.

Elle rit.

— Tu pensais qu'on mangeait de la pâte à pain ? Quelle drôle d'idée ! Tu nous prends vraiment pour des barbares.

Elle n'est pas fâchée.

— Préparons le déjeuner. Je vais essayer de trouver quelque chose de bon pour toi. Tu as déjà mangé du poisson ?

Je secoue la tête. Mais n'est-il pas mauvais de manger la chair des animaux ? Je voudrais lui poser la question, mais je redoute de la mettre en colère, encore une fois.

— Eh bien, ça ne m'étonne pas. C'est une denrée rare.

Dans un contenant du garde-manger, elle prend quelque chose qu'elle met dans une sauteuse, puis sur le feu de la cuisinière au mé-

thane. Une odeur monte, forte, exquise comme la fumée, comme la mer. Quand c'est prêt, elle en met un petit morceau sur un bout de pain et me l'offre.

L'allure de la bouchée ne me plaît pas. On dirait le corps d'une créature vivante, mais l'odeur me donne l'eau à la bouche alors je goûte. C'est fumé et salé, tiède et moelleux. Je n'ai encore jamais rien mangé de tel.

— J'adore ça, dis-je, la bouche pleine.

Elle tique.

— Tu as des goûts de luxe, mais c'est une bonne protéine. C'est du hareng fumé. C'est très rare. On a cru longtemps que les harengs avaient disparu. C'était avant ma naissance. Les pêches sont étroitement surveillées, mais on peut en obtenir, de temps en temps. Maintenant, aide-moi à préparer le reste.

Plus tard, tandis qu'Érica emporte le repas dans la salle à dîner, je reste à la cuisine.

— Tu n'as pas envie de manger avec nous, demande-t-elle ? Personne ne t'oblige à manger seule.

— Ça va, je me sens bien ici.

Je ne crois pas que Marella apprécierait ma présence.

— Je vous assure, dis-je.

J'insiste parce qu'Érica hésite.

— Comme tu veux, dit-elle enfin avant de quitter la pièce.

Nous avons fait une grosse salade pour le déjeuner. Érica m'a laissé plus de nourriture que je ne pouvais en avaler, le reste du poisson et la moitié d'une miche de pain frais. Le temps du repas file. Ça m'est égal d'être seule pour manger. Quand Érica revient avec les assiettes, j'ai déjà lavé ma vaisselle.

— Bon travail, ma fille. Maintenant, William aimerait te voir dans son bureau.

La pièce est située à l'avant de la maison. Ma véritable tâche est sur le point de commencer. Le maître a pris place à sa table de travail et il tourne le dos à la fenêtre. Marella est assise devant lui. Un livre est posé entre eux.

— Ah ! Blé ! s'exclame-t-il. S'il te plaît sois patiente, je suis à toi dans un instant, le temps d'achever une explication.

C'est une habitude chez lui de donner des ordres en y mettant la forme, mais il s'attend à ce qu'on lui obéisse sans discussion. Je m'assois sur une chaise souple. Elle se moule à mon corps, comme un nuage, et ondule dans une succession de vaguelettes vertes et bleues. En temps normal, ce phénomène m'intriguerait, mais pour l'instant, j'ai mieux à faire. J'observe le maître. Ses yeux sont gris comme une mer calme, insaisissable. Il a de gros sourcils et il est chauve, sauf qu'il a une frange argentée autour des oreilles. Il est plus âgé qu'Érica, mais il est grand et une force tranquille émane de lui. On dirait un ancien

soldat. Non. Un guerrier. Oui, c'est le mot. Marella ne me regarde pas. Il semble que je n'en vaille pas la peine.

— Tu vois, enchaîne le maître, cette créature s'appelle *Marella splendens.* C'est de là que vient le nom que tu portes.

Marella s'agite sur son siège.

— Cette chose est monstrueuse.

Elle a l'air horrifiée.

— Oh ! Non, c'est une créature magnifique à bien des égards ! rétorque le maître avec humour et patience.

— Les fossiles des schistes de Burgess nous ont beaucoup appris, poursuit-il, mais tu n'auras pas besoin de cet ouvrage avant l'épreuve finale.

Tandis qu'il referme le livre, je remarque le titre : *Leçons de géologie à l'intention des bioguides.*

Il en retire un autre de la bibliothèque.

— Voici celui que tu devras lire avant la première épreuve. Prends-le.

Marella n'y touche pas.

— Je ne comprends toujours pas pourquoi je dois me soumettre à ces épreuves, proteste-t-elle. Je veux mon investiture.

— Je sais que tu attends cette cérémonie avec impatience. Mais je t'ai déjà tout expliqué. Ces épreuves détermineront si tu as les aptitudes nécessaires.

Il se tourne vers moi.

— Il y a deux petites épreuves, Blé, et une autre, plus complexe. Je verrai si Marella a le talent dont on a besoin. L'épreuve finale, la plus complète, porte sur la géographie de chaque région. Dans cette partie-ci de l'île, nous avons choisi de nous concentrer sur les hauts plateaux. Si nous décidons de nous présenter à l'examen, Marella et toi, vous vous rendrez ensemble sur les plateaux. Elle écoutera ce que raconte la terre, et nous verrons ce que ça donne.

— J'ai toujours voulu voir les plateaux, avoue Marella.

Elle jubile comme une gamine. Elle ne pose aucune question sur les épreuves.

Le maître acquiesce.

— Et tu iras là-bas si tu réussis la première épreuve.

Même moi, j'ai entendu parler des plateaux. Au plafond de la rotonde, ils sont représentés entre les collines vertes qui les entourent ; on dirait un plan de lune. Des rochers chauves, orange, pas une plante sur le sol nu. Partout, la désolation, personne n'a pu m'en donner la raison. J'en ai tout à coup froid dans le dos. Marella échouera peut-être aux examens. Dans ce cas, rien à craindre. Mais c'est moi qu'elle a choisie pour l'aider. Comment puis-je souhaiter qu'elle échoue ?

Le maître enchaîne :

— Normalement, je pourrais attendre après l'investiture pour les examens, mais l'hiver s'en vient et le temps presse. Nous commencerons donc demain matin, à l'aube. Je ne prends pas la peine de te préciser ce que tu dois faire. Assure-toi au moins de lire ce livre.

Marella fait mine de se lever. Il la retient.

— Avant que tu partes, Marella, je veux te parler de tes relevés sur les rayons ultraviolets. Tu continues de faire des erreurs impardonnables. Je t'ai répété à maintes reprises de faire deux séries de lectures pour chaque observation et pourtant, je ne vois toujours qu'un seul relevé. Je croyais aussi que tu avais compris l'importance d'inscrire les valeurs au zénith en plus des valeurs liées directement au soleil. Je m'aperçois qu'elles manquent, la plupart du temps. Ces lectures sont très importantes. Je ne peux pas tolérer autant de négligence. Demain, nous récapitulerons une fois de plus tout le processus avec Blé. Elle pourra peut-être t'aider.

Marella ne sourit plus.

— Je pensais que les bioguides avaient un talent naturel. Je ne savais pas que j'allais devoir apprendre toutes ces… choses, crache-t-elle.

Le maître se rembrunit.

— Marella, le travail de bioguide est une bénédiction ou un châtiment. C'est à toi de décider. On ne peut pas dire que, en ce qui te concerne, jusqu'à présent, tu sois bénie !

Il s'interrompt pour permettre à Marella de répliquer, mais elle se renfrogne et se tait. Il poursuit :

— À l'époque de la Noirceur, on considérait les bioguides comme des victimes sacrifiées, des offrandes aux dieux pour se protéger de leur colère. C'était un rôle passif, et tu aimerais qu'il en soit toujours ainsi.

Il durcit le ton.

— En ce temps là, les bioguides avaient une espérance de vie de quelques mois, de quelques années tout au plus.

Il fait une pause pour maîtriser sa colère. Bien qu'il ne soit plus jeune, il a l'air redoutable. S'il perd son sang-froid, il peut faire beaucoup de mal. Marella n'a pas bronché, mais je retiens mon souffle.

— Les choses ont changé, reprend-il. Les bioguides recueillent de l'information. Certains d'entre eux enregistrent les ultraviolets partout sur la planète ; tous les jours, ils enregistrent les moindres changements dans la couche d'ozone. D'autres se concentrent sur les gaz à effet de serre. Tous les bioguides font leurs classes et contribuent de leur mieux à nourrir nos connaissances. C'est ton travail. Est-ce que je me fais bien comprendre ?

Il la fusille du regard.

Marella le toise tranquillement, puis elle hausse une épaule dans un tressaillement à peine

perceptible. Son geste de défi me coupe le souffle. Je crains qu'il ne la gifle. Je glisse sur le bout de ma chaise. Le maître fait deux fois ma taille, mais s'il le faut, je m'interposerai pour protéger Marella. Quand le maître retrouve la voix, il est plein d'une rage contenue.

— Je n'ai encore jamais vu de bioguide me manquer de respect à ce point. Ton comportement dans cette maison est scandaleux. Si tu échoues aux examens, Marella, l'investiture n'aura pas lieu. Tu quitteras cette maison dans la honte.

Il se détourne.

— Tu peux partir, maintenant. Étudie ce que tu dois étudier. Prends ceci.

Sans la regarder, il pousse le livre dans sa direction.

— Il t'aidera à mieux faire ton travail de bioguide, ajoute-t-il, amer.

Marella attrape le livre et se précipite hors de la pièce. Je suis happée par son élan et je lui emboîte le pas. Au pied de l'escalier central, j'hésite, ne sachant plus si je dois la suivre. « Viens », dit-elle par-dessus son épaule, et j'obéis.

Elle entre dans sa chambre et lance l'écran-livre contre le mur. Il atterrit sur le sol avec un fracas qui retentit dans toute dans la maison. J'espère qu'elle ne l'a pas endommagé.

— Fais ceci, fais cela, apprends ceci, étudie cela, fait-elle en imitant William.

Je suis atterrée. Au camp de travail, on punirait quiconque oserait s'exprimer de cette façon. Sévèrement. J'attends que le maître intervienne, mais rien ne se passe. Marella se tourne vers moi, encore vibrante de colère.

— Peux-tu me laver les cheveux ?

Je fais oui de la tête. La veille encore, je ne savais pas ce qu'était du shampoing.

— Bien. J'ai assez entendu ce vieil imbécile radoter pour aujourd'hui.

Elle quitte la pièce et machinalement, je la suis.

La salle de bain est beaucoup plus agréable que celle du sous-sol où je me trouvais hier soir. Tout est vert et blanc, les murs sont lisses et luisants de propreté. Je comprends pourquoi Érica ne voulait pas que j'entre ici avant de m'être lavée. Marella s'agite dans tous les sens, une vraie tornade ; elle attrape des serviettes et place une chaise devant le lavabo. Elle s'assoit.

— Enlève-moi ce turban, ordonne-t-elle.

Je trouve l'extrémité du voile sans son aide et je commence à dérouler la bande d'étoffe. Malgré moi, j'ai un mouvement de recul.

—C'est joli, n'est-ce pas ? lance Marella, pleine de rancœur. Tu t'imaginais peut-être qu'on m'avait choisie pour ma beauté ?

Je ne réponds pas. Je croyais que seulement quelques cheveux s'échappaient de son turban. Je constate maintenant que ces mèches éparses

représentent toute sa chevelure. Son crâne dégarni est rouge et craquelé, couvert de croûtes. Je m'efforce de ne pas détourner les yeux.

— Ce n'est pas contagieux, ma peau réagit à n'importe quoi. Avant, j'avais des cheveux magnifiques. C'est pour ça que je suis bioguide. À l'époque, je croyais que j'avais de la chance de quitter ces fichues tisserandes.

Elle indique sur l'étagère une bouteille de shampoing.

— C'est la seule chose qui me fasse du bien.

Je vérifie la température de l'eau tandis qu'elle met sa tête sous le robinet. Je mouille ses pauvres mèches éparses et je verse un peu de shampoing. Il a une forte odeur de médicament. Je rassemble mon courage et je frotte aussi délicatement que possible le cuir chevelu enflammé et fendillé. Des lamelles de peau morte se détachent, et je me rappelle ce que disait le maître un peu plus tôt. « Le travail de bioguide est une bénédiction ou un châtiment. C'est à toi de décider. On ne peut pas dire que, en ce qui te concerne, jusqu'à présent, tu sois bénie ! » Maintenant, je comprends.

Quand j'ai fini, le cuir chevelu semble moins irrité, mais la peau est toujours dans un drôle d'état.

— C'est mieux, soupire-t-elle. Je me sens mieux. Merci.

C'est la première fois qu'elle est gentille avec moi.

— Nettoie tout ça maintenant, et rejoins-moi dans ma chambre.

J'enlève les squames et les cheveux du lavabo pour les jeter dans la poubelle. Puis, je frotte la porcelaine et je suspends les serviettes que Marella a laissées sur le plancher. Quand je retourne dans sa chambre, elle est assise sur son lit. Elle me tend une paire de ciseaux.

— Je suis stupide de prétendre que j'ai encore des cheveux. Coupe-moi tout ça.

J'hésite. Elle insiste.

— Allez, vas-y. Je ne changerai pas d'idée.

Il me faut à peine quelques secondes pour couper ce qui reste. Elle me tend un tube de crème.

— Mets-en sur ma tête, puis je vais te montrer comment enrouler le turban.

Je m'exécute. Mon regard tombe sur l'écran-livre qu'elle a lancé contre le mur et qui gît, ouvert, sur le sol. Les mots couvrent encore les pages. Quand nous avons terminé, elle se dirige vers la cuisinette.

— Ce sera tout pour l'instant.

Je ramasse le livre à la dérobée en quittant la chambre. Ce geste furtif me rappelle le temps où je volais des cartes-monnaie dans la rue. Je n'étais pas du tout douée pour ce genre de chose malgré les conseils de Hilary. Sauf que cette fois, je ne vole rien. Marella ne lira pas le livre ce soir, et je vais le ranger dans le bureau du maître. Après l'avoir lu.

La maison est plongée dans un calme inquiétant après la dispute. Je m'assois dans ma chambre, ravie de pouvoir profiter seule de ce moment de tranquillité. L'écranlivre est intact : *La flore: histoire naturelle à l'intention des bioguides.* Quand le soir tombe, Érica m'appelle à la cuisine, qui est éclairée par des bougies.

— Encore une panne d'électricité, s'exclame Érica. Voici ton repas, Blé. Mange pendant que je prépare le plateau de Marella. William est trop furieux pour s'asseoir à la même table qu'elle, ce soir. Et je suppose qu'elle est dans le même état.

Elle soupire.

— À ma connaissance, aucun bioguide ne s'est jamais comporté de cette façon. Elle ne s'intéresse qu'à la cérémonie d'investiture et au prestige que lui conférera ce rôle. Elle ne veut pas étudier. Nous n'avons pas d'enfant, William et moi. Nous ne savons pas par quel bout la prendre.

Il y a un verre rempli d'un liquide blanc, à côté de mon assiette. Je le regarde, troublée.

— Du lait de soya, explique Érica. Ça n'a jamais touché au corps d'une vache.

J'avale une grosse gorgée, reconnaissante. Le goût est affreux.

— C'est délicieux, dis-je.

Elle me gratifie d'un sourire. Le panier que j'ai emporté dans la colline, plus tôt ce matin, est posé sur le plan de travail. On dirait qu'il y a des semaines de cela.

— Vous avez récupéré le panier, dis-je spontanément.

— Oui. J'ai parlé de toi à Lem. Tu dois le rencontrer.

*Le rencontrer? Que veut-elle dire?*

— Pauvre Lem, poursuit Érica, il n'a jamais pu se remettre de ce qui s'est passé.

Je suis trop curieuse pour me taire.

— Pourquoi ne l'a-t-on pas éliminé ?

— Éliminé ? Il a un T-U de neuf ! On ne vous dit rien, au camp de travail, n'est-ce pas ?

Je secoue la tête. Je ne suis pas sûre qu'Érica serait ravie d'entendre ce qu'on nous raconte.

— C'est Lem le loup qui a mis au point toutes les variables des installations hydroponiques. Le niveau de lumière, la température, les systèmes de ventilation, les techniques de culture, la concentration des milieux nutritifs, tout. Sans lui, le projet hydroponique n'aurait jamais eu lieu. Le recyclage n'est pas suffisant pour assurer le rendement du camp de travail que les responsables de la Commission appellent le « Centre d'assistance sociale », et qu'ils fermeraient, s'il leur coûtait trop cher. C'est grâce à Lem le loup que les enfants comme toi ne vivent pas dans la rue.

Elle est dans tous ses états.

Une fois de plus, à cause de moi, elle a perdu son calme. Et une fois de plus, à cause d'elle, je suis déboussolée.

— Pardonnez-moi, je ne savais pas.

Elle se radoucit.

— Comment pourrais-tu le savoir ? On a voulu te faire croire que la Commission prenait soin des enfants. Personne ne peut t'en vouloir de ne pas connaître la vérité.

— Mais Lem le loup est un technologue, non ?

— Mais bien sûr ! Un des plus doués de l'île. C'est ce que je n'arrête pas de te dire.

— Je croyais qu'il était néfaste d'être technologue.

— C'est ce qu'on veut vous faire croire, là-bas, n'est-ce pas ? On vous dit que la technologie est si dangereuse que l'État doit tout contrôler.

Soudain, Érica arpente la pièce dans tous les sens, comme si elle se débattait avec ses propres pensées.

— C'est cette façon de voir les choses qui a engendré le technocauste. Blé, je dois te faire comprendre que les choses ne sont pas comme on le prétend. D'abord, tu dois rencontrer Lem le loup.

Mon cœur flanche.

— Mais on dit qu'il est… fou.

J'achève ma phrase dans un murmure.

Érica rit.

— À sa manière, sans doute. Si j'en crois ce qu'affirme William, Lem a toujours été différent.

Puis elle s'assombrit.

— Il n'a que quarante ans, mais à la mort de sa femme, il a terriblement vieilli.

Ainsi, une partie de l'histoire est vraie.

— Mais, il ne va pas me faire de mal ?

— Ne dis pas de bêtises. Il ne mange pas les enfants.

Cette fois, je cesse de la contredire. J'aime bien Érica et je veux lui plaire. J'ai donc envie de croire ce qu'elle me raconte.

— Voulez-vous m'accompagner, quand j'irai le rencontrer ? Je ne veux pas y aller seule.

— Est-ce pour cette raison que tu t'es débarrassée du panier comme tu l'as fait, ce matin ?

J'approuve en baissant les yeux. J'ai le visage en feu.

— Je me disais bien qu'il devait y avoir un motif. Tu n'as pas du tout l'air d'une tête de linotte. Bien sûr, je vais t'accompagner. Mais tu auras une surprise.

Je n'en doute pas une seconde, mais je me tais.

Je termine mon repas et tandis que je me lève, Érica me tend les contenants qu'elle ramasse sur la table.

— Range-les dans l'armoire.

J'ouvre l'armoire et le scanner émet un bip.

— Je ne t'ai pas demandé de passer tout ça au scanner, Blé, dit Érica.

— Je n'ai rien fait de tel. C'est parti tout seul.

Je lève le bras, le signal retentit à nouveau. Érica rit.

— Comme c'est étrange. On dirait que l'appareil a un petit faible pour toi. Maintenant, porte le plateau à Marella.

Je me demande si je dois lui parler de Marella. Il est probable que la dispute a indisposé Érica. Je m'apprête à gravir l'escalier quand il me vient une idée pour aborder le sujet.

— J'ai vu des animaux blessés mordre la main qui cherchait à les secourir.

Érica me regarde, étonnée.

— Pourquoi me dis-tu cela ?

J'ai le cœur qui bat la chamade, mais j'enchaîne.

— Dans le Cœur de St. Pearl, il y avait beaucoup de chiens errants. Ils se faisaient toujours frapper sur la route. Mais quand on voulait les aider, ils essayaient de nous mordre.

— Et ?

— Et Marella est... blessée. Avez-vous vu sa tête ? C'est sûrement très douloureux.

Érica se détend. Cette fois, je n'ai rien dit qui lui déplaise.

— En effet. Les médicaments auraient déjà dû faire leur effet. Pourtant, ils sont inefficaces. Je crois qu'elle a du mal à oublier son passé. Et à faire le deuil de sa grand-mère, qui est morte l'année dernière. C'était l'unique parente de Marella. J'ai essayé de lui en parler. Chaque fois, elle me repousse. J'aurais voulu que les choses se passent si différemment, soupire-t-elle.

Apporte-lui son plateau maintenant et prends ta soirée. La journée a été dure.

Elle hésite, puis enchaîne :

— Blé, quand tu es arrivée dans cette maison, hier soir, je n'arrivais pas à comprendre pourquoi Marella t'avait choisie. J'ai pensé qu'elle t'avait désignée exprès parce que tu semblais craintive. Par dépit. Mais ce pourrait bien être le seul choix intelligent qu'elle ait fait depuis son arrivée parmi nous.

Ses mots me réchauffent le cœur tandis que j'emporte le plateau.

Je m'apprête à franchir la porte qui sépare la chambre de Marella de la mienne. Soudain, je m'arrête net, surprise par les mêmes incantations monotones de la veille. Je crains de l'interrompre, mais je dois lui donner son repas. J'ouvre la porte et entre aussi discrètement que possible. Elle est assise en tailleur sur une natte posée sur le sol, les mains sur ses genoux, les paumes dirigées vers le haut. Elle psalmodie tout bas :

—… Venez à moi, guidez-moi, oh ! sages !, oh ! sœurs de la terre !…

Elle s'arrête brusquement et ouvre les yeux.

— Tu m'espionnes depuis longtemps ?

— Je viens tout juste d'entrer. C'est la femme du maître qui m'envoie.

Mon explication semble la satisfaire.

— Pose le plateau sur le plan de travail, dans la cuisinette, je suis occupée.

Elle ferme à nouveau les yeux et reprend sa litanie, mais si bas, cette fois, que je ne perçois plus les mots. Je remplis la bouilloire, que je mets sur le feu. Quand Marella prend place à table, elle semble plus détendue, plus joyeuse.

— Je me demande ce qui m'attend demain, murmure-t-elle, comme pour elle-même. Je suppose qu'on le saura bien assez tôt.

— Veux-tu que je t'aide, pour l'étude du livre ?

Je regrette aussitôt d'avoir posé la question. Elle me jette un regard plein de mépris et ne se donne même pas la peine de répondre. Au moment où je me retire, elle m'arrête :

— Règle le panneau de contrôle pour te réveiller avant l'aube.

— Le panneau de contrôle ?

Je lis de l'agacement sur ses traits.

— Le panneau de contrôle, dans ta chambre. Regarde.

Je la suis. Elle indique un panneau, au mur près de son lit, comme celui qui se trouve dans la cuisine.

— C'est un dispositif qui contrôle ton environnement, la température, la lumière. Tu peux programmer de la musique dans ta chambre. Abstiens-toi. Le bruit me dérangerait. Et tu peux régler l'heure de ton réveil, comme ceci.

Elle agite la main près du dispositif qui affiche l'heure.

— Six heures, ça ira. Comme ça, je n'aurai pas besoin de te tirer l'oreille pour te sortir du lit.

Il y a quelque chose comme de l'humour, je crois, dans le ton de sa voix. Elle semble plus calme, ce soir. Mais au moment où je quitte sa chambre, j'ai un doute :

— Et s'il y avait une panne, cette nuit ?

— Que veux-tu dire ?

— Érica m'a dit que l'alimentation énergétique flanchait de temps en temps. Il y a des pannes dans la cuisine.

— Il n'y a jamais de panne.

— Ah bon…

Je quitte sa chambre, troublée, sans oser la contredire.

Érica prétend qu'il y a des pannes. Deux fois, déjà, aujourd'hui. Marella ne remarque peut-être pas ces choses-là. Je règle le panneau et j'ouvre l'écranlivre. *La flore : histoire naturelle à l'intention des bioguides.* Je m'absorbe aussitôt dans la lecture. J'apprends des tas de choses dont je n'aurais jamais soupçonné l'existence. Des plantes trop petites pour être vues à l'œil nu, des arbres qui atteignent plusieurs centaines de mètres de hauteur et qui vivent plus de mille ans. J'apprends comment les plantes utilisent la lumière du soleil, l'eau et le dioxyde de carbone pour fabriquer leur nourriture et comment, ce faisant, elles libèrent l'oxygène de l'eau. C'est l'événement le plus significatif de toute l'histoire

de notre planète. La vie sur terre était impossible avant que les plantes libèrent de l'oxygène dans l'atmosphère et que la couche d'ozone prenne forme. Dans la section des hologrammes, je pénètre dans la cellule d'une plante pour apprendre comment se déroule le processus qui a pour nom *photosynthèse*.

Je réalise qu'on m'appelle quand une voix me parvient comme un écho lointain. On me cherche depuis un moment déjà :

— Blé, où es-tu ?

Marella s'impatiente.

Avant de refermer le livre, je constate que je suis déjà rendue à la page deux cent onze. J'étais absorbée.

— Me voici, dis-je, en ouvrant précipitamment la porte, me voici.

Marella est assise sur son lit, le plateau vide posé près d'elle.

— Où étais-tu donc ?

— Ici, dis-je, et je me sens bête. Je suis encore tout imprégnée de mes découvertes. « J'ai dû m'endormir. » Je mens pour me justifier.

— Tu peux prendre mon plateau, maintenant, ordonne-t-elle en se détournant.

J'emporte le plateau à la cuisine déserte et je retourne à ma lecture.

Quand je referme enfin le livre, je plonge, détendue, dans un rêve heureux. Je nage au cœur de la cellule d'une plante et j'observe le cytoplasme

qui fabrique de la nourriture avec de la lumière, de l'eau et du dioxyde de carbone. Ce faisant, presque par accident, elle libère de l'oxygène. J'observe les plantes minuscules de l'océan qui insufflent la vie dans l'atmosphère, il y a de cela presque quatre milliards d'années. Des millions d'années passent. Les rayons du soleil deviennent peu à peu moins mortels et la terre, surface nue et rocheuse, s'apprête à donner la vie.

# 8

# La première épreuve

Je ne dors pas longtemps, mais profondément, et je me réveille avec la sensation que quelque chose d'agréable est sur le point de se produire. Je ne me rappelle pas avoir été aussi heureuse. Je ne sais pas pourquoi, mais ce sentiment m'habite. C'est peut-être de lire autant. « Photosynthèse », dis-je dans un murmure en pensant au miracle accidentel de la vie sur terre.

Le thé vert est prêt avant que Marella se réveille. Elle est pâle sur les draps écrus, le turban légèrement de travers, son cuir chevelu enflammé visible juste au-dessus de l'oreille. Je me rappelle ce qu'Érica m'a confié hier soir, et je me demande si ses cheveux repousseront un jour. Elle fronce les sourcils en dormant. Je n'ose pas la réveiller par des mots, c'est pourquoi je laisse la théière et la tasse s'entrechoquer en posant le plateau. Elle ouvre les yeux, comme je l'espérais.

— Oh ! bonjour, dit-elle d'une voix éteinte. C'est aujourd'hui l'épreuve, puisqu'il faut l'appeler de cette façon.

Elle s'assoit et se verse une tasse de thé.

— Je ne comprends pas. Pourquoi est-ce qu'il ne me fiche pas la paix ?

Ce n'est pas à moi qu'elle adresse sa question. Je saurais pourtant y répondre. Je voudrais lui dire qu'elle a de la chance de vivre au milieu des livres et de compter parmi les rares élus qui peuvent s'instruire, mais il ne servirait à rien d'essayer. Aussi, je la laisse finir son thé. Quand je reviens un peu plus tard, elle n'est plus là. Je range rapidement sa chambre et la mienne, et je descends en vitesse dans la cuisine.

Marella prend son déjeuner. D'un regard, Érica m'incite à me faire discrète. Je n'avais pas besoin d'avertissement. J'apprécie malgré tout son geste. Je m'assois à table sans faire de bruit, aussi loin que possible de Marella. Érica me donne du pain que j'engouffre trop avidement, sans doute, si j'en juge par le regard que me lance Marella. Ma façon de manger doit l'offenser. Mais elle ignore ce que c'est que d'avoir faim au point de craindre de ne plus jamais pouvoir se rassasier. Une faim si insondable que la nourriture ne peut pas la satisfaire. Tandis que je me lèche les doigts pour ne pas laisser de miettes, William entre par la véranda. Son manteau est mouillé.

On dirait qu'il n'a pas du tout dormi. Pourtant, il sourit.

— J'espérais qu'il ferait ce temps-là, aujourd'hui. Le niveau des rayons ultraviolets est bas. Tu pourras te soumettre à l'épreuve sans porter de lunettes protectrices. Ce sera plus facile.

De quelle façon ? Je m'interroge.

— Marella, tu as lu le livre que je t'ai prêté ? Tu en as au moins lu une partie, n'est-ce pas ?

— Bien sûr.

Elle ment si facilement.

— Très bien. Alors voilà. L'épreuve est très simple. Sors de la maison, trouve une plante et ramène-la-moi.

— Une plante ? Quelle plante ?

— N'importe quelle plante. C'est le test.

Marella se lève, irritée.

— C'est une plaisanterie, ou quoi ?

Le regard de William est aussi calme que sa voix.

— Pas du tout, je t'assure. Je saurai ce que tu as retenu quand je verrai quelle plante tu me rapporteras. Je crois que tu comprends. Allez, va maintenant.

Il quitte la pièce avant que Marella ait eu le temps de répliquer.

Érica nous tourne le dos, affectant d'être absorbée par sa tâche au-dessus de l'évier.

— S'il vous faut des imperméables, dit-elle doucement, vous les trouverez près de la sortie.

Je suis Marella sur la véranda. Nous prenons des cirés et des bottes. Rien d'autre. En sortant dans l'air humide, sans protection pour mon visage, je frissonne, non pas de froid, mais d'excitation. J'ai enfilé un imperméable et malgré tout, je me sens toute nue. Un vent frais caresse ma peau. L'herbe est mouillée, mais il ne pleut plus. Le ciel est plombé de gros nuages gris et des rubans de brouillard serpentent entre les arbres. Il fait clair, bien que le soleil ne soit pas encore levé. Et il me semble que le monde a changé. Tout, enfin tout ce qui est vivant, diffuse une faible lueur jaune clair. Marella foule lourdement l'herbe mouillée, en grommelant. La joie qui m'animait au réveil ne m'a pas quittée. Je n'en souffle pas mot, toutefois.

Marella envoie balader un caillou d'un coup de pied.

— Rapporte-moi une plante. Qu'est-ce que c'est que cette épreuve ? On se moque de moi. De quel côté devrions-nous aller, d'après toi ?

Je lève le bras pour désigner la colline sans même prendre le temps de réfléchir, si bien que je crois devoir me justifier.

— Il y a des clairières là-haut, je les ai vues, hier, quand Érica m'a envoyée du côté de la pente de ski. Tu pourras peut-être y trouver ce que tu cherches.

Confusément, je sais que j'ai raison. Nous avançons en silence dans le sentier humide et

sombre, et je me dis que le monde n'a jamais été aussi magnifique. Les gouttes de pluie luisent sur les feuilles des arbres. J'entends la musique du vent dans les branches. L'air porte tant de parfums subtils, tous différents. Je me sens en harmonie avec la nature.

Nous arrivons à la première clairière. Marella examine les environs.

— Il n'y a pas de fleurs. La plupart des plantes sont déjà mortes à cause de l'hiver qui s'en vient. Comment faire pour choisir une plante ?

Son humeur s'assombrit à mesure que la mienne s'égaye. Tout au fond de la clairière, nous découvrons de grosses pierres.

— Arrêtons-nous ici, propose-t-elle, que je puisse réfléchir un moment.

Les pierres sont lisses ; on peut facilement s'y asseoir. Elle se dirige vers un gros caillou un peu plus loin. Je constate soudain que la pierre sur laquelle j'ai pris place luit dans la lumière. Pourquoi ? Elle n'est pas vivante. Je me penche et j'aperçois un motif dessiné par des plantes vertes ou noires, ou même grises, minuscules et plates. Je n'ai encore jamais rien vu de tel. Soudain, je comprends que c'est un échantillon de cette mousse que Marella doit rapporter à la maison. J'en suis certaine. Mais je sais également que je ne peux pas simplement le lui dire.

— As-tu remarqué ces pierres ?

Elle me regarde comme si j'avais perdu la raison.

— Si je les ai remarquées ? Nous sommes assises dessus !

— Je veux dire, as-tu vu qu'un motif les recouvre ?

À nouveau, elle me lance un regard sceptique.

— Non, rétorque-t-elle, je n'ai pas l'habitude d'examiner les cailloux. De toute façon, ce n'est pas ce que je cherche. M'est avis que ça viendra plus tard.

J'essaie encore une fois.

— Je crois qu'il y a de petites plantes qui poussent sur la pierre. C'est peut-être ça que tu dois rapporter.

J'ai dit « peut-être », mais je sais que j'ai raison.

Marella se lève.

— Quelle fille stupide tu es. Je cherche une plante. Si je rapporte un caillou, ils diront que je suis aussi idiote que toi.

Ses mots ne m'atteignent même pas. Je sais que je dois rapporter un échantillon de ces plantes. La roche a éclaté à cause du gel au cours des hivers précédents et certains éclats sont couverts de mousse. Tandis que Marella s'éloigne en vitesse, je saisis un de ces cailloux, que j'enfouis dans ma poche.

Nous grimpons sur la colline et passons devant l'écriteau qui indique l'emplacement de la pente de ski, puis devant la maison de Lem le loup.

Notre ascension n'en finit pas. Je ne me suis jamais aventurée si loin du Grand Hôtel, mais on ne peut pas se perdre parce que les sentiers montent en droite ligne. Le sous-bois s'éclaircit et les arbres disparaissent. Enfin, nous atteignons un large plateau. Pour la première fois, je me retourne pour regarder en bas et j'en ai le souffle coupé. Le soleil s'est levé à présent, le temps est couvert, mais il fait jour. La brume s'est dissipée. La vallée qui abrite le Grand Hôtel sillonne tout en bas de la côte. À droite, se dressent les tours rouillées de la pente de ski. De l'autre côté, on aperçoit la décharge, la route de Kildevil et la ville qui longe la rive. La baie ressemble à une rivière qui serait sortie de son lit. Au-delà, les collines vertes et grises s'étendent à l'infini. Le paysage se déploie devant nous, comme une toile magnifique. Un poème surgit spontanément dans mon esprit.

> Si je pouvais t'offrir le bleu secret du ciel
> Brodé de lumière d'or et de reflets d'argent
> Le mystérieux secret, le secret éternel
> De la nuit et du jour, de la vie et du temps
> Avec tout mon amour je le mettrais à
> tes pieds[1]...

Marella me dévisage, stupéfaite.

— Qu'est-ce que c'est que ça ?

---

[1] Extrait d'un poème de William Butler Yeats [1865-1939] : *Lui qui aurait voulu pouvoir offrir le ciel.*

Je me sens rougir.

— Rien. Juste un poème. C'est à cause du paysage. On dirait que le ciel est brodé de lumière.

— Pour ce que ça signifie, marmonne-t-elle, sans toutefois bouger d'un iota. J'en suis ravie.

Je ne parviens pas à détacher mon regard du paysage. Je vis ici depuis quatre ans et je n'avais jamais soupçonné tant de beauté.

— Quelle est cette rivière, là-bas, s'enquiert-elle.

J'hésite.

— Ce n'est pas une rivière, dis-je. C'est la mer.

— Comment veux-tu que ce soit la mer ? Tu te trompes.

J'essaie de lui expliquer.

— C'est un bras de mer qui entre loin dans les terres. Nous sommes à un jour de route de l'océan, à pied. La mer ici est peu profonde et calme, mais l'eau est salée, et il y a des marées.

— Comment tu sais ça, toi ?

Je suis soulagée qu'elle ne me contredise pas.

— Nous sommes venues ici par bateau, sauf qu'un gros navire ne peut pas entrer si loin dans les terres. L'eau est trop peu profonde. Nous avons dû marcher pendant un jour pour parvenir à destination. La route suit la côte, c'est comme ça que j'ai vu l'océan.

— Et là, c'est Kildevil ? demande-t-elle en pointant la ville du doigt.

— Oui, c'est ça.

— Je ne peux pas y aller avant le jour de mon investiture. Tu y es allée, toi ?

— Une fois. Nous avons traversé la ville pour nous rendre au camp de travail.

— C'est comment, là-bas ?

Je voudrais dire que je ne m'en souviens pas, mais c'est faux. J'ai des souvenirs trop précis.

— Nous n'avons pas vu grand-chose. Nous ne sommes pas les bienvenues en ville. Ces gens-là seraient plus heureux si nous étions ailleurs.

Je frémis en pensant aux visages hostiles, aux gens qui formaient une barrière humaine sur notre passage pour s'assurer qu'aucune de nous ne pénètre en cachette dans leur monde.

— Mais il va de soi que ces gens-là n'auront pas la même attitude envers toi.

Elle se rengorge.

— Bien sûr que non, réplique Marella. J'ai beaucoup d'importance pour eux.

Elle s'éloigne. Je dois la suivre.

Au sommet, le plateau est désertique, trop rocailleux, trop exposé au soleil pour que la vie s'y installe. À l'abri d'un rocher, non loin d'un petit étang, Marella tombe enfin sur une touffe de fleurs violettes à peine écloses, dans ce lieu inhospitalier où plus rien ne pousse.

— Voilà sans doute ce qu'ils cherchent. Arrache-les.

Je sais qu'elle a tort, mais j'en cueille quelques-unes au milieu des cailloux. Puis nous retournons sur nos pas. Le vent souffle vers le pied de la colline. Quelle chance nous avons, nous serons bientôt à l'abri et au chaud, dans cet endroit que, malgré moi, je commence à considérer comme ma maison.

# 9

# La leçon

Quand nous entrons dans la maison, Érica nous chasse aussitôt de la cuisine pleine d'odeurs délicieuses.

— Tout de suite au bureau de William. Il vous attend.

Elle a l'air tendue et je comprends : elle est inquiète. En entrant dans le bureau, je serre le caillou dans le creux de ma main. Marella pose brusquement son gros bouquet de fleurs défraîchies devant William. En route vers la maison, presque toute la terre qui collait aux racines s'est détachée, mais il en reste un peu, malgré tout, et la poussière se répand sur le parquet verni. Je suis atterrée. Bien que William ne tienne pas compte de la saleté, il semble consterné.

— Quoi ? Des asters ? C'est tout ce que tu as trouvé ?

La déception se lit sur ses traits.

À ma grande surprise, Marella répond sans se fâcher. Elle baisse les yeux.

— Je n'ai pas vu d'autres fleurs, dit-elle doucement, je les trouvais jolies.

William se détourne et regarde par la fenêtre. Il soupire.

— Marella, je ne peux rien t'enseigner. Je crois que ça ne sert à rien de continuer. Si tu m'avais rapporté quelque chose d'autre...

Je fourre le caillou dans la main de Marella. Elle réagit aussitôt.

— Eh bien, c'est ce que j'ai fait, mais il me semblait que c'était si insignifiant...

Elle lui tend le caillou.

William le soulève pour l'examiner, transfiguré.

— Des lichens. Oui. Voilà ce que je voulais. Tu ne pouvais pas trouver mieux. Pourquoi ne pas me les avoir montrés plus tôt ?

Marella bafouille.

— Je... Eh bien, je...

— Elle m'avait demandé de les prendre avec moi, maître, dis-je.

Il semble surpris, mais à mon grand soulagement, il enchaîne :

— Ce n'est pas grave. J'ai pensé que tu n'avais pas lu le livre ou alors que tu n'avais rien compris. Dans ce cas, il aurait fallu... Mais ça n'a plus d'importance. Nous pouvons nous mettre au travail, maintenant.

Il tire un disque vers lui.

— Regarde-les à la loupe, propose-t-il à Marella. Les lichens ont l'air de plantes. En réalité, ils constituent une communauté, ou un mariage de plantes, si tu veux. Un champignon et une algue vivent ensemble dans le lichen. Le champignon apporte l'eau au lichen, et la retient. L'algue utilise la lumière du soleil pour produire la nourriture du champignon. Tu vois ? Ils travaillent ensemble et en profitent tous les deux. Te rappelles-tu ce qu'est la photosynthèse ?

Marella acquiesce. Je suis certaine qu'elle ment. Il a l'air si heureux. Tout cela semble si important pour lui que j'écoute attentivement. Et bien sûr, étant donné que j'ai lu le livre, je sais de quoi il parle. Je me promets d'apprendre tout ce qu'il faut, même si rien de tout cela n'intéresse Marella. Je lirai ce que je dois lire et je m'arrangerai pour qu'elle l'apprenne à son tour. C'est ce qu'on attend de moi. Si c'est si important pour lui, je dois faire de mon mieux.

—...Les lichens vivent sous les climats les plus rigoureux de notre planète, poursuit William, là où d'autres plantes meurent. Dans les déserts brûlants et les régions arctiques. Mais tout comme toi, Marella, ils réagissent à l'environnement.

Il éveille soudainement son intérêt.

— Comme moi ?

— Oui. Ils dépérissent quand la pollution est trop forte. Ils retiennent aussi les métaux lourds,

par exemple le plomb et le cadmium. Les scientifiques peuvent utiliser des lichens pour déterminer les niveaux de métaux lourds dans l'environnement.

Dès qu'elle entend le mot « scientifique », Marella s'assombrit. Moi aussi, intérieurement. Les technologues sont mauvais et les scientifiques sont pires encore puisqu'ils sont à l'origine de la technologie si néfaste pour l'environnement. William en parle pourtant avec beaucoup de respect. Je me souviens de ce qu'Érica disait, hier soir, à propos de ces choses qui ne sont pas ce qu'on prétend.

Quand enfin nous quittons son bureau, le maître sourit.

— Va te changer maintenant. Érica nous a préparé quelque chose de succulent.

On a du mal à croire que pas plus tard qu'hier, Marella quittait cette pièce en furie. Au moment où nous sortons, le maître ajoute :

— Toi aussi, Blé. Nous allons célébrer.

Je suis trop étonnée pour dire quoi que ce soit. Je suis ravie qu'il ne m'ait pas oubliée, mais j'ai la frousse. J'ai besoin de plus de temps pour savoir me tenir à table sans me ridiculiser.

— Viens m'aider à me préparer, dit Marella.

À peine a-t-elle refermé la porte de sa chambre qu'elle m'apostrophe :

— Comment as-tu su ce qu'il fallait choisir ? Comment as-tu pu ?...

Elle est démontée.

— Je ne sais pas. Ça m'est venu comme ça.

Je ne peux pas expliquer ce qui s'est passé ce matin. Le sentiment qui m'habitait a disparu. Ce n'était peut-être qu'un effet de mon imagination.

Elle me considère avec froideur.

— En fait, tu as fait ce qu'il fallait en prétendant que j'avais moi-même ramassé le caillou. N'essaie surtout pas d'impressionner le maître. C'est moi qui passe l'épreuve.

J'aimerais tant lui faire comprendre que je veux être son amie. Je baisse les yeux.

— C'est grâce à toi et à toi seule si je suis ici. Je ne te trahirais jamais.

— Arrange-toi pour qu'il en soit toujours ainsi, dit-elle.

Je ne sais pas si elle me croit.

Je suis propre comme un sou neuf quand nous entrons dans la salle à dîner, quelques minutes plus tard, mais je ne sais pas quoi faire de mes mains. Je ne sais pas où me mettre. La soupe sent délicieusement bon. Je m'apprête à porter le bol à mes lèvres quand Érica saisit sa cuiller, et que les autres en font autant. Je vois. On doit manger la soupe avec une cuiller. Je n'ai encore jamais essayé. Je prends l'ustensile, que je remplis doucement. Ce n'est pas aussi difficile que ça en a l'air. Au bout de deux ou trois tentatives réussies, je me détends.

— Repose-toi un peu, Marella, dit William. J'ai fait à ta place le relevé des ultraviolets, à midi. Blé t'aidera avec les observations en fin d'après-midi.

— Si c'est jour de congé, Blé et moi irons faire une promenade, dit Érica.

Elle sourit et je sais où elle a l'intention de m'emmener. De surprise, je lâche ma cuiller. Du coup, je répands de la soupe rouge sur la nappe blanche.

— Je suis désolée, vraiment désolée, dis-je en m'empressant d'éponger la tache. Marella soupire bruyamment.

— Ne t'inquiète pas, dit Érica, ce n'est qu'une nappe. On la lavera. Marella, veux-tu venir avec nous ?

— Non, merci. Je préfère lire un peu.

Je ne crois pas une seconde qu'elle dise la vérité. William est ravi.

— Excellente idée.

Je rougis encore de ma maladresse. Et mon cœur bat à tout rompre, mais ce n'est pas de honte. C'est qu'aujourd'hui, je vais rencontrer Lem le loup.

# 10

# La maison sur la pente de ski

Je travaille à la cuisine en prenant exprès tout mon temps. Mais, bientôt, j'ai fini mes tâches.

— On y va ? demande Érica.

Elle a préparé un autre panier de victuailles. Inutile de lui demander où nous allons. J'approuve, même si j'ai les jambes qui flageolent. Elle sourit.

— C'est bien, mon petit.

Elle me tend un tube de la lotion pour me protéger du soleil.

— Mets-en un peu sur ton visage.

— Vous deviez m'expliquer pourquoi je n'ai plus besoin de vêtements protecteurs, dis-je au moment où nous franchissons la porte.

— Eh bien, nous commençons à croire que le trou dans la couche d'ozone est en train de se réparer tout seul.

— Est-ce possible ?

L'idée qu'il puisse exister un monde où il n'est pas nécessaire de porter des lunettes protectrices me fait oublier notre destination.

— La Voie voudrait bien le savoir, répond Érica. Marella commet tellement d'erreurs que William doit vérifier ses relevés jour après jour. Pourtant, elle fait partie du réseau des bioguides.

— C'est ce que le maître disait hier. Est-ce que la Commission est au courant ?

— Peut-être. On ne le leur a pas dit, mais nous savons qu'ils nous surveillent.

— Vous n'avez pas peur ?

— Blé, tous les gouvernements d'Amérique du Nord sont au pouvoir depuis bien trop longtemps. Ils sont dépassés, corrompus et faibles. Nous espérons seulement qu'ils n'ont pas l'énergie de nous mettre au défi.

— Mais…

J'hésite, de peur de la contrarier encore une fois.

— Mais tu crois que la Commission devrait contrôler tout ça, poursuit-elle.

Aujourd'hui, elle ne semble pas du tout irritable, si bien que je sens moins le besoin de me défiler.

— Je sais seulement ce qu'on m'a raconté.

— Oui, Blé, mais imagine qu'on sache, à la Commission, que la terre est en train de se guérir

toute seule, et qu'on ait choisi de n'en rien dire à personne ?

— Et pourquoi la Commission ferait-elle une chose pareille ?

— Tu te souviens de ce que je t'ai dit, hier, à propos des alertes à la pollution ?

— Qu'elles n'étaient pas réelles. Que la Commission s'en servait pour contrôler les gens.

— Est-ce que tu me crois ?

— Je sais qu'on nous contrôlait au camp de travail. Et bien plus que nous ne pouvions l'imaginer, il me semble.

J'allais lui parler de la boisson aux pommes qu'on nous sert durant la Cérémonie de la mémoire quand subitement, je me rappelle à qui nous allons rendre visite. J'évite donc le sujet.

— Mais on utilise les vêtements protecteurs pour permettre aux gens de sortir, pas pour qu'ils restent à l'intérieur.

— Oui, mais pense un peu à ce que ça fait aux gens d'avoir peur des radiations. C'est à cause de ces vêtements que personne, ici, ne peut confondre les enfants des camps avec les gens ordinaires. À St. Pearl, les seules personnes qui mènent une vie diurne sont les alliés de la Commission. Les autres vivent la nuit. Il s'agit là d'une bonne façon de s'assurer que les riches et les pauvres ne se croisent jamais. Ça arrange bien la Commission. Ici, à Kildevil, les gens ne vivent pas la nuit parce que nous leur avons dit que c'était inutile. Si les

déshérités de la ville ne devaient plus vivre la nuit, qu'est-ce qui se passerait, tu crois ?

Je me rappelle la vie à St. Pearl.

— J'ai vécu dans la Tribu toute une année avant d'être envoyée ici. Vous connaissez les tribus ?

Elle approuve d'un signe de tête.

— Des groupes bien structurés d'enfants de la rue, répond-elle. Ils ont leurs règles, leur propre organisation sociale.

— C'est ça. La tribu qui m'a adoptée... avec laquelle je vivais, dis-je en me ravisant pour laisser Hilary en dehors de tout ça, autant que possible, s'est installée dans une des tours immergées, dans le port. Vous savez, ces tours qu'on a désertées au moment de la crue ?

Elle opine à nouveau. Je poursuis.

— De là, nous pouvions sans problème voir le Cœur. Le jour comme la nuit. Les chefs des tribus étaient à l'affût de tout ce qui pouvait nous être utile. Quand il y avait un incendie, ils envoyaient les enfants chiper des trucs en profitant de la confusion. C'était comme deux villes différentes. Les gens qui vivaient le jour habitaient dans des cités protégées. La plupart d'entre eux ne mettaient jamais les pieds dans le Cœur, mais s'ils s'y aventuraient, ils étaient en sécurité. Les gens de la nuit, quant à eux, volaient ou organisaient des paris, ou se vendaient eux-mêmes pour survivre.

Le visage d'Érica se referme, si bien que j'ajoute aussitôt :

— Mais la plupart des gens qui vivaient le jour n'avaient aucun contact avec nous.

— Exactement.

Nous voilà rendues au sentier qui bifurque vers la pente de ski. Érica fait une pause, un peu essoufflée.

— On dirait que cette colline est de plus en plus difficile à grimper, d'année en année.

Nous reprenons notre marche.

— Blé, crois-tu que la Commission se soucie de gens comme nous ?

Le souvenir de la mort d'Hilary me traverse l'esprit comme un éclair.

— Sans doute un peu plus qu'avant l'ouverture des camps de travail.

— Mais il y avait une raison à cela. Le technocauste a jeté à la rue encore plus d'enfants. Et puis, tout à coup, les escadrons de la mort sont apparus pour opérer leur « retrait ». Les gens ordinaires ont très mal réagi. La Commission a été confrontée à des pressions publiques pour la première fois depuis des années.

En quelque sorte, elle avait lu dans mes pensées. Les escadrons de la mort. L'obscurité se déchire ; mes genoux flanchent…

— Bon sang ! Blé, qu'est-ce qui t'arrive ?

Je m'affale sur son épaule et elle me retient tandis que je m'effondre. Elle est douce et chaude et elle sent le pain.

Le trou noir rétrécit, puis disparaît complètement.

— Ça va, dis-je.

— Est-ce que tu veux t'asseoir un moment ?

Je secoue la tête.

— Je... À vrai dire... je... Il y a des choses dont je ne peux pas parler.

Ma voix n'est plus qu'un murmure. Érica me serre contre elle.

— Je crois que je comprends.

J'apprécie sa gentillesse, mais comment pourrait-elle comprendre ? Elle qui vit en sécurité, que la vie a épargnée, comment peut-elle seulement s'imaginer comprendre ? La maison de Lem le loup est droit devant nous. Hier encore, je quittais ce sentier pour me faufiler sans être vue. Maintenant, Érica frappe à la porte et entre sans attendre qu'on lui ouvre, comme si c'était la chose la plus naturelle du monde.

— Lem, appelle-t-elle, Lem ? Où es-tu ?

Une tête hirsute surgit de derrière un paravent, au fond de la pièce. C'est celle de Lem le loup. Dès qu'il me voit, il bat en retraite. Érica le gronde comme un enfant.

— Bon, Lem, allez, montre-toi. C'est la fillette dont je t'ai parlé hier. Elle s'appelle Blé.

— Comme le blé dont on fait le pain ?

Sa tête surgit de nouveau.

Je suis si étonnée que j'en oublie d'avoir peur :

— Que voulez-vous dire ?

— Le blé… comme la céréale.

Il parle vite, distraitement, comme s'il avait l'esprit ailleurs.

— Bien. Tu vois, dit Érica, elle est inoffensive. Viens la saluer.

Il reparaît aussitôt pour contourner le paravent. Il est grand et fort et il se rapproche, craintif, en gardant ses distances. C'est très bien comme ça. Je préfère rester hors de sa portée. Érica lui tend le panier.

— Tiens, Lem, voici de quoi manger. Va donc ranger tout ça.

Lem prend le panier sans trop s'approcher. Il disparaît dans la pièce à côté. La cuisine, je suppose. J'attends qu'il soit hors de ma vue et je regarde autour de moi. L'intérieur de la maison, comme l'extérieur, n'a rien de familier. Il semble y avoir un poste de travail dans le coin d'où il a émergé. D'étranges panneaux et différents modules, dont certains sont couverts de clignotants, s'alignent le long du mur. J'ignore à quoi ils servent. J'aperçois, dans l'encoignure, trois objets semblables : ils sont formés de longs ensembles de touches étroites, noires et blanches, posés sur une base. Les touches blanches sont toutes identiques, mais les noires, groupées par deux ou

trois, semblent constituer un motif qui se répète. On dirait un instrument de saisie de données.

La tête de Lem le loup surgit sous le chambranle.

— Du thé ?

— Avec plaisir, répond Érica.

Elle écarte une pile de livres, d'écranlivres et de papiers pour nous faire une place sur un ancien banc public en bois, et elle m'invite à m'y asseoir avec elle. La maison est très calme. On entend des bruits de vaisselle dans la cuisine. Je suis là, chez Lem le loup, et j'attends qu'il nous serve du thé. Je dois rêver.

Mais non. Lem le loup revient, portant un plateau. Il libère une petite table, balayant des tas de feuilles qui tombent sur le sol. Il pose le plateau et se tourne vers nous. Il est immense et hirsute, effrayant, vu de si près.

— Du lait ?

J'opine machinalement, mes craintes prenant le pas sur mon aversion pour le lait.

— Oui, merci, dit Érica, comme si notre présence ici n'avait rien d'exceptionnel.

Lem nous verse du thé, saisit sa propre tasse dans ses mains énormes et se replie sur un tabouret dans l'angle, en face de nous. Un ange passe. Toutes les questions que je ne dois pas poser se bousculent dans ma tête. Est-il vrai que dans le noir, vous brillez d'un éclat orange ? Est-ce que votre femme a bu du poison ? Toutes ces ques-

tions impossibles m'assaillent, et on dirait soudain que ma tête va exploser. J'ose un coup d'œil dans sa direction. Au même instant, son regard se détache de la tasse et croise le mien. Je me détourne aussitôt. La tristesse que je lis dans ses yeux me rappelle ce qu'Érica me racontait la nuit dernière.

Au bout d'un silence qui me semble interminable, Érica propose :

— Peut-être un peu de musique, quand nous aurons fini de boire le thé ?

— Je préfère vous montrer le jardin.

— À cette époque de l'année ?

Érica semble aussi étonnée que moi.

— J'ai beaucoup travaillé dans le jardin, rétorque-t-il, et j'aimerais avoir votre opinion.

Une vision de tombes fraîchement creusées m'envahit. Lem le loup essaie de nous attirer dans un guet-apens pour nous tuer et pour jeter nos corps dans un trou.

— Quelle excellente idée ! s'exclame Érica.

J'ignore comment réagir. Les enfants comme moi sont des détritus. À St. Pearl, on ne savait jamais quand un enfant allait disparaître, seulement que tôt ou tard, on ne le reverrait plus. Même à l'époque où je vivais avec la Tribu. Un beau jour, l'enfant ne rentrait pas. Que s'était-il passé ? Personne ne posait la question. Si c'est un piège, je suis finie.

— Fini ? demande Érica.

— Hein ?

La tasse glisse entre mes doigts.

— Fais attention, ma chérie. As-tu fini ton thé ? répète Érica, qui tend la main pour retenir la tasse.

— J'ai fini, oui.

Je pose sur le plateau la tasse à laquelle je n'ai pas touché.

Lem le loup sourit et je vois ses grandes dents jaunes.

— Attends de voir ça, Érica, tu n'en reviendras pas.

Je m'attarde, me demandant si je ne devrais pas fuir à toutes jambes dans le sentier dès qu'il ouvrira la porte. Il le remarque.

— Viens, toi aussi, petit épi de blé.

Épi de blé. Personne d'autre qu'Hilary n'a jamais joué avec mon nom de cette façon. Je l'observe tandis qu'il sort de la maison. Il courbe ses larges épaules, comme si elles portaient un poids trop lourd depuis trop longtemps. Lem le loup ne va pas me faire de mal. Au lieu de chercher à me mettre à l'abri, j'inspire profondément et je lui emboîte le pas. Nous contournons la maison pour longer le sentier qui grimpe dans la colline. Mais au bout de quelques mètres à peine, Lem s'enfonce soudainement dans les bois. Le sentier sombre se déploie entre des arbres aux racines tortueuses, et de grosses pierres. Allons-nous

vraiment aboutir dans un jardin ? Puis, je vois de la lumière devant nous. Le sentier débouche sur une grande clairière verdoyante, invisible de la maison. Au centre, on aperçoit un jardin clôturé, nettoyé en prévision de l'hiver. Mais ce n'est pas le jardin que je remarque. Des objets bizarres pendent aux piquets de la clôture et aux arbres, ou encore s'entassent sur le sol. On les a fabriqués avec des bouteilles en plastique (qui proviennent, je suppose, de la décharge) ou avec des branches d'arbres et des rubans, des tiges de métal et de la corde. Des douzaines d'objets. C'est laid. Lem le loup doit être fou à lier pour décorer un jardin de cette façon.

Et puis, un grand vent se lève et hurle dans la colline, comme s'il me parlait, à moi. Je l'entends qui mugit entre les feuilles des érables, qui siffle dans les branches d'épinettes et qui balaie la clairière ; il hérisse mes cheveux au passage en m'effleurant la joue. Alors, j'entends la chanson des objets qui murmurent et s'entrechoquent de façon si harmonieuse, comme si le vent lui-même s'était mis à chanter. On dirait que c'est la musique de la terre. Lem lève ses bras au ciel et pour couvrir la chanson du vent, il hausse le ton jusqu'à crier ces vers que je connais et que, malgré moi, je récite à l'unisson quand tout à coup, le vent tombe. Mes mots résonnent soudainement dans la clairière. Je reste figée sur place. Érica et Lem me dévisagent tous deux. Lem sourit :

— Tu m'étonnes, petit épi de blé… Tu connais l'*Ode au vent d'ouest*?

Mais Érika semble bouleversée.

— Je croyais que tu étais une enfant de la rue, s'étonne-t-elle, où diable as-tu appris ces vers d'un poète anglais du XIXe siècle?

À voir sa façon de me regarder, on croirait que je l'ai trahie.

— Dans les textes d'un écranlivre. J'adore la poésie.

Je lui parle de la biblio-thech et je lui dis comment je suis tombée sur ces poèmes après avoir lu tout ce que je devais lire. Elle écoute attentivement.

Quand j'ai terminé mon récit, elle dit:

— Je comprends.

Mais on dirait qu'elle ne comprend pas du tout. Quelque chose a changé entre nous, quelque chose que même nos conversations au sujet de la Commission et du technocauste n'auraient pu changer. J'éprouve un étrange serrement dans la poitrine.

J'ai oublié le jardin. Lem est déçu.

— Voici ce que je voulais vous montrer, venez voir…

Je le suis volontiers. J'ai les yeux qui piquent, comme si j'allais me mettre à pleurer. Je ne me rappelle pas la dernière fois où j'ai versé des larmes. Est-ce que c'est mal, de connaître la poésie?

Des bouteilles en plastique sont accrochées aux piquets de la clôture. Chacune d'elles comporte une entaille.

— C'est l'orgue à vent que j'ai fabriqué, explique-t-il. Tu vois, les fentes sont de différentes grandeurs pour produire des sons différents. Mais il faut savoir bien les tailler. Les sons reproduisent la gamme pentatonique.

Je n'ai pas la moindre idée de ce qu'il veut dire et je cherche le regard d'Érica.

— J'ai pensé que ça t'intéresserait. Regarde.

Il m'entraîne vers des cadres en bois accrochés aux arbres.

— Mes lyres éoliennes, exactement comme dans le poème.

Une brise les fait chanter doucement. On croirait qu'elles disent : « Regarde-nous ! » Alors je les regarde. Les montants du cadre sont reliés par des rubans plats, marron et luisants. J'ai déjà vu un de ces rubans. J'en vois un tous les jours.

— C'est quoi, ce ruban ?

Mon intérêt n'échappe pas à Lem.

— Une bande magnétique, répond-il. On enregistrait le son là-dessus. Ça ne sert plus à rien, aujourd'hui, mais c'est indestructible. Parfait pour fabriquer une lyre éolienne.

— Que voulez-vous dire par « enregistrer du son »?

— C'était la technique utilisée avant l'invention des ordinateurs. On insérait les bandes dans

un dispositif mécanique. Les ondes sonores étaient transformées en ondes magnétiques qui s'imprimaient sur la bande. Les premiers modèles comportaient deux bobines et la bande se déroulait d'un côté, pour s'enrouler de l'autre. Plus tard, les bobines ont été enfermées dans une sorte de petit boîtier.

— Un boîtier plat ?

Je n'en crois pas mes oreilles.

— Ouais. De cette taille, environ, dit-il en rapprochant ses paumes. On les appelait des cassettes.

Mon objet. Nous parlons de mon objet.

— Est-ce qu'il vous est déjà arrivé de voir une cassette ?

— Bien sûr. On en a fabriqué de nouveau, il y a une trentaine d'années. Et on en trouve facilement. Moi, je les utilise pour ceci, dit-il en désignant les lyres éoliennes.

Le vent souffle et je dois patienter un instant.

— Est-ce qu'on peut entendre le son, sur les bandes ? Est-ce que c'est encore possible ?

Lem secoue la tête.

— Ça a été une mode passagère. Trop compliquées, trop peu pratiques. Les cassettes ne servent plus à rien, désormais. Plus personne n'emploie ce genre de truc.

Il doit pourtant bien y avoir quelqu'un qui les utilise encore. Je courbe la tête pour camoufler ma déception.

— Petit épi de blé, pourquoi toutes ces questions ?

Je m'accroche encore à cette idée.

— Pouvez-vous... Pouvez-vous créer une machine pour entendre le son imprimé sur une des ces... comment est-ce que vous les appelez, déjà ? Les cassettes ?

— Ce serait vraiment difficile, même pour moi. Les éléments mécaniques et magnétiques doivent s'adapter les uns aux autres. Ces machines primitives sont extrêmement complexes. De toute façon, toute la musique qu'on enregistrait jadis sur bande magnétique a été numérisée, il y a des lustres.

— Oh !

— Bien sûr, ajoute-t-il, je ne dis pas que c'est impossible.

— Vraiment ?

Érica vient vers nous.

— De quoi parlez-vous ?

— De mon objet. Vous vous souvenez, vous l'avez vu, l'autre soir. Lem sait de quoi il s'agit.

— Une cassette audio, explique-t-il, un retour à l'âge des cavernes en matière d'enregistrement sonore.

— Mais comment serais-tu en possession d'un tel objet ? demande-t-elle.

— Je ne sais pas. C'est tout ce qui me reste. Quand Hilary m'a trouvée, elle a troqué tout ce que j'avais contre certaines choses dont nous

avions besoin. Mais elle n'a jamais permis à quiconque de prendre mon objet.

Je suis si excitée que j'ai prononcé le nom d'Hilary sans y prendre garde. Je n'essaie même pas de m'interrompre ou de m'expliquer.

— Les cassettes ne servent plus à rien sauf à fabriquer des choses comme celles-ci, fait remarquer Lem, en désignant à nouveau ses lyres éoliennes. Elles n'ont absolument aucune utilité pour la plupart des gens.

— Et tu n'étais qu'un bébé quand tu as échoué dans la rue ? demande Érica.

— Pas tout à fait. Je pouvais parler. Est-il possible – j'ose à peine poursuivre – est-il possible qu'il y ait un message sur la cassette ? Pour moi ? De mes parents ?

Je m'échauffe à mesure que les mots sortent de ma bouche.

— Mais pourquoi auraient-ils eu recours à une technologie totalement désuète ? s'étonne Érica.

Lem rit de bon cœur.

— Si tu voulais cacher quelque chose de très précieux, il serait mieux protégé dans une boîte qui ne vaut rien. Si le message de ses parents existe toujours, c'est que le truc a marché, n'est-ce pas ?

Il se tourne vers Érica.

— Il faut quelqu'un de drôlement malin pour penser à ce stratagème. Et il faut savoir où trouver

l'outil, bien sûr. Elle fait peut-être partie des disparus. Ses parents ont peut-être cherché à se rendre chez les Béothuks.

Qu'est-ce que c'est que ce charabia ? Je veux poser la question, mais Érica secoue la tête.

— On ne sait pas s'il y a quelque chose sur cette cassette, Lem. Et regarde Blé. Elle est trop jeune. Elle n'a pas plus de douze ou treize ans. Autrement dit, elle a dû naître vers 2354. Si elle pouvait parler quand elle est devenue une enfant de la rue, c'était en 2356 ou 2357. Le technocauste avait déjà eu lieu.

— Mais de quoi parlez-vous, s'il vous plaît ? Dites-moi.

Je les implore.

Érica semble soudainement se rappeler ma présence.

— Oh ! Pardon... Les disparus sont les enfants qu'on n'a plus jamais revus après les rafles. C'était à l'époque du technocauste. Certains ont été enlevés et adoptés. D'autres sont morts...

— ... Ou ils ont abouti dans la rue, comme moi !

Érika rétorque avec douceur :

— Oui, Blé, mais tout cela a eu lieu bien avant ta naissance.

J'en reste muette de déception.

— Ne sois pas triste, petit épi de blé, me souffle Lem. Tiens, écoute. Je vais tâcher de fabriquer un magnétophone à cassettes pour toi. Il

y a peut-être des informations importantes sur le ruban que tu possèdes.

— Vraiment ? Vous feriez ça ?

— Je vais essayer.

— Merci.

Il veut m'aider, c'est inouï. Est-ce bien l'homme qui me faisait si peur ?

— Maintenant, dit Érica, il faut qu'on retourne à la maison.

Elle sourit.

— J'ai le sentiment que Blé viendra te rendre visite à nouveau, Lem.

Elle a raison. Je reviendrai. Tandis que nous quittons la maison, je me rappelle qu'Érica semblait furieuse contre moi, il y a un moment, pour des motifs qui m'échappent encore.

— Cette histoire à propos de ton objet, c'est la vérité, n'est-ce pas, Blé ? demande-t-elle soudain.

— Bien sûr.

— Tu ne sais vraiment pas qui tu es ?

La question me semble tellement cruelle.

— Si je savais qui je suis, qu'est-ce que je ferais ici ?

Elle se tourne et me dévisage.

— C'est ce que je dois savoir. Regarde-moi, m'ordonne-t-elle en me tenant fermement par les épaules. Je dois savoir si je peux te faire confiance. Est-ce que quelqu'un t'a envoyée parmi nous ?

Je ne comprends pas pourquoi, soudainement, elle me traite de cette façon. Les larmes que j'étais parvenue à refouler quand nous étions dans le jardin me montent aux yeux.

— Que voulez-vous dire ? Je croyais qu'on s'entendait bien, vous et moi.

J'ai la voix cassée par l'émotion.

Elle se radoucit.

— Je ne demande pas mieux, Blé. Mais je dois être certaine que tu es bien celle que tu prétends être. On ne rencontre pas tous les jours une enfant de la rue qui connaît la poésie romantique du XIX^e siècle. De qui était ce poème ? Keats ?

— Shelley, *Ode au vent d'ouest.* Lem connaissait le poème lui aussi, dis-je pour me défendre.

— Lem est allé à l'université. Aucun enfant de la rue n'a autant d'instruction. C'est pourquoi je me demande si on t'a envoyée pour nous surveiller.

— Qui m'enverrait ?

— La Commission. Tu te souviens de ce que je t'ai dit à propos des luttes de pouvoir ? Si la Commission en avait les moyens, elle enverrait quelqu'un chez nous pour nous espionner. Pendant une minute, tout à l'heure dans le jardin, j'ai pensé que tu n'étais certainement pas celle que tu prétendais être. Puis, tu as parlé à Lem de ton objet. Tout ce que tu racontes sur ton passé se tient. Maintenant, je ne sais plus du tout quoi penser.

Je choisis mes mots avec soin.

— C'est Marella qui m'a désignée. Comment aurait-elle fait pour tomber par hasard sur une espionne, parmi quinze enfants ?

Elle approuve en hochant la tête.

— Tu as raison. Nous avons fait de notre mieux pour ne pas leur laisser le temps de te recruter. C'est pour ça que William est arrivé sur place plus tôt que prévu et qu'il ne t'a plus quittée des yeux. Les gardiennes ne nous aiment pas, mais elles n'osent pas désobéir. Pas encore.

Maintenant, je comprends la nature de la lutte entre gardienne Novembre et le maître. J'ai terriblement peur qu'Érica me renvoie là-bas.

— Mais vous m'avez confié beaucoup de choses. Si vous ne me faites pas confiance, ne me dites rien que je ne dois pas savoir. C'est mieux comme ça, non ?

Elle sourit.

— Peut-être. Je dois y penser. Je souhaitais pouvoir te faire confiance.

Je me demande ce qu'elle a en tête. Le moment est toutefois mal choisi pour poser la question.

— Blé, tu sembles dire la vérité. Vraiment.

De soulagement, je respire à nouveau. En marchant, je repense à la conversation entre Érica et Lem à propos de mon passé. Qui étaient les Béothuks ? Je dois savoir.

— C'est comme ça qu'on appelait les technologues qui venaient jusqu'ici pour se cacher,

m'explique Érica. Au départ, tout le monde croyait que le technocauste était essentiel et on n'a rien fait pour le prévenir. Mais tout le monde en a eu vite assez de toute cette violence, dans Terra Nova, alors les gens ont aménagé des lieux sûrs où les technologues pouvaient se réfugier, avant de quitter St. Pearl, pour gagner les camps cachés dans les bois. Personne ne pourchassait vraiment les technologues une fois qu'ils avaient quitté la ville, contrairement à ce qui se passait dans les zones industrielles. Alors on s'est donné le mot ; les gens sont venus de partout et beaucoup sont morts en tâchant de fuir. Ceux qui parvenaient à se cacher dans les bois, on les appelait les Béothuks, en l'honneur des autochtones qui vivaient ici, il y a des centaines d'années.

— Mais Lem le loup vivait déjà ici ?

— Oui, c'est ici qu'il est né. Il est parti étudier à l'université, puis il est revenu avec Michelle et ils ont construit la maison dans la colline, sur la pente de ski.

— Est-ce qu'il était un Béothuk ?

— Non, il n'a pas eu besoin de partir d'ici. Les gens de Kildevil l'ont caché.

— Après que sa femme a bu le poison ?

Érica me dévisage, étonnée.

— Mais de quoi parles-tu ?

# 11

# La vérité

En route vers la maison, je raconte à Érica toute l'histoire de la Cérémonie de la mémoire et je la vois blêmir. Devant la porte, elle hésite.

— Non, ne rentrons pas tout de suite. Allons au jardin. Il y a un banc où nous pourrons parler.

Elle s'assoit, consternée.

— Je savais qu'on déformait la vérité, mais j'étais loin de me figurer à quel point on pouvait vous mentir. Je comprends pourquoi tu redoutais tant de rencontrer Lem. Il n'est pas dangereux. Tu comprends ça, n'est-ce pas ?

J'approuve et elle enchaîne.

— Lem le loup était un musicien brillant. On connaissait sa musique partout dans le monde. Son épouse, Michelle Blanchette, s'occupait des arrangements et c'était grandiose. Elle parvenait à créer des ambiances sonores époustouflantes avec la musique de Lem. La technologie n'avait

pas de secret pour elle et donc, elle était une cible toute désignée au moment du technocauste. Lem n'était pas à la maison quand ils sont venus la chercher. Il enseignait la musique à Kildevil. Il a fallu cinq ou six hommes pour le retenir et l'empêcher d'aller la rejoindre. Autrement, il aurait lui aussi fini au camp de concentration. Il aurait pu mourir. Je me demande parfois s'il n'aurait pas mieux valu, soupire-t-elle, et ses épaules se voûtent. Tu sais, Blé, il n'y avait pas de complot pour vendre la technologie à une puissance malfaisante. Ce n'est pas la technologie qui est responsable des dommages causés à l'environnement. Cela est arrivé il y a des siècles. Tout au long du XXIe siècle, les gouvernements ont fait de leur mieux devant les inondations ou les feux de forêt, la hausse du niveau des océans, les vagues de réfugiés, les ouragans, les tempêtes de verglas, les sécheresses et les famines. C'était l'état d'urgence en permanence. À l'époque, une forme particulière de gouvernement, qu'on appelait « démocratie », donnait un peu de pouvoir aux gens ordinaires. Cela a pris fin. Par nécessité, les gens ont accordé aux gouvernements des pouvoirs toujours plus grands. On appelle le XXIe siècle l'époque de la Noirceur. Les crises se succédaient sans répit et plus personne ne savait comment réagir. La civilisation dépérissait.

« Petit à petit, on a assisté à la naissance de nouvelles institutions. La guilde des tisserandes

a été créée pour donner aux femmes les moyens de vêtir leur famille et, plus tard, de gagner leur vie. La Voie a vu le jour parce qu'on luttait pour sauvegarder les savoirs. Mais tout le monde avait peur de la technologie. On a vu émerger tout un système de croyances autour des bioguides et des alertes à la pollution. Des superstitions, des soi-disant signes. On n'a pu recouvrer les connaissances scientifiques que vers la fin du XXII^e^ siècle. Les universités ont rouvert leurs portes, et on s'est remis à enseigner tout ce qu'on avait relégué aux oubliettes. On a reconstruit la société, sauf que le gouvernement voulait maintenir le contrôle absolu et bien des gens étaient incapables de se figurer un monde différent.

« Et puis, il y a eu le technocauste, juste avant ta naissance. À l'époque, personne n'en connaissait la raison. Quand on y repense aujourd'hui, il est clair que la Commission et les gouvernements du même genre, partout dans le monde, étaient derrière tout ça, pour rester au pouvoir. En assimilant les technologues et les scientifiques aux forces du mal et en affirmant que la crise environnementale perdurait, il devenait possible de prolonger l'état d'urgence indéfiniment. »

— Voulez-vous dire que toutes ces choses qu'on nous a racontées sur les technologues n'étaient pas vraies ?

— En effet. Des milliers, peut-être même des centaines de milliers de personnes sont mortes ou

alors, elles ont fini comme Lem. Aujourd'hui, la technologie et la science sont rigoureusement contrôlées pour que les gens ordinaires comme toi et moi ne sachent pas que l'état d'urgence écologique à l'échelle planétaire est de moins en moins justifiable.

Tout vacille. Je m'accroche au dossier du banc public pour mieux me ressaisir.

— Si vous dites vrai, tout ce qu'on m'a raconté est faux ?

— Tu peux me croire, répond Érica en me tapotant l'épaule. Mais tu n'es pas forcée de tout accepter en vrac. Réfléchis. Nous en reparlerons quand tu seras disposée.

Elle s'apprête à retourner à la maison. Je la retiens :

— Érica, une dernière chose.

— Oui.

— Qu'est-ce qu'un camp de concentration ? Est-ce que c'est l'endroit où sont allés les Béothuks ?

Elle secoue la tête.

— Non. Ces camps étaient des prisons où l'on envoyait les technologues quand on les attrapait. Mais pas seulement les technologues. Tous ceux que la Commission considérait comme une menace. Il y avait des camps de concentration dans toutes les préfectures, à l'époque du technocauste, et sans doute un peu partout dans le

monde. Mais il n'y en avait qu'un seul dans l'île. À Markland. C'est là que Michelle est morte.

Elle me quitte et je reste au jardin, seule, un long moment. Quand enfin je monte dans ma chambre, j'essaie toujours de comprendre. Je me souviens d'une publicité aperçue dans les rues de St. Pearl, un hologramme en noir et blanc. La portion en noir dessinait le contour d'un vaisseau quelconque, mais quand on y regardait de plus près, on découvrait deux visages blancs, dessinés de profil, très près l'un de l'autre. La réalité est comme cet hologramme. Je ne sais pas si je dois croire les gardiennes ou si c'est Érica qui dit la vérité, mais contrairement à l'hologramme, les deux versions s'excluent l'une l'autre. J'entends la mélopée de Marella en passant devant sa chambre. Je l'avais complètement oubliée, celle-là. Je frappe à sa porte et le murmure prend fin aussitôt.

— Mais qu'est-ce que tu fichais ? Il faut faire les lectures avant que le soleil se couche. Et cette promenade ?

Sa question me prend au dépourvu, mais je ne peux que sourire au souvenir du jardin de Lem le loup. Marella ne semble pas apprécier ma bonne humeur.

— Tu t'entends avec cette femme mieux que moi.

— Ce n'est pas vrai, dis-je, même si Érica m'accorde plus d'attention qu'à Marella, pour

des raisons que ni la bioguide ni moi ne pouvons comprendre.

— De toute façon, à partir de maintenant, tu seras trop occupée pour passer du temps en sa compagnie.

Elle soupire.

— William est si content de mes « progrès », comme il dit, que je devrai subir la deuxième épreuve dans deux jours. Elle concerne la faune. Je suppose que tu voudras lui rapporter une sorte de plante.

Elle indique l'écranlivre posé près d'elle.

— Je n'ai pas du tout envie de lire ça. Tu es là pour m'aider. Lis-le.

*Bioguides et biodiversité*. Je me retiens de me précipiter sur le livre tant je suis avide de lecture. Marella voudrait que cette obligation soit un châtiment. J'attrape le livre et me dirige vers la porte. Elle me retient.

— Je trouve très curieux que tu aies deviné ce dont nous avions besoin, ce matin.

J'ai le cœur qui bat.

— C'était un coup de chance, je suppose.

Elle ricane.

— Je n'en crois pas un mot. Tu es trop bête pour ça, pas vrai ?

Je baisse les yeux.

— Bien sûr…

— Il y a donc une autre explication.

Elle sourit.

— Ce sera tout pour l'instant.

Je quitte la chambre en serrant le livre contre mon cœur qui bat la chamade. Je suis soulagée qu'elle n'ait pas posé plus de questions. Comment aurais-je bien pu lui dire la vérité ? Elle serait furieuse si elle se doutait que je mens, et plus encore si elle se rendait compte du contraire. Que s'est-il passé au juste, ce matin ? Je me le demande. Je pose le livre pour y revenir plus tard, car j'ai la tête ailleurs : toutes ces questions auxquelles je ne trouve pas de réponse m'obsèdent.

Lem le loup est inoffensif. On nous a menti à son sujet. Je pense à sa femme, morte dans le technocauste. Elle ne faisait pourtant rien de mal. Mais elle était instruite. Je pense aux milliers, aux centaines de milliers de personnes qui ont subi le même sort. Cette pensée est intolérable et cependant, elle est plausible.

Érica dit la vérité.

# 12

# L'œil du ciel est brillant

— Voilà. Nous avons complété le test de la lampe au mercure. Maintenant que nous avons calibré le spectrophotomètre, nous pouvons procéder aux lectures.

Le maître tente de cacher son impatience, bien qu'il n'y parvienne qu'à moitié. Au bout de plusieurs semaines de formation, Marella devrait savoir comment mesurer l'ozone dans la stratosphère et les rayons ultraviolets, mais nous avons mis pratiquement une heure pour l'aider à calibrer les instruments. Je voudrais être ailleurs. Son refus d'apprendre exaspère le maître. Je ne peux pas croire qu'elle soit aussi stupide. Jusqu'à présent, j'ai parfaitement compris toutes les explications.

Tandis que nous quittons la maison, Marella jette un coup d'œil furieux sur le petit disque qu'elle tient dans la main et qui s'appelle – je

viens de l'apprendre – un spectrophotomètre.

— Il doit bien y avoir un moyen plus simple de faire ce travail, proteste-t-elle.

— Oh oui ! bien sûr ! réplique le maître. Les satellites pourraient transmettre les données sur terre. Ou l'on pourrait procéder aux mesures à l'aide d'un ballon-sonde météorologique. Ou d'un spectrophotomètre-robot installé sur un toit – le ton est sarcastique – tout cela si nous avions une source de financement illimitée et s'il nous était égal que le monde entier soit au courant. Marella, ce savoir te permet d'intégrer un système vivant d'expertise. Notre objectif est de permettre aux bioguides du programme de contrôler l'état de la couche d'ozone sans l'interférence du gouvernement. Bon. Répète-moi ce que tu dois faire.

Le jardin où nous sommes est clôturé, à l'abri des regards indiscrets, derrière la maison. Je me rappelle tout ce qu'Érica m'a raconté sur la Commission et je me demande à quel point il est dangereux de faire ce travail.

Marella débite sa leçon de mauvaise grâce :

— Deux lectures. L'une en dirigeant l'instrument directement vers le soleil et l'autre en pointant vers le zénith.

— Deux *séries* de lectures dans chaque cas, précise le maître. Et pourquoi ?

— Parce que vous voulez me rendre folle ! s'écrie Marella.

J'interviens aussi rapidement que possible :

— Le fait de procéder à deux lectures nous permet d'éviter les erreurs.

Le maître sourit.

— Très bien, Blé. L'une de vous deux, au moins, comprend ce que nous sommes en train de faire.

J'ai agi uniquement dans le but de couvrir Marella, mais le regard qu'elle me lance est lourd de reproches : elle croit que je tente d'impressionner le maître. Je baisse rapidement les yeux sur l'ordinateur qu'elle tient dans sa main et j'enregistre les valeurs à mesure qu'elle procède aux lectures. Quand elle a terminé, William sourit de nouveau.

— Voilà qui est beaucoup mieux. Ces valeurs sont tout à fait conformes à celles que j'ai relevées plus tôt. Assure-toi simplement de refaire la même démarche demain, d'accord ? Je ne dirai jamais assez à quel point c'est important.

Marella hoche la tête et je me détends un peu. Maintenant que je sais comment faire les relevés, je pourrai m'assurer que les siens sont exacts. Peut-être que, de cette façon, je parviendrai à gagner son amitié.

# 13

# Gardienne en chef Novembre

Le lendemain matin, le maître a une mine renfrognée quand il entre dans la cuisine. D'abord, je pense qu'il s'est à nouveau disputé avec Marella. Puis, j'aperçois les gardiennes qui le suivent.

— Elles viennent pour Blé, déclare-t-elle à Érica.

En fin de compte, elle a dû décider de me renvoyer là-bas.

— Non ! crie-t-elle, et alors, je sais que la décision ne vient pas d'elle. Non, répète-t-elle en baissant le ton, nous sommes contents d'elle. Son travail est utile. Pourquoi voulez-vous nous l'enlever ?

— Maîtresse, gardienne en chef Novembre désire simplement lui parler.

C'est comme dans un cauchemar.

— Je vais les accompagner, dis-je.

Si cela est nécessaire pour éviter de les mettre en colère, je n'ai pas le choix.

Une étincelle de méfiance luit dans le regard d'Érica. À cause de tout ce qu'elle m'a dit, je représente une menace pour ceux qu'elle aime. Elle ne semble pas comprendre pourquoi, soudain, je me rends si facilement.

— Je viens avec toi, dit-elle à mon intention.

La plus grande des gardiennes s'interpose.

— Ce ne sera pas nécessaire.

La plus petite parle calmement.

— L'enfant reviendra bientôt, maîtresse. Nous ne voulons pas déranger vos habitudes.

Érica se mord la lèvre et approuve, admettant sa défaite.

Son regard croise le mien un court instant et je comprends qu'elle me supplie de me taire. J'en ai le cœur à l'envers.

William nous accompagne jusqu'à la porte.

— Faites qu'elle revienne vite. Elle nous rend bien service.

Cette fois, ce n'est pas un ordre.

Les deux gardiennes m'encadrent comme si elles redoutaient une tentative de fuite. Comme si c'était possible. Tandis que nous descendons la colline, j'essaie de penser à un scénario plausible pour expliquer mon travail à la maison du maître. Dès que nous sommes dans la rotonde, j'ai les mains moites. Et si je ne pouvais plus quitter

cet endroit ? Je tâche de contrôler la vague de panique qui monte en moi. Érica et le maître reviendraient me chercher, n'est-ce pas ? Avant d'avoir pu répondre à ma question, je me retrouve dans le bureau de gardienne Novembre.

C'est la première fois que j'entre ici. C'était impensable, avant. Le bureau est presque vide, les murs sont nus. Gardienne Novembre est assise derrière une table en métal. La lumière du jour illumine d'une auréole blanche ses cheveux coupés ras. Elle sourit sèchement.

— Ah… Lobelia Septembre.

Elle m'indique une chaise en métal.

— Nous ne pouvons pas t'offrir le confort de la maison du maître, mais assieds-toi, je t'en prie.

J'obéis.

— Tu es encore sous la tutelle de la Commission, Lobelia, et nous devons nous assurer qu'on prend bien soin de toi. Personne ne te maltraite là-bas, n'est-ce pas ?

— Oh non ! gardienne en chef Novembre.

Je joue de mon mieux les idiotes.

— Et si tu me disais un peu en quoi consistent tes tâches ?

— J'aide la bioguide à bien apprendre ses leçons et je prends soin d'elle.

Je dois trouver le moyen de dire la vérité sans rien dévoiler et en mentant le moins possible. Avec des mensonges, on peut tresser la corde pour se pendre. Et plus l'on ment, plus il est facile de se faire piéger.

— Je me demande pourquoi la bioguide a besoin d'aide. Cette situation ne s'est encore jamais présentée.

J'opine.

— La bioguide ne va pas très bien, gardienne Novembre. Elle a besoin d'une attention spéciale.

— Elle semblait en parfaite santé quand elle venue ici…

Je parle des cheveux de Marella. Je ne fais pas exprès d'en rajouter. Ma description produit son effet.

— Je vois, dit-elle. Et as-tu constaté certains problèmes avec l'alimentation électrique dans la maison ?

Pour un peu, j'aurais souri tellement je suis soulagée.

— Oh oui ! Ça ne fonctionne pas bien.

La gardienne se penche vers moi.

— Et peut-être pourrais-tu me dire si tu as appris certaines choses ?

Mon cœur fait un bond.

— Ce que j'ai appris ?

Je réfléchis à toute vitesse.

— Seulement les réponses pour l'investiture.

J'ai pris un risque, parce qu'en fait, je ne sais rien de l'investiture.

— Et est-ce qu'on t'a parlé de la Commission ?

— Oui, bien entendu. Ils sont très reconnaissants, là-haut, de l'appui de la Commission.

La déception dans le regard de gardienne Novembre m'encourage. Elle soupire.

— Lobelia, je me demandais si tu ne pouvais pas recueillir certains renseignements pour nous.

Au prix d'un gros effort, je reste de marbre et ma voix ne trahit aucune émotion :

— Que voulez-vous dire ?

Sa déception tourne à l'impatience.

— Cette conversation ne mène à rien. Je croyais que tu étais une fille intelligente, mais en examinant ton dossier à la bibio-tech, j'ai constaté que tu relisais toujours les mêmes livres. Dans quel but ?

Elle ignore tout de la poésie. C'est tout à mon avantage.

— Je me disais qu'en me baladant toujours avec un écranlivre, personne ne me dérangerait, et j'aurais l'air de vouloir m'instruire.

— Et sais-tu lire, fillette ? demande-t-elle.

— Très peu, en fait.

Je marmonne ces mots en baissant les yeux pour me dérober à son regard inquisiteur, affectant d'avoir honte.

— Eh bien, ajoute-t-elle en se radoucissant un peu, tu ne peux pas nous aider beaucoup, mais il semble que tu ne puisses pas nous nuire non plus. As-tu envie de retourner à la maison du maître ?

— Oh oui ! dis-je, du fond du cœur.

— Alors, vas-y.

Les gardiennes ne me raccompagnent pas. Je ne présente plus aucun danger. Je m'efforce de gravir la colline lentement, pour cacher ma joie, au cas où elles m'observeraient.

Dans la cuisine, je fonds sur Érica pour lui raconter ce qui s'est passé. Elle écrase aussitôt sa paume contre ma bouche pour me faire taire :

— Oh Blé, s'écrie-t-elle, maladroite ! Tu as fait tomber de la farine partout sur toi ! Va vite te changer.

Ses yeux me supplient de ne pas protester tandis qu'elle retire sa main.

— Je suis désolée, dis-je en tâchant de camoufler ma surprise. Érica me fait comprendre par signes que je dois changer de vêtements.

À mon retour dans la cuisine, elle va vers le panneau de contrôle et actionne une clé.

— Voilà. As-tu bien changé tous tes vêtements ?

Je fais signe que oui. Elle scrute mon visage d'un regard anxieux.

— Quelqu'un a-t-il touché tes cheveux ?

— Non, pourquoi ?

— Elles ont peut-être caché un micro quelque part sur toi. Je ne ferai plus semblant qu'il y a un problème d'alimentation électrique. Le panneau comporte un dispositif qui permet de brouiller

la transmission des signaux. Dans le bureau de William, ce dispositif est allumé en permanence. Grâce à lui, on croit que le système électrique est en panne. En fait, ce système de brouillage crée un écran, au-delà duquel on n'entend plus rien. C'est le seul moyen dont nous disposons pour protéger notre vie privée.

— C'est une bonne chose que je ne l'aie pas su avant, dis-je, parce que je n'ai pas eu à mentir.

Je lui raconte tout et je termine en disant :

— Je suis certaine qu'elles me croient trop stupide pour espionner. C'est à cause de la poésie. Gardienne Novembre s'est aperçue que je relisais souvent les mêmes textes. Elle ne s'est pas donné la peine de vérifier très loin : elle aurait compris que j'avais déjà tout lu. Mais pourquoi sont-elles venues me chercher ?

— Gardienne Novembre a dû demander l'avis de ses supérieurs à la Commission. Elle ne peut pas nous défier sans leur accord. Les gens ne le toléreraient pas. L'idée m'a effleurée qu'elle essaierait de te recruter pour nous espionner, mais dès que j'ai vu ton visage, j'ai su que tu n'avais rien à cacher. Tu ne mens pas, je le sais. Oh ! Blé, j'ai besoin de quelqu'un comme toi. Demain soir, tu m'accompagneras en ville. Il y a tant de choses que tu dois savoir. Mais aujourd'hui, il faut faire comme si c'était une journée normale. C'est le moment d'aider Marella à procéder aux observations du midi.

Elle réactive le panneau de contrôle et la conversation prend fin. Je suis ravie d'avoir gagné sa confiance, mais de quoi parlait-elle, au juste ? Je quitte la cuisine en ravalant toutes les questions qui me brûlent les lèvres et que je ne peux pas poser.

Le spectrophotomètre est un petit instrument capricieux, mais il semble que je sache comment m'y prendre pour le faire fonctionner, et Marella accepte mon aide avec plaisir. Après le déjeuner, nous allons dans sa chambre pour préparer la deuxième épreuve.

— Je devrais aller chercher le livre que tu dois lire.

Le regard qu'elle me lance me glace au point où les mots se figent dans ma gorge.

— Assieds-toi. Je n'ai pas l'intention d'apprendre quoi que ce soit dans les livres.

Elle a craché le dernier mot, comme s'il désignait quelque chose d'abominable. Puis, elle sourit.

— Il existe une façon différente d'apprendre, une façon dont j'ai entendu parler dans la chambre des divinations, chez moi. Je ne l'ai jamais réellement essayée. Je pense, en revanche, que je pourrai y arriver. Et tu vas m'aider.

À l'aide du panneau de contrôle, elle assombrit les fenêtres et réduit graduellement l'intensité de la lumière jusqu'à ce que la pièce soit plongée dans l'obscurité.

— Voilà, dit-elle, j'ai besoin de ces cristaux bleus et je porte les boucles d'oreille qui conviennent, en argent incrusté de lapis.

Elle rassemble des objets éparpillés autour de la pièce. Elle trempe chaque boucle d'oreille dans le désinfectant avant de les porter.

Les pierres sont d'un bleu superbe.

— Elles sont très jolies, dis-je.

Elle rit.

— Elles sont plus que jolies. Les pierres canaliseront l'énergie dont j'ai besoin. Et l'argent confortera mon identité transcendantale.

Je me demande de quoi elle parle. Il s'agit certainement d'une méthode d'apprentissage que je ne connais pas du tout.

— Encore une chose, poursuit-elle en saisissant deux écharpes. Pose ça sur tes épaules.

Elle me tend une magnifique écharpe bleue, entrelacée de fils d'argent. Elle en enroule une autre, plus foncée, autour de ses épaules.

— Nous allons commencer. Je tente de communiquer avec les esprits des Anciens. On appelle ça le spiritisme. Si je parviens à entrer en contact avec ces êtres désincarnés, ils me fourniront le savoir dont j'ai besoin.

J'ignore de quoi elle parle.

— Désincarnés ?

— Les morts. Les êtres qui ont échappé à la roue de la vie. Au cycle de l'incarnation. Ils peuvent m'aider à prendre la bonne décision, demain.

C'est ce qu'elle compte faire au lieu de lire ?

— Mais si ces êtres… désincarnés viennent du passé, comment pourraient-ils te renseigner sur ce qui se passe actuellement ?

— Évidemment, comme d'habitude, tu ne comprends pas. Les Anciens savent tout. Croise tes jambes et mets tes mains, paumes ouvertes, sur tes genoux, pour que l'énergie puisse circuler.

Je lui obéis.

— Nous allons commencer.

Elle me montre des exercices de respiration.

— Maintenant, murmure-t-elle, tu dois essayer de joindre ton énergie à la mienne, tandis que je tente de joindre un esprit.

Elle commence à psalmodier la mélopée que j'entendais de ma chambre, l'autre soir.

— Guidez-moi, oh ! vous, les Anciens !, oh ! vous, sœurs de la terre !…

Le bourdon monotone continue encore et encore. Je ne peux pas dire depuis combien de temps nous sommes là quand les lumières se rallument. Maintenant, il fait noir à l'extérieur. Je reste assise à ma place, je cligne des paupières, comme quelqu'un qui sort d'un tunnel pour affronter la lumière du jour. Cette fois, le sourire qu'elle affiche a l'air sincère.

— Je redoutais que tu ne puisses pas rester en place et que tu me déranges. J'avais tort. Érica nous a appelées pour le dîner, et tu n'as même pas entendu.

J'ai dû m'endormir.

— Les Anciens sont-ils venus jusqu'à toi ?

Elle hausse les épaules.

— Je n'en sais trop rien. Peut-être... Si j'ai réussi, je saurai exactement quoi faire demain. Je vais me préparer pour le dîner. Je n'ai plus besoin de toi ce soir, dit-elle par-dessus son épaule.

— Mais le livre...

Elle m'interrompt.

— Si la séance a porté ses fruits, le livre ne sera pas nécessaire.

Elle trottine hors de la chambre. Je pense à ses paroles. Si la séance a porté ses fruits, elle saura quoi faire. C'est ainsi que je me sentais, hier, sans avoir demandé l'intervention des esprits. Je secoue la tête. C'est trop compliqué.

Au moment où je pénètre dans la cuisine, Érica et le maître se taisent aussi sec, comme s'ils parlaient de moi.

— Est-ce que je peux apporter quelque chose à table ?

Je fais mine de n'avoir rien remarqué.

— Bonne idée. Tiens, prends ça.

Érika me confie une pile d'assiettes. Elle me suit avec un plateau de nourriture. Apparemment, il semble désormais normal que je mange à leur table.

— Avez-vous bien étudié, cet après-midi ? demande William.

Tandis que je me triture les méninges pour trouver une réponse, Marella entre :

— Absolument. C'était épuisant et si personne n'y voit d'objection, j'aimerais bien qu'on parle d'autre chose.

Le visage du maître rayonne de satisfaction, et je ne peux que baisser les yeux sur mon assiette.

Ce n'est pas bien, j'en suis sûre, de lui mentir ainsi.

# 14

# Biodiversité à l'intention des bioguides

Plus tard, je retourne à ma chambre. Je brûle toujours de savoir ce qu'Érica me réserve. J'espérais obtenir d'elle quelques indices pendant que nous rangions la cuisine, mais elle bavardait de choses et d'autres. J'étais si impatiente que pour un peu, j'aurais moi-même activé le dispositif de brouillage, si seulement j'avais su comment m'y prendre. En fin de compte, au moment où je quittais la cuisine, j'ai eu droit à un petit signe.

— Demain soir, je vais à Kildevil pour rendre visite à la tisserande en chef, l'artisane la plus douée du village. C'est elle qui fabrique le tissu pour la toge d'investiture de Marella. J'aimerais que tu m'accompagnes.

Bien que sa voix reste neutre, son sourire en dit long.

Je souris à mon tour.

— Comme vous voudrez, dis-je, d'un ton aussi placide que possible.

Je suis curieuse de savoir quelles surprises demain me réserve. *La biodiversité à l'intention des bioguides* m'attend. Je n'entends pas le moindre bruit dans la chambre de Marella. Elle semble heureuse de confier son sort à des êtres désincarnés, mais pas moi. J'ouvre le livre et je m'y plonge. Il y a deux jours, j'apprenais tout sur les plantes et maintenant, c'est au tour des animaux. J'apprends que chaque fissure, chaque recoin de notre planète fourmille de vie. Le vent peut transporter des créatures minuscules, certaines aussi grosses que des araignées, sur des milliers de kilomètres. On leur donne le nom de *plancton éolien.* Je me rappelle les lyres éoliennes de Lem le loup et je souris.

Puis, j'aborde la biodiversité. Ce n'est pas un hasard si les espèces vivantes sont si variées ; leur organisation est complexe. Certains animaux ont une fonction particulière dans leur communauté et si l'un d'eux vient à manquer, les autres se transformeront au fil des centaines de générations subséquentes pour combler le fossé engendré par sa disparition. Il y a longtemps qu'on sait cela, depuis l'époque où un certain Charles Darwin étudiait le comportement des pinsons dans les îles de l'océan Pacifique. Étant donné que les oiseaux étaient peu nombreux dans ces îles, les

pinsons ont fini par assumer le rôle que d'autres oiseaux tenaient dans des lieux différents. J'observe des hologrammes de pinsons qui normalement devraient manger des graines, mais qui, dans les îles Galapagos, se comportent comme des piverts ou des fauvettes, ou encore volent des œufs comme le font les mouettes.

J'emporte avec moi dans le sommeil la diversité de la vie. Je surfe sur un plancton éolien que le vent dirige droit vers une île volcanique toute neuve. Nous croisons d'autres formes de vie. Elles ne survivent pas toutes. Petit à petit, les vagues successives de vent et d'eau balaient l'île, jusqu'à ce qu'un réseau d'organismes vivants s'y installe et bientôt, le lit de cendres noires jadis désert grouille de vie. Je me réveille remplie d'un bonheur inexplicable et pourtant familier. Je ne sais pas comment la journée finira, mais je suis prête.

Marella est encore engourdie de sommeil et semble de mauvaise humeur quand je lui apporte son thé vert.

— Oh! c'est aujourd'hui le deuxième examen. À ton avis, est-ce que je devrai rapporter un quelconque animal à la maison?

Je secoue la tête. Il me semble que c'est improbable.

— Descends avant moi, propose-t-elle. Je veux consulter les Anciens pour qu'ils me guident.

Curieusement, son attitude me touche. Sa façon d'aborder l'univers des connaissances me

trouble et pourtant, je sais qu'elle veut réussir. Si seulement je pouvais la persuader de parcourir les livres ou seulement d'écouter ce que j'ai appris ! Tout ce savoir fabuleux me remplit comme une musique à laquelle Marella refuse de prêter l'oreille.

Quand elle nous rejoint à la cuisine, je constate qu'elle n'a pas revêtu sa toge de bioguide. Elle a enfilé le même genre de vêtements que moi, des collants noirs et une tunique. Elle a enroulé autour de sa tête l'écharpe d'un bleu foncé qu'elle portait hier. Le maître peut difficilement cacher son agitation pendant le repas.

— William, je t'en prie, assieds-toi, dit Érica au bout d'un moment. Tu ne tiens pas en place.

Malgré sa puissance, il obéit comme un petit garçon, bien que son énergie débordante irradie dans toute la pièce.

Marella repousse son assiette.

— Qu'est-ce qu'il faut que je fasse, pour cette épreuve ?

— C'est très simple. Prends ceci.

William lui tend un calepin cartonné.

— Va te promener. Prends des notes sur tous les animaux que tu vois, les oiseaux, les mammifères, les insectes, tout. Quand tu reviendras, je veux que tu me dises celui qui, à ton avis, a le plus d'importance.

— C'est tout ? Et si je ne connais pas le nom de ces animaux ? demande Marella en fronçant les sourcils.

— Fais-en la description. C'est suffisant. Comme dans le cas de la dernière épreuve, ce que tu choisiras m'en dira long sur ce que tu as appris.

Marella saisit le calepin.

— C'est du papier ? J'utilise un crayon à mine ? Ces outils sont très primitifs. Où dois-je aller ?

L'anxiété perce dans sa voix. Elle ne sait pas du tout comment s'y prendre.

— Laisse ton intuition te guider comme tu l'as fait la fois précédente, répond William. Je suis persuadé que tout ira bien.

Il quitte la pièce.

Érica ramasse les assiettes vides.

— La rive est un bon endroit pour chercher la présence de vie sauvage, lui glisse-t-elle sans insister, mais c'est un conseil utile qu'elle lui donne. Mettez des bottes de pluie.

Nous les enfilons sur le porche. Je suis déçue parce que le paysage ne baigne pas dans un jour doré comme au matin de la première épreuve. Au même instant, un moineau vole au-dessus de nos têtes, découpé dans une lumière qui n'est ni blanche, ni bleue, mais entre les deux. Marella n'y prête aucune attention.

— Écris, dis-je en lui prenant le bras, écris ça dans ton cahier.

— Comment dis-tu ?

Le ton de sa voix est glacial. Je lâche vite son bras.

— L'oiseau… Tu ne veux pas noter quelque chose sur cet oiseau dans ton calepin ?

— Oui, bien sûr, rétorque-t-elle, comme si c'était son idée. Par où faut-il aller pour atteindre la rive, d'ici ?

J'indique le sentier.

— La route vers Kildevil longe la baie. La pente est abrupte pour arriver jusqu'à l'eau, mais on peut suivre le sentier.

— Dans ce cas, je suppose que nous devons aller par là.

Je m'efforce de ne pas regarder en direction du camp de travail quand nous passons devant. Je dois faire comme si j'ignorais que les gardiennes peuvent nous observer. Marella jette à peine un regard dans cette direction. La route vers Kildevil est un simple chemin de gravier. Les véhicules sont rares dans cette zone de la préfecture. Nous devons nous rendre à mi-chemin de la décharge avant de trouver nos repères.

— C'est ici, dis-je, en pointant du doigt une ouverture entre les arbres dont les cimes se touchent au-dessus de nos têtes.

La pente est si raide que le sentier sillonne en lacets devant nous. La baie est à vingt mètres environ et s'étale à perte de vue, à gauche comme à droite. L'eau est calme comme du verre, elle a l'odeur piquante de la mer. La montagne de

Kildevil pointe à l'horizon, en face de la baie. Contre toute attente, je me sens en sécurité, ici. Une bande étroite de gravier court le long de la rive. Au moment où nous y posons le pied, quelque chose bouge devant nous.

— Regarde, murmure Marella.

Sur la grève, droit devant, un orignal mâle broute. Un homme lui irait à peine à l'épaule, et l'envergure de sa ramure fait plus que ma taille. Il flaire notre présence, lève le museau et nous voit. De panique, ses yeux virent au blanc et il déguerpit. Sans les craquements de branches cassées dans les buissons, nous aurions pu croire à une vision.

— Ça, il faut que je le note! s'exclame Marella.

Elle s'assoit sur un arbre couché sur le sol et elle écrit. Je m'accroupis près d'elle.

— Regarde ses empreintes, comme elles sont profondes! Il était énorme! dis-je en lui montrant les traces creusées dans le gravier et qui se remplissent d'eau.

Marella sourit.

— C'est sûrement ce que nous avons vu de plus significatif aujourd'hui.

Un oiseau solitaire plane tout là-haut dans le ciel, au-dessus de l'eau.

— Regarde, dis-je.

— Qu'est-ce que c'est?

— Un aigle pêcheur.

L'oiseau replie ses ailes, plonge et disparaît sous l'eau sans en froisser la surface. Un instant plus tard, il ressurgit et tient dans ses griffes un gros poisson qui frétille.

Marella en a le souffle coupé :

— Je n'ai jamais rien vu de tel.

Je hoche la tête.

— On ne voit jamais d'aigles, pêcheurs, à St. Pearl, mais ici, on en voit souvent. Les aigles à tête blanche aussi attrapent du poisson dans leurs serres, mais seuls les aigles pêcheurs plongent sous l'eau.

Marella ouvre à nouveau son calepin.

— Je n'aurai peut-être pas besoin d'aller chercher ailleurs, dit-elle, ravie.

J'aperçois des éclairs bleutés dans l'eau, de petites créatures qu'on ne remarquerait pas autrement. J'attire son attention sur elles.

— On devrait peut-être regarder dans l'eau, dis-je.

— Peut-être.

Elle pose son calepin sur le tronc d'arbre. Subitement, Marella est toute joyeuse et transfigurée. La personne aigrie que je côtoie d'habitude n'est peut-être que le produit du malheur.

La marée est basse. Quelques rochers couverts de varech émergent à la surface de l'eau. Marella avance en pataugeant dans l'eau qui monte à peine jusqu'à ses chevilles. Je la suis, contente d'avoir enfilé des bottes imperméables.

Même dans les zones peu profondes, l'eau est froide à cette époque de l'année. D'abord, on peut à peine voir sous la surface lisse comme un miroir, mais, bientôt, nous y parvenons. Marella pousse un petit cri.

— Qu'est-ce que c'est que ça ?

Je suis des yeux la créature vivante.

— Un poisson plat. Regarde ces rochers, ils sont couverts de coquillages.

Elle sort son calepin et je lui indique différents animaux. Certains ressemblent à des escargots et d'autres ont l'allure de petits bonnets.

— Les blancs sont des anatifes et les marron, des moules.

Je décris les crustacés dont je ne connais pas le nom tandis qu'elle griffonne dans son calepin. Nous sommes à ce point concentrées sur notre travail qu'en relevant la tête, j'ai un choc : quelqu'un nous observe.

Le garçon est grand, à peine plus vieux que Marella. Il porte une arbalète et il est revêtu de peaux de bêtes. Son sourire est moqueur et il affiche un air hautain qui n'altère en rien la beauté de ses traits fins et réguliers et de ses yeux bleus au regard grave. Un bandeau maintient en place ses cheveux bruns et raides. Il parle avec l'accent rude de Kildevil.

— Vous allez avoir de sacrés problèmes, vous deux, quand on saura que vous avez quitté le travail sans permission.

Sa voix est aussi pleine d'assurance que son sourire est railleur.

— Qu'est-ce que vous faites ici quand vous devriez être à l'ouvrage ?

Il nous confond avec des filles de Kildevil. Marella hausse d'abord un sourcil, puis se redresse majestueusement :

— Et si c'était ça, notre travail ?...

Le sourire railleur du garçon vacille. Marella s'exprime avec l'aisance de la citadine. Pas de trace de cet accent régional si nasillard.

— Ben, excusez-moi. Je vous avais pris pour deux de nos ouvrières.

Il touche sa propre tête nue.

— Ton écharpe est comme celle que fabriquent nos tisserandes.

Je suis prête à lui pardonner cette erreur, mais Marella entend s'amuser. Elle le rejoint sur la rive en pataugeant. Je lui emboîte le pas. Elle se plante droit devant le jeune homme qui, du coup, perd un peu contenance. Quand Marella ouvre de nouveau la bouche, elle affecte la colère.

— Es-tu à ce point stupide que tu ne sais pas faire la différence entre une tisserande et ta bioguide ?

Il baisse les yeux.

— Stupide, marmonne-t-il sans lever les yeux, en effet, je suis stupide, honorable guide. Je ne devrais pas même poser les yeux sur vous avant votre investiture. Je suis stupide et maudit.

La raillerie a disparu. Maintenant, il est presque obséquieux.

Marella se rengorge comme un paon.

— Tu as fait cette erreur de bonne foi, dit-elle, je n'ai pas revêtu ma toge, aujourd'hui.

Le jeune homme ne lève pas les yeux, mais il se détend un peu.

— Quel est ton nom? demande Marella, et le ton qu'elle emprunte trahit sa curiosité.

— Carson, répond le jeune homme, Carson Walsh.

Il a parlé avec réticence.

— Eh bien, Carson Walsh, que fais-tu ici pendant que les autres travaillent?

C'est elle, maintenant, qui le houspille. Il hausse un sourcil, sans quitter le sol des yeux.

— Je suis chasseur, honorable guide. Je suis sur la piste d'un orignal.

Un tueur d'animaux, me dis-je. Pas étonnant qu'il soit vêtu de peaux de bêtes. Les gens de la ville mangent de la viande.

— Nous avons vu ton orignal, dit Marella. Il est entré dans les buissons, il y a quelques minutes.

— Merci, honorable guide, fait-il en tournant les talons, toujours sous le coup de la honte. Il repart traquer la bête.

— Une dernière chose, Carson Walsh, ordonne Marella, et il s'arrête.

— Oui, honorable guide?

On dirait qu'il s'attend à devoir parer un coup.

— Abstiens-toi de parler à quiconque de cette rencontre. Moi-même, je l'aurai oubliée dès midi.

Il ose enfin la regarder en face, tant il est reconnaissant. Le sourire qui illumine son visage est honnête. Malgré son air fanfaron, il est si beau que je n'en crois pas mes yeux.

— Merci, honorable guide. Je suis touché par ta bonté. Si l'on apprenait que j'ai commis cette erreur, je perdrais mon droit de chasse pour la saison et bien des gens auraient faim cet hiver.

— Je comprends, dit Marella.

Pourtant, je parierais qu'elle l'ignorait. Un petit oiseau sort des buissons, se pose sur un tronc d'arbre, nous regarde et prend son envol.

— Quel est cet oiseau ? demande Marella.

— Une mésange à tête noire, honorable guide, répond Carson.

À nouveau, il a baissé les yeux et regarde le sol à ses pieds.

— Je dois partir, maintenant.

Marella note l'information dans son calepin, tandis qu'il disparaît sur les traces de l'orignal.

— Une mésange à tête noire, dit-elle en me souriant.

Elle a les joues roses et les yeux brillants.

— Qu'est-ce qu'il est beau, ce garçon, ajoute-t-elle, et à ma grande surprise, nous pouffons

toutes deux, bêtement, comme des gamines complices.

— Ah ça, c'est certain !

— Mon pouvoir sur ces gens sera énorme, se rengorge-elle, satisfaite.

Elle consulte son calepin.

— C'est suffisant ?

Je n'en reviens pas : elle me demande mon avis.

— Non. Pas encore. Allons dans cette direction.

J'indique l'endroit où était l'orignal. Elle accepte ma suggestion sans rouspéter. Le sol herbeux descend d'abord en pente douce, puis remonte abruptement vers la route. Mais Marella a la tête ailleurs. Elle regarde en direction de l'endroit, dans la colline, où Carson Walsh s'en est allé. La rencontre avec le jeune homme accapare son attention. Je dois la ramener sur terre. Quelque chose au fond de moi me dit que nous n'avons pas encore trouvé ce que le maître veut. Je remarque des roches plates, à peu près de la taille d'un livre, à proximité de l'eau.

— Retournons-les.

Elle fronce le nez de dégoût, mais elle s'exécute. Du bout de sa botte, elle renverse un caillou et recule aussitôt en poussant un cri.

— Ça grouille d'insectes !

— Parfait.

Je m'accroupis en face d'elle.

— Ceux-là, ce sont des cloportes. Les autres, il faudra les décrire.

Avant même que nous ayons terminé notre travail, les insectes ont trouvé refuge ailleurs.

Marella s'assoit sur une grosse pierre pour terminer ses descriptions d'insectes. J'examine les alentours. J'ai le sentiment très net que nous devons poursuivre nos recherches. Marella semble plus heureuse maintenant qu'à aucun moment depuis que je la connais, et c'est déjà une réussite en soi. Brusquement, une grappe de verges d'or fanées frémit à côté d'elle.

— Marella, dis-je dans un murmure, et je me rends compte trop tard que je l'ai appelée par son nom. Toutefois, quand elle relève la tête, je ne vois aucune trace de colère sur ses traits.

— Regarde, là, tout près des verges d'or. Qu'est-ce que c'est que ça ?

Elle referme calmement son calepin et se glisse jusqu'à l'autre bout de la pierre, puis se penche pour voir.

— Un petit animal, viens voir.

Je contourne la pierre et me hisse à côté d'elle. Il y a tout juste assez de place pour nous deux, là-dessus. D'abord, je ne vois rien. Puis mon regard est attiré par un léger froissement au milieu de l'herbe clairsemée. J'aperçois une créature à peine plus grosse que le bout de mon pouce. On dirait une souris grise minuscule, avec de toutes petites oreilles, des yeux en bouton de bottine et

un museau pointu. Elle s'agite et fouille le sol entre les brins d'herbe, indifférente aux géants qui l'examinent. Nous l'observons un long moment.

— Qu'est-ce que c'est ? demande Marella.

— Une musaraigne. Je n'en avais encore jamais vu de vivante. On en trouvait parfois, dehors. Mortes.

Cette fois, Marella referme son calepin et je suis rassurée.

— Ça suffit, dis-je, nous pouvons rentrer maintenant.

J'ai la certitude que nous avons accompli notre tâche, et pourtant, je serais bien en peine de dire pourquoi.

# 15

# La mégère... ou la musaraigne apprivoisée

— ... Des cloportes, des vers de terre, de petites araignées noires qui ne tissent pas de toile et une musaraigne.

Marella achève d'énumérer les créatures sur sa liste et elle sourit.

William sourit à son tour.

— Bon travail. L'oiseau que tu appelles l'aigle pêcheur porte aussi le nom de balbuzard. Il y a longtemps, il était menacé de disparition à cause de l'épandage de produits chimiques sur les récoltes. Quant au cloporte, on en rencontre partout, mais ce n'est pas un insecte. C'est un crustacé, plus proche du crabe ou du homard que de la mouche ou du coléoptère. Il a quitté la mer il y a des siècles, mais il a toujours besoin d'un milieu humide pour survivre. S'il sèche, il

meurt. Voici donc la deuxième épreuve, Marella. De tous les animaux que tu as vus aujourd'hui, lequel te semble le plus intéressant ?

— L'orignal. Je n'en avais encore jamais vu et c'est la créature la plus grosse. C'est très certainement la plus intéressante.

Je sais que c'est la mauvaise réponse, mais comment le lui faire savoir ?

Le maître secoue la tête.

— Tu veux peut-être y réfléchir encore un peu ?

Marella approuve d'un hochement de tête.

— Est-ce que je peux consulter mes notes un instant ?

— Bien sûr. Je vais aller voir Érica pendant ce temps.

William quitte le bureau.

Marella se tourne vers moi et m'interroge silencieusement, un sourcil haussé. Je lui prends le calepin des mains pour l'ouvrir à la dernière page et je pointe un mot du doigt avant de le lui rendre.

— C'est la musaraigne, déclare-t-elle au moment où William revient dans la pièce. J'ai réfléchi et je crois que la musaraigne est la créature la plus intéressante.

— C'est exact.

Le sourire approbateur de William exprime son soulagement.

— La musaraigne est beaucoup plus intéressante que l'orignal. Ce n'est pas un rongeur comme la souris. C'est un insectivore.

— Mais elle ressemble à une souris, le coupe Marella.

Il semble ravi qu'elle l'interrompe.

— Il ne faut pas se fier aux apparences. Les musaraignes sont parmi les tout premiers mammifères ayant fait leur apparition sur terre, il y a trente-huit millions d'années. À cause de certains traits de leur anatomie, elles s'apparentent davantage aux oiseaux et aux reptiles qu'aux mammifères. Par exemple, leurs appareils reproducteur et urinaire ont un orifice commun qu'on appelle un cloaque, tandis que la plupart des mammifères ont des orifices distincts.

Marella pique un fard. Moi aussi, je crois. Il s'arrête et nous regarde, étonné.

— Allons, les filles, il s'agit de notions d'anatomie. Il n'y a pas de quoi rougir, ajoute-t-il sans brusquerie.

Il se délecte de pouvoir enseigner à nouveau. Il poursuit :

— Et puis, certaines musaraignes utilisent l'écholocation. Sais-tu ce que c'est ?

Marella secoue la tête.

— Tout comme les baleines et les dauphins, elles émettent des ultrasons qui produisent un écho leur permettant de recréer un portrait du monde qui les entoure. Les chauves-souris font

de même. C'est comme voir sans utiliser les yeux. Le type de musaraigne que nous trouvons sur notre île, la *sorex cinereus*, y a recours. Mais les musaraignes ne sont pas des mammifères intelligents. Elles n'utilisent l'écholocation que dans les environnements qui ne leur sont pas familiers.

William sourit en terminant son exposé :

— Je suppose que tu ne t'attendais pas à en apprendre autant sur une créature aussi minuscule.

— Non. J'étais loin d'imaginer qu'il y avait toute cette vie autour de nous.

Elle semble réellement y prendre un vif intérêt.

— Tu as bien travaillé, Marella. Et tu as bien mérité ton voyage vers les plateaux. Repose-toi pendant quelques jours et amuse-toi. Tu as peut-être envie de lire autre chose sur les musaraignes ? ajoute-t-il, tandis que nous nous levons pour quitter les lieux.

Marella hoche la tête et prend le livre qu'il lui tend, puis elle demande :

— Vous n'auriez pas quelque chose sur les orignaux, par hasard ?

— Je n'ai pas de livre sur ce sujet en particulier, mais tu peux utiliser les disques de référence. L'orignal t'a vraiment plu, n'est-ce pas ?

Il sort de la pièce avant d'avoir vu Marella s'empourprer.

Je me souviens de sa colère après la première épreuve et je redoute de me retrouver seule avec elle.

— Je vais aller voir si Érica a besoin d'aide à la cuisine, si tu le veux bien.

— Comment ? demande-t-elle. Ah ! oui, comme tu voudras.

Ses pensées sont ailleurs, loin d'ici, et ce n'est pas l'orignal qui les occupe.

Je m'organise pour avoir quelque chose à faire jusqu'au moment de la série d'observations, à midi. Quand je la rejoins dans sa chambre, je m'attends à subir ses reproches.

— Blé, est-ce que c'est toi ?

Marella est assise à table dans la cuisinette, quelques disques de référence posés devant elle.

— Je me demandais quand tu viendrais à bout de toutes ces tâches, en bas, dit-elle en souriant. Tu as su, encore cette fois-ci, ce que je devais faire.

Elle se penche vers moi :

— Mais, dis-moi, comment as-tu fait ?

Inutile de mentir.

— Je ne sais pas. Je connais la réponse, mais j'ignore tout à fait le comment ou le pourquoi.

Je m'étonne qu'elle ne soit pas furieuse.

— En tout cas, je suis contente que tu acceptes de m'en parler. Est-ce que tu as déjà éprouvé ce sentiment avant de venir dans cette maison ?

Je secoue la tête :

— Jamais.

— Je vois. Dis-moi exactement comment ça s'est passé.

Alors, le plus honnêtement du monde, sans rien cacher, je lui parle de la sensation de bonheur, de la lumière qui m'habite, du sentiment de communion avec la nature. Elle ne bronche pas.

— C'est intéressant. On dirait que les Anciens t'ont choisie comme messagère.

— Oh ! je ne crois pas que... dis-je. Mais elle m'interrompt aussitôt.

— Non, tout est clair. J'ai créé une atmosphère accueillante et les Anciens ont répondu à l'appel. Mais ils ont décidé que je parlerais par ta bouche. Je comprends tout à fait. Les Anciens utilisent souvent des personnes d'origine modeste, ou même des simples d'esprit. Mon rôle en tant que bioguide m'empêche d'accéder directement aux guides spirituels.

Ce n'est certainement pas la bonne explication, mais je me tais en espérant qu'elle se méprendra sur mon silence et qu'elle y verra une forme d'assentiment. Elle poursuit, plus gravement :

— Même si les Anciens t'ont choisie comme véhicule de leur sagesse, il ne fait aucun doute que leur message s'adresse à moi, n'est-ce pas ?

— Oui, bien sûr.

Elle se détend.

— Bien. Dans ce cas, il est inutile d'en parler à qui que ce soit, nous sommes d'accord ?

— Pas un mot à personne.

Je comprends qu'elle veuille garder le secret. Elle est sur le point d'obtenir ce qu'elle désire plus que tout : le droit à l'investiture.

À nouveau, elle sourit.

— Grâce à toi, je serai heureuse.

Qui sait ? peut-être que, désormais, nous serons amies.

# 16

# La guilde des tisserandes

Les étoiles luisent comme des cristaux de glace vert émeraude. Je frissonne, bien qu'Érica ait pris soin de m'envelopper dans un vêtement chaud avant de quitter la maison. Elle remarque que je tremble.

— On s'habitue toujours trop lentement au froid, la saison venue. On dirait qu'il gèle, ce soir.

Nous avançons sur le sentier qui bifurque derrière la demeure du maître, non loin du chemin qui mène à la pente de ski, mais nous allons dans la direction opposée. Je vois la décharge entre les arbres. Le sentier est plus abrupt et moins praticable dans le noir que la route qui le longe, en contrebas, mais ainsi, nous atteindrons Kildevil sans passer devant le Grand Hôtel. Nous nous rendons à la maison de la tisserande

en chef pour admirer le tissu qui servira à confectionner la toge d'investiture de Marella. Ou pour autre chose, peut-être. En approchant de notre destination, j'ai des papillons dans l'estomac. Je me souviens de l'hostilité des gens de Kildevil quand j'ai traversé ce lieu la première fois pour me rendre au camp de travail. J'ai peine à croire que je pourrai me promener dans les rues sans risque. La pente s'adoucit et les collines environnantes disparaissent au loin tandis que nous pénétrons dans la seule plaine à des kilomètres à la ronde, de ce côté-ci de l'eau. Les habitations de Kildevil ont poussé comme des champignons.

Le sentier s'arrête brusquement dans une cour remplie de bûches éparpillées. Les maisons en bois ont été, semble-t-il, construites par leur propriétaire, mais elles n'ont pas l'allure délabrée des taudis dans les quartiers pauvres de St. Pearl. Elles sont proprettes, solides. On aperçoit de la lumière par les fenêtres et des familles qui mangent, des enfants qui jouent ou se querellent. Rien à voir avec la ville aux mille menaces ou le camp de travail oppressant où on nous surveille sans arrêt. Je suis dans un univers que je ne connais pas.

— Depuis combien de temps ces gens vivent-ils ici ?

— Depuis toujours, pour la plupart d'entre eux. Ces familles vivent ici depuis des siècles. Jones, Morgan, Blanchette, McGrath, Briseglace,

Linegar, Marchand, Clark, Walsh, Leloup... Quelques noms de famille parmi d'autres. Le village est situé si loin de tout que ses habitants ont survécu à la Noirceur sans trop de difficulté. Dès qu'on a de nouveau permis aux gens d'utiliser la technologie, la guilde des tisserandes a exhorté les habitants du village à n'utiliser que les innovations essentielles à leur survie. Étant donné qu'ici on a toujours vécu en harmonie avec la terre, personne n'y a trouvé rien à redire. Aujourd'hui, les tissus de Kildevil sont célèbres et la guilde est importante. Mais la plupart de ses habitants n'aiment pas les étrangers. Il me semble parfois qu'ils commencent à peine à m'accepter.

Je la dévisage, étonnée.

— Vous n'avez donc pas toujours vécu par ici ?

— Non. Je suis venue m'y installer avec William quand nous nous sommes mariés, il y a près de dix ans.

Dix ans ! Et moi qui croyais qu'Érica et le maître partageaient leur vie depuis toujours. Ils devaient être déjà vieux au moment de leur mariage. Je comprends maintenant pourquoi ils n'ont pas eu d'enfant. Cela m'intriguait. Érica aurait été une bonne mère. Mais où vivait-elle, avant ? Je ne sais pas comment lui poser la question. Je suis perdue dans mes pensées jusqu'à ce que nous fassions une halte devant une maison pas plus grosse que toutes celles qu'on peut voir

par ici, mais entretenue avec grand soin. Le parterre est impeccable.

— Nous y sommes, dit Érica. C'est la maison de la tisserande en chef. Maintenant, détends-toi. Je suis sûre qu'elles seront toutes heureuses de te rencontrer.

Toutes ?

La porte s'ouvre et on entend la rumeur des conversations. Une dame qui porte un fichu bleu foncé prend nos manteaux et nous précède dans la pièce centrale éclairée uniquement par des lampes à l'huile. Aucune trace de technologie sophistiquée. Une vingtaine de femmes de tous âges sont assises en cercle, certaines d'entre elles sur des coussins posés à même le sol. Une jeune fille qui doit avoir l'âge de Marella tient un bébé dans ses bras. Plusieurs autres ont un morceau de tissu dans les mains. D'autres, encore, fabriquent je ne sais quoi avec de longues baguettes et du fil. Elles portent toutes des robes différentes et un fichu bleu. Elles nous aperçoivent et le silence tombe. Est-ce par respect pour Érica ou parce qu'elles se méfient en ma présence ? Je ne saurais dire.

La femme qui traverse la pièce pour accueillir Érica est sans doute la tisserande en chef ; elles doivent avoir à peu près le même âge. Elle est corpulente, mais a un port de reine.

— Bienvenue, Érica Townsend, ta présence honore ma demeure.

Elle salue solennellement Érica, mais elle a des yeux rieurs et le timbre de sa voix est chaleureux, comme si toutes ces formalités n'étaient qu'un jeu entre elles.

— Nous te souhaitons la bienvenue, répètent en chœur toutes les femmes.

— Merci, Clara Linegar, répond Érica. Merci à vous toutes.

Érica me pousse doucement vers l'avant.

— Je suis certaine que vous êtes impatientes de rencontrer la jeune personne qui m'accompagne. Je vous présente Blé Sama.

J'ai le front brûlant tellement je suis embarrassée. Les visages de ces femmes n'expriment pas la moindre émotion. Rien. Pour quelle raison seraient-elles impatientes de me rencontrer?

— Blé Sama aide notre bioguide dans son apprentissage, achève-t-elle.

L'effet est instantané. Les femmes sourient. Deux femmes s'écartent et posent entre elles un gros coussin, m'invitant à m'y asseoir.

— Vas-y, murmure Érica, et je constate que, grâce à elle, les femmes m'acceptent.

Érica s'installe dans un fauteuil à côté de Clara Linegar, la tisserande en chef.

— Bien, tout le monde est là, commence Clara. Qui préside, ce soir?

Une vieille dame mince lève le doigt.

— Madonna, dit la tisserande en chef. C'est très bien.

Elle se tourne vers Érica et enchaîne :

— Quand c'est Donna qui préside, nous savons que nous pourrons prendre le thé avant minuit.

Toutes les femmes rient. Je me détends lentement. Elles sont si calmes et si gentilles. L'une se penche sur le bébé, dont elle couvre le visage d'un chiffon pour ensuite le retirer soudainement, à la grande joie de la petite.

Celle qui s'appelle Donna se racle bruyamment la gorge.

— Je demande votre attention, s'il vous plaît. Comme Clara vous l'a déjà signalé, je n'ai pas l'intention de passer la nuit ici. Est-ce que vous avez toutes signé le registre ?

— Oh ! j'ai oublié ! s'exclame la femme qui tient le bébé dans ses bras.

Le registre passe de main en main et elle le saisit tandis que quelques femmes se disputent gentiment le privilège de s'occuper du bébé.

— Pouvons-nous commencer ? dit Donna sur un ton empreint d'une gravité feinte, mais du coup, les femmes se taisent.

— Combien d'entre vous ont apporté des tissus pour qu'ils soient examinés ?

Une dizaine de femmes lèvent la main.

— Nous en avons pour toute la soirée. Je procéderai par ordre d'arrivée, et nous verrons jusqu'où cela nous mènera. Certaines devront peut-être attendre à la prochaine séance.

— La prochaine séance est annulée à cause de l'investiture, précise Clara.

— Ah ! vraiment ! s'écrie Donna.

Plusieurs femmes me sourient. Donna poursuit :

— Et ce soir, bien sûr, nous aurons le plaisir de voir le tissu que Clara a conçu pour la toge. Nous attendrons la toute fin de la séance. Voilà une raison de plus de ne pas perdre de temps. Qui commence ? Elle consulte le registre. Merna Bursey, que nous as-tu apporté ?

Une jeune femme pâle présente un morceau d'étoffe.

— Ce modèle-là est tout nouveau pour moi. Le tissage en M et en O ?

Sa phrase s'achève par un point d'interrogation.

— J'aimerais bien avoir vos commentaires, poursuit-elle. Je crois qu'il y a quelque chose qui cloche avec la tension des fils.

Toutes examinent l'étoffe à tour de rôle. Certaines ne font aucun commentaire. D'autres, surtout parmi les plus âgées, étalent l'étoffe sur leurs genoux ou en scrutent les détails à la lumière, avec l'attention que je mets, moi, à lire un livre, et donnent leur appréciation sur les aspects techniques du tissage. Pendant ce temps, Merna et quelques autres prennent des notes. Quand toutes les femmes ont pu voir le tissu, Merna remercie l'assemblée.

On apporte la pièce suivante. Le vocabulaire qu'elles utilisent ne m'est pas familier : le « flotté », la « duite », la « chaîne », l'« œil-de-perdrix », l'« embuvage », l'« empeignage ». Ces mots renvoient à des techniques que je ne connais pas et donc, j'observe simplement. Même les femmes qui se taisent sont attentives. Certaines approuvent ou secouent la tête sans interrompre, alors que d'autres expriment leur opinion. Vient enfin le moment de présenter le tissu pour la toge d'investiture. Tandis que Clara se retire derrière une porte, la pièce bourdonne d'excitation. Une des femmes se penche vers moi.

— Cela fait des décennies que nous n'avons pas fabriqué de toge d'investiture pour une jeune fille, ma chère. Tu ne peux pas imaginer le plaisir ! C'est Clara qui s'est chargée de sa confection, bien sûr, mais plusieurs d'entre nous lui avons donné un coup de main pour préparer le fil.

— Nous avons employé tout le coton et le lin disponibles pour une année complète, continue une autre avec fierté. Ici, nous ne filons que la laine et nous avons donc dû utiliser notre quota entier de lin et de coton. Aucune jeune fille sensée ne se mariera cette année, à moins d'emprunter la robe de quelqu'un d'autre.

— Allons donc, Helen, ne parle pas tant. Si la bioguide t'entendait, elle nous prendrait pour des ingrates.

Helen a l'air si bouleversée que j'interviens aussitôt :

— Non, non, la bioguide apprécie votre travail.

Le regard des femmes brille de fierté.

Le silence retombe au moment où Clara revient dans la pièce avec le rouleau du tissu le plus remarquable qu'elle ait créé jusqu'à présent, et qu'elle déploie exprès sans précautions. Un murmure s'élève tandis que l'étoffe blanche se déroule sur le plancher d'une propreté parfaite. Quelques femmes la tâtent du bout des doigts.

— Ce soir, j'ai le plaisir de vous montrer ce tissu que je porterai dès demain chez la couturière.

— C'est presque criminel de tailler une étoffe si magnifique, soupire Donna.

Clara sourit.

— On tisse l'étoffe pour la tailler. C'est comme ça.

Puis, elle hausse un peu le ton pour obtenir l'attention de tout le monde.

— Ce tissu est exceptionnel, car il est fait de lin et de coton, avec une petite quantité de laine d'agneau dans la chaîne. Nombre d'entre vous ont fourni le fil de cette étoffe tissée sur mon métier à cinq lisses. Son motif est tout nouveau. Des tisserandes expérimentées en ont conçu le dessin au moment des réunions que nous avons tenues au printemps dernier quand nous avons choisi notre bioguide. Et ce motif s'appelle…

«*Marella splendens*», récitent les femmes, en riant. L'étoffe est blanche, mais dans la lumière et sous un certain angle, je peux apercevoir le motif tissé dans la trame, de minuscules créatures qui ressemblent à des crabes aux pattes effilées. *Marella splendens.* Il a fallu beaucoup de travail et d'ingéniosité pour parvenir à créer ce tissu. Je me demande si Marella en sera consciente.

— Bravo, Clara ! s'exclame Donna. C'est encore mieux que ce que nous avions imaginé. Je suis certaine que tout le monde est de mon avis.

Le court silence qui suit le confirme, alors elle ajoute :

— Maintenant, nous pouvons prendre le thé.

Les conversations reprennent et quelques-unes des femmes s'empressent de féliciter Clara. D'autres disparaissent pour revenir aussitôt avec des petits fours. Je me rappelle que j'avais cru venir jusqu'ici dans un but précis, et je suis déçue. Selon Érica, on allait me mettre au courant de certaines choses. Elle tenait tant à garder notre sortie secrète. Il doit bien y avoir une raison.

Pourtant, il ne se passe rien. Les femmes nous proposent des bouchées et du thé. Elles font circuler la nourriture et bavardent de tout et de rien. Une discussion s'engage à propos d'un tissu en particulier. On me met une assiette entre les mains, mais je suis si contrariée que les petits

gâteaux ont un goût de poussière. Le bébé pleure et sa mère décide de nous quitter pour le ramener à la maison. Les femmes se retirent peu à peu par groupes de deux ou de trois, jusqu'à ce qu'il ne reste plus que Donna, Clara, Érica et moi. Donna et Clara ramassent les assiettes. J'attends qu'Érica donne le signal du départ.

C'est alors qu'elles affichent une mine solennelle. On tire quatre chaises au milieu de la pièce et on m'invite à prendre place sur l'une d'elles.

— Érica dit que nous pouvons te faire confiance, commence Clara, et j'en suis très heureuse. Nous avons besoin de quelqu'un qui pourra aller de la maison du maître à Kildevil, en passant inaperçu. Tu ne dois parler à personne de ce que tu entends ici ce soir, même pas à la bioguide. Est-ce que tu me comprends ?

Je secoue la tête sans prononcer un mot, comme si je craignais d'ouvrir la bouche, tant je tiens à leur prouver que je sais garder un secret.

— Bien. Maintenant, Érica, voici les nouvelles. Il se passe quelque chose d'inhabituel à St. Pearl. Il semble que la Commission construise de nouvelles fortifications dans Signal Hill. Nous en ignorons la raison. Aussi, il y a eu des fuites à la Commission…

Elle hésite, me jette un coup d'œil et poursuit :

—… qui ne semble pas disposée à tolérer nos progrès, si minimes soient-ils, en matière de liberté.

— Mais je croyais que le général Ryan était favorable à la réforme, s'écrie Érica, inquiète.

— C'est le cas, rétorque Donna, et les troupes l'appuient, si nos informations sont exactes. Mais la Commission dispose peut-être d'un pouvoir plus grand que nous l'imaginions. Érica, on a besoin de tes conseils. Tu dois leur parler bientôt. Sans toi, personne ne sait sur quel pied danser.

— Lem est en train de mettre au point un nouveau code de chiffrement. Quand il sera prêt, je vous en enverrai une copie par l'intermédiaire de Blé. Il faut le porter en main propre aux responsables du Centre de communication pour ne pas qu'on puisse en retracer l'origine. Ensuite, nous pourrons envoyer des messages pendant quelques semaines, si nous modifions l'origine de transmission.

L'autre femme semble soulagée.

— Excellent, dit Clara, en se tournant pour me regarder. Érica est sans doute le stratège le plus important de toute la préfecture.

Cette dernière sourit tristement.

— J'espérais, en venant ici, ne pas avoir à utiliser ce talent. Je me demande parfois comment j'ai fait pour survivre au technocauste, ou seulement si j'y ai réellement survécu. On dirait que je passe mon temps à en gérer les conséquences.

Donna serre le poignet d'Érica dans sa main puissante.

— Le technocauste n'a été qu'une mise en scène pour que les gens ordinaires continuent de croire que la science et la technologie étaient nuisibles. Au lieu de quoi, c'est ce qui nous a rendus solidaires. Quand nous avons dû, par principe, protéger les technologues de la violence, nous avons appris que leur savoir pouvait, en fait, protéger la terre. Si nous parvenons à nos fins maintenant, on ne considérera plus le technocauste uniquement comme une boucherie innommable : on comprendra qu'il a été la source d'un grand changement.

Les yeux de Clara brillent, et elle s'adresse directement à moi :

— Et si nous réussissons, imagine un peu... la démocratie reviendra ! Pendant toutes ces années, ce concept a été préservé par les tisserandes de la guilde sur tout le continent. Comme une flamme qu'on se passait d'une génération de femmes à une autre. Quand la détérioration de l'environnement a pris une ampleur telle que nous étions au bord du chaos, on nous a dépouillées de nos libertés, comme un vêtement qu'on réduit en lambeaux. Mais tant qu'a duré la Noirceur, nous avons fait l'effort de nous souvenir. Nous avons structuré nos groupes en respectant les principes de la démocratie. Nous enseignons à nos filles les règles qui nous permettront, un jour

ou l'autre, de reprendre le contrôle de nos destinées. Et il semble que ce jour soit proche... Garde courage, Érica.

Malgré moi, les mots de Clara soulèvent mon enthousiasme. Érica semble se rasséréner.

— Clara, tu ne perds jamais espoir. Quand tu parles de liberté, je sais que nous serons bientôt libres. Mais il est tard. Nous devons rentrer.

— Vous ne ferez pas le trajet seules, décide Donna en se levant. Mon fils veillera sur vous.

Érica tente de protester, mais l'autre femme ne veut rien entendre.

— Nous croyons que personne ne vous a vues entrer ici, mais qui sait ? Carson sait qu'on a besoin de lui. Je vais le chercher.

Tiens donc. Est-ce que ce prénom est répandu chez les garçons de Kildevil ? Je voudrais demander à Donna quel est le nom de famille de Carson, puis je me rappelle que Carson Walsh aurait des ennuis si l'on connaissait son secret. Quelques instants plus tard, je vois par la fenêtre Donna qui revient en compagnie d'un jeune homme. Même dans le noir, je reconnais Carson Walsh, le chasseur d'orignal. Heureusement, j'ai quelques secondes pour me ressaisir.

— Carson, dit sa mère, cette jeune personne aide notre bioguide à bien faire son travail.

Il affiche un air circonspect, mais il ne semble, pas surpris. Il devait savoir que nous allions nous

rencontrer. Lui comme moi, nous parvenons sans difficulté à ne pas vendre la mèche.

— Mets ton capuchon, me conseille Érica tandis que nous quittons la maison. Les gens, ici, sont fidèles à la cause, mais il vaut mieux qu'on ne nous voie pas.

Ce soir, Carson porte des vêtements ordinaires, mais n'importe qui pourrait le reconnaître juste à sa prestance. Il me rappelle l'aigle pêcheur – comment le maître l'appelait-il déjà, le balbuzard ? – à sa façon de se mouvoir en silence avec tant de grâce qu'on dirait, pour un peu, qu'il ne touche pas le sol en marchant. Nous ne soufflons mot en traversant le village, mais Érica se détend un peu dès que nous abordons le sentier.

— Merci, Carson, d'avoir accepté de nous raccompagner en pleine nuit.

— Ce n'est rien, je vous dois bien ça, répond-il.

La formule est simple, mais elle exprime la gratitude. Carson est au courant de l'engagement d'Érica et des autres femmes.

— Quand prévoit-on envoyer le prochain chargement de tissu sur la côte, le sais-tu ? demande Érica.

— Dans deux jours. J'étais présent, ce soir, pour surveiller les garçons pendant l'emballage.

— Est-ce que tu dois les accompagner ?

Carson lève les bras en signe de mécontentement.

— Je dois d'abord attraper cet orignal, madame. Il est trop malin, ou alors c'est moi qui perds la main. À me voir chasser, cette fois-ci, on pourrait croire que je viole toutes les règles.

Il me lance un coup d'œil entendu et sourit. De surprise, je rougis, mais heureusement, dans le noir, mon embarras passe inaperçu. Érica n'a rien remarqué.

— Eh bien, orignal ou pas, je pense que tu devrais être du voyage. Ta mère sera aussi de cet avis, je crois.

— De cette façon, l'orignal aura un petit répit, conclut Carson.

Je me rappelle les paroles d'Érica à propos du code de chiffrement qu'il faut transmettre de main en main et je comprends que je tiendrai bientôt le rôle de Carson – un messager pour ceux qui tentent de faire l'impossible.

# 17

# Le secret sous ma peau

Au matin, le soleil est déjà levé quand j'ouvre les yeux. Marella n'est plus dans son lit. Je m'habille en vitesse et je dévale l'escalier jusque dans la cuisine, où Érica m'accueille avec un sourire.

— J'ai reprogrammé ton réveil pour que tu puisses dormir un peu plus longtemps. Marella et William ont fait les relevés. Ils se préparent en ce moment pour la cérémonie d'investiture, mais aujourd'hui, ils s'entendent assez bien pour travailler sans ton aide. Quand tu auras fini ton petit-déjeuner, nous irons là-haut, sur la pente de ski, avec un panier de victuailles. Plus tard, tu porteras les mesures de Marella à Kildevil.

J'approuve d'un signe de tête. Je comprends de quoi il s'agit : le code de chiffrement. Maintenant, je dois aider Érica.

Après le petit-déjeuner, je nettoie la table tandis qu'elle remplit le panier de Lem. Je lève le bras vers l'armoire et le scanner réagit : bip.

— C'est vraiment étrange, constate Érica.

— Comment ça se fait ?

Depuis la nuit dernière, je me demande sans cesse si Érica faisait partie des technologues. Pour quelle autre raison aurait-elle été victime du technocauste ?

Mais elle hausse les épaules.

— Je n'en ai aucune idée. Tu demanderas à Lem. Es-tu prête ? me demande-t-elle en soulevant le panier.

J'ai hâte de quitter la maison pour que nous puissions enfin nous parler librement. Il y a tant de choses que je veux savoir.

— Érica, pourquoi la Commission tolère-t-elle la Guilde des tisserandes ?

— La Commission a toujours encouragé la guilde parce que les tisserandes redoutent les techniques trop sophistiquées. Au moment du technocauste, la Commission a tenté d'utiliser ce sentiment de méfiance pour nuire aux technologues, mais les tisserandes ont bon cœur. Elles n'ont jamais oublié l'époque de la Noirceur et la violence qui sévissait partout. Au lieu de blâmer les technologues, la guilde a commencé à œuvrer dans la clandestinité. Il est possible que la Commission soit mécontente du pouvoir dont jouissent les tisserandes à l'heure actuelle, mais elles sont intouchables. Tout comme les bioguides, elles inspirent trop le respect.

Il est à nouveau question du technocauste, et je m'interroge une fois de plus sur le passé d'Érica. Mais comment faire pour aborder le sujet ? C'est comme si l'on me demandait de parler d'Hilary. Je comprends tout à coup que c'est par là, justement, que je devrais commencer.

— Quand j'étais petite et que je vivais dans la rue, quelqu'un s'occupait de moi. Ce n'était qu'une enfant, mais elle était plus vieille que moi. Elle s'appelait Hilary...

Et, pour la première fois, je parle d'elle. Hilary m'aimait, je n'en ai jamais douté. Hilary, mon Hilary. Je dis à Érica comment elle prenait soin de moi, comment elle se procurait tout ce dont nous avions besoin en le volant, comment elle chantait pour moi et m'apprenait à lire. L'émotion m'étrangle quand je lui raconte la fin d'Hilary et comment elle s'est livrée aux escadrons de la mort pour me protéger. Je ne peux pas retenir mes larmes. Érica m'entoure de ses bras et me serre sur son cœur. Quand je me ressaisis, j'ai soudainement l'impression qu'un peu de lumière éclaire enfin cette zone d'ombre au fond de moi.

— Je savais bien que quelque chose te troublait. Et je savais que tu m'en parlerais le jour où tu aurais suffisamment confiance en moi.

Je renifle et je sèche mes pleurs.

— Jusqu'à hier soir, je pensais que vous ne pouviez pas comprendre. Je croyais que vous aviez toujours vécu ici, en sécurité.

— Eh bien, tu sais maintenant que c'est faux. Je suis venue à Terra Nova au moment du technocauste, à la recherche des Béothuks. Mais je n'ai pas pu me rendre plus loin que St. Pearl. Des espions de la Commission avaient infiltré la cellule que je devais rejoindre. Quand je suis enfin parvenue au lieu de la rencontre, les soldats m'y attendaient. J'ai été internée à Markland pendant près d'une année.

— Connaissiez-vous la femme de Lem le loup ?

Elle secoue la tête.

— Le technocauste a duré près de trois ans, Blé. Ils ont emmené Michelle au tout début des rafles, alors que la plupart des gens croyaient que les responsables de la Commission disaient la vérité. Elle est morte près d'un an plus tard. Les gouvernements ont tenté de s'en prendre aux gens comme moi longtemps après.

— Mais pourquoi, puisque vous n'étiez pas vous-même une technologue ?

— Vers la fin de cette période, la Commission, les gouvernements ont compris qu'ils ne pouvaient pas garder le pouvoir simplement en tâchant de gérer l'avenir. La version officielle sur le technocauste est, comme tu le sais, bien différente de la vérité. Tout à coup, je devenais une ennemie de l'État. Je représentais un danger, au même titre que les technologues, sans avoir la même utilité.

— Mais que faisiez-vous donc ?

— J'enseignais l'histoire à l'université. Si les gens comme moi disaient la vérité, tout le monde allait savoir que l'environnement se détériorait depuis des siècles. Je savais tout sur le trou qui n'en finissait pas de s'agrandir dans la couche d'ozone, sur le réchauffement graduel de la planète. J'ai vu les ententes et les traités signés vers la fin du XXe siècle, soi-disant pour limiter les émissions de CFC et de $CO_2$ dans l'atmosphère. J'ai vu comment ces gens, nos ancêtres, ont refusé la responsabilité d'assurer pour la planète et ses habitants un avenir meilleur.

Elle pousse un soupir de lassitude.

— Et je sais aussi, poursuit-elle, à quoi le monde pouvait ressembler quand nous vivions en démocratie. Vers la fin du technocauste, on a interdit l'enseignement de l'histoire. On a détruit les bibliothèques et les archives, et j'ai dû fuir. J'ai pu quitter la préfecture de Toronto avec le soutien de quelques amis et j'ai rejoint la résistance. J'ai essayé de trouver les Béothuks.

— Sans y parvenir…

Érica sourit.

— Mais tu vois, l'histoire ne s'arrête pas là. Vers la fin du technocauste, on menait des rafles à Markland. Une nuit, les Béothuks nous ont secourus.

Sa voix se fait plus joyeuse :

— Ils étaient dirigés par un bel homme, fort et courageux. Nous sommes tombés amoureux. Et nous nous sommes mariés.

Je mets quelque temps à comprendre.

— Est-ce que vous parlez de William ? dis-je, enfin.

Elle rit.

— Je sais que ça doit te sembler impossible, car nous ne sommes plus jeunes. Comment pourrais-tu nous imaginer autrement ? Mais William était courageux. Et brillant. Il a permis à des tas de gens d'échapper au technocauste. Il n'était pas forcé de rallier les Béothuks. Il aurait pu renoncer à sa profession et décider de ne pas prendre les armes. Mais pour lui, c'était une question de principe. Il a joint la résistance dès la première année.

— C'était quoi, son métier ?

— Il enseignait les sciences, dans une ville de garnison. Il enseignait seulement aux étudiants de premier cycle. Pour les responsables de la Commission, il ne présentait pas beaucoup de danger. S'ils avaient su…

Elle glousse de plaisir.

Je suis si perplexe que je me fige sur place.

— Mais comment…

Je n'ose même pas finir ma phrase.

— Comment un chef audacieux de la résistance a-t-il pu devenir un maître de la Voie ?

C'est compliqué. Si tu te rappelles bien, je t'ai dit que le technocauste a provoqué une rupture entre la Voie et les gouvernements semblables à la Commission. Les maîtres de la Voie se méfiaient de la science, depuis toujours. Comme tout le monde, ils croyaient que la technologie était la grande responsable de tous nos malheurs, à l'époque de la Noirceur. Nous n'avions que quelques maîtres de la Voie, à l'université, et ils enseignaient le latin, la philosophie, tout ça. La Voie semblait sur le point de perdre sa raison d'être, de disparaître. Mais au moment du technocauste, les maîtres de la Voie ont commencé à comprendre qu'on les avait manipulés. Tout comme les tisserandes, ils se sont vite lassés de la violence. À la fin du technocauste, les grands maîtres de la Voie ont demandé une amnistie générale pour les scientifiques, les technologues et les résistants qui avaient survécu. Les gouvernements ont refusé, de sorte que la Voie nous a accueillis dans ses rangs. Des milliers d'entre nous. Les gouvernements ont alors dû négocier. En fin de compte, nous avons obtenu l'amnistie, mais il a fallu en payer le prix. Nous avons dû promettre de ne pas contredire la version officielle du technocauste. Nous avons acheté nos vies au prix de notre silence.

« Mais il a fallu deux années pour y parvenir. Entre-temps, nous avons vécu sous la protection de la Voie, et William a fini par respecter cette institution. Il n'était pas le seul. Plusieurs technologues sont devenus des maîtres de la Voie, quelques-uns se sont même hissés au sommet de la hiérarchie pour en devenir les grands maîtres. Ils ont modifié la Voie en profondeur. Aujourd'hui, on y encourage la recherche scientifique, mais toujours dans l'ombre. La guilde des tisserandes et la Voie ont créé ensemble une nouvelle force d'opposition qui a peut-être assez de pouvoir, désormais, pour que surviennent des changements importants. »

J'étais si absorbée par l'histoire d'Érica que je n'ai pas vu le temps passer ; nous sommes rendues devant la maison de Lem. Je m'étonne soudain d'entendre de la musique. C'est comme de la poésie sans paroles. Érica ouvre la porte et nous entrons. On dirait que nous pénétrons directement dans la musique. Lem nous tourne le dos et s'active autour d'un dispositif de saisie à touches noires et blanches. Ses doigts volent d'un bout à l'autre de l'objet dont il enfonce les touches en produisant de la musique. Une cascade de sons joyeux déferle sur moi et comble un besoin dont je n'avais encore jamais pris conscience. Nous demeurons immobiles, Érica et moi, tant que dure la musique. Quand les dernières notes retentissent, le silence qui remplit la pièce a une qualité sonore toute nouvelle pour moi.

— C'était superbe, Lem.

Érica parle aussi doucement que possible, mais Lem sursaute. Il se retourne si brusquement que le dispositif à touches, qu'il a heurté dans la foulée, tombe de son socle.

— Ton clavier ! s'écrie Érica en volant à son aide.

Il semble secoué.

— Je n'attendais personne, bredouille-t-il en remettant le clavier à sa place.

— Je t'ai dit que j'allais venir chercher le code de chiffrement, tu te souviens ? Tu t'en es occupé, n'est-ce pas ?

L'inquiétude se lit sur les traits d'Érica.

Lem lisse ses cheveux entre ses doigts.

— Ouais, bien sûr, c'est juste que… C'est l'effet Bach, si tôt le matin.

Je demande :

— Boc ? C'est comme ça que vous appelez ce genre de musique ?

— C'est le nom de l'homme qui l'a composée, petit épi de blé.

Il me montre une feuille de papier.

— Jean-Sébastien Bach. Il est né il y a près de sept cents ans. Je ne pense pas qu'il ait su ce qu'il allait devenir… C'est sans doute le musicien le plus génial de tous les temps.

La feuille de papier est couverte de petites taches noires.

— C'est ce que je jouais : « Petit prélude en C mineur BWV 999 ». Il a été composé, à l'origine,

pour le luth, un ancien instrument à cordes, mais on pouvait facilement transposer la pièce pour l'interpréter sur clavier.

— Vous pouvez lire tout ça ?

Il me regarde, étonné.

— Bien sûr, c'est de la musique.

— Lem, l'interrompant doucement Érica, le code de chiffrement.

— Ah oui... dit-il en lui tendant un microdisque qu'elle glisse dans une poche de son vêtement.

— Il vaudrait mieux que tu effaces l'original, lui conseille-elle.

Je pense à mon objet.

— Avez-vous eu le temps de travailler sur la machine à cassettes ?

Lem approuve.

— J'ai fait quelques essais. Ce ne sera pas facile. J'aurai peut-être quelque chose d'ici peu.

J'ai du mal à cacher ma déception. La machine ne sera pas prête avant notre retour des hauts plateaux.

— Demande donc à Lem pourquoi le scanner de la cuisine réagit comme il le fait, me suggère Érica.

Je lui expose le problème et il sourit.

— Cette fois, je peux te répondre sans hésiter. Tu as sans doute un micropoint sous la peau, tu sais, une sorte d'implant, une puce d'identité

dans le bras. On utilise la même technologie pour les scanners de cuisine. Seuls les codes sont différents.

— Une puce d'identité, dis-je d'une voix blanche.

— Oui. Beaucoup de technologues ont eu recours à cet implant qu'on greffait dans le bras des bébés à la naissance au cas où ils…

Les mots lui manquent pour terminer sa phrase, mais cette fois, je n'ai pas besoin d'explication.

Érica achève la pensée de Lem :

— ... Au cas où ils disparaîtraient. Tu veux dire que nous pouvons découvrir l'identité de Blé ? Vraiment ?

Elle n'en croit pas ses oreilles.

— Absolument. Le code de la puce correspond à une entrée du SUI, le Système universel d'identification. L'idée est de produire des codes qu'on peut lire très facilement. Si je disposais d'un scanner de cuisine, je pourrais en modifier la programmation en quelques heures pour qu'il lise les codes d'identité. Ou encore, continue-t-il en se tournant vers moi, tu peux te rendre au camp de travail, on pourra s'en charger tout de suite, je suppose.

— Je pourrais faire ça ?

L'envie de partir sur-le-champ me démange à tel point que je dois me raisonner.

— Je ne crois pas que ce soit très avisé, Blé, s'exclama Érica dont la voix trahit la crainte que cette idée lui inspire.

— Notre scanner de cuisine est encastré dans le mur, mais nous en trouverons un autre, poursuit-elle. Tu peux en parler à Clara dès cet après-midi quand tu iras à Kildevil. Je lui écrirai un mot.

Elle ne semble pas me laisser le choix, et je comprends qu'il y a des choses plus importantes.

— J'ai attendu toute ma vie. Je suppose que je peux attendre encore quelques jours.

Érica me serre dans ses bras.

— Voilà qui est raisonnable.

— Qu'est-ce que ce code m'apprendra, Lem ?

— L'essentiel. Ton lieu et ta date de naissance, ton nom.

— J'aurais donc un vrai nom ? J'ai un âge et une date de naissance. Érica, je saurai enfin qui je suis.

Je ris, mais étrangement, des larmes coulent sur mes joues. Je ne peux pas cesser de sourire, mais je ne peux pas non plus m'empêcher de pleurer.

— Si je trouve un scanner cet après-midi, est-ce que je peux vous l'apporter sans tarder, Lem ?

— Bien sûr, petit épi de blé, quand tu veux.

Je me demande pourquoi il est si gentil avec moi.

Nous sommes déjà en route vers la maison d'Érica quand je saisis les conséquences possibles de cette information. Les répercussions dépassent ce que j'avais d'abord imaginé.

— Érica, est-il possible que je puisse...

Je redoute de poser la question, mais je rassemble mon courage et je poursuis :

— ...Est-il possible que je puisse retrouver mes parents ?

— Blé, dit-elle gravement, n'entretiens pas de trop grands espoirs. Quand les enfants disparaissent, on tente de les retrouver. Avec cette puce dans ton bras, on t'aurait sans doute déjà retracée, ma chérie.

Elle s'exprime avec douceur, mais je comprends ce qu'elle veut me dire.

— Vous voulez dire que personne ne voulait de moi, dis-je, en baissant la tête.

Érica me saisit gentiment par le menton pour me forcer à la regarder droit dans les yeux.

— Ce n'est pas ce que j'ai dit, Blé. Beaucoup de parents veulent avoir leurs enfants près d'eux, mais ils n'en ont pas nécessairement les moyens. Les adultes qui n'ont pas de métier sont à la merci des circonstances. Quand tu étais petite, les camps de travail n'existaient pas. Les parents devaient envoyer leurs enfants se débrouiller seuls dans la rue. Il ne faut pas en déduire que personne ne voulait de toi. Mais les déshérités ont souvent une espérance de vie très courte.

— Je comprends, dis-je, effondrée.

La joie qui me transportait s'évanouit.

Érica semble savoir ce que je ressens.

— Je déteste gâcher ton plaisir, Blé. Ce sera fantastique de savoir qui tu es. Mais les chances de retrouver ta famille sont extrêmement minces.

— Vous avez raison.

Mais je n'en crois rien.

Je serre mon poignet gauche dans ma main droite, et avec une ferveur encore inconnue, je fais le souhait que la puce dans mon bras livre les secrets de mon passé, et me conduise à la maison.

À notre retour, la cuisine est remplie d'odeurs inattendues. William a fait la cuisine.

— J'ai préparé le déjeuner. Je voulais vous en faire la surprise.

— Une omelette, s'écrie Érica. Comme à l'époque de nos camps de forêt.

Ils s'esclaffent tous deux, puis Érica fronce les sourcils.

— Oh ! mais les filles ne mangeront jamais d'omelette !

— Je vais t'étonner : Marella a dit qu'elle en mangerait. Elle a même dit qu'elle était prête à manger de l'orignal, un de ces jours.

— Bonté divine ! Qu'est-ce qui lui prend ?... Blé, tu y comprends quelque chose ?

J'espère que je ne rougis pas.

— Elle a été très impressionnée par l'orignal que nous avons aperçu au bord de l'eau, dis-je.

Puis, pour que l'attitude de Marella ne semble pas trop insolite, j'ajoute :

— Je veux bien manger de l'omelette, moi aussi.

— Vraiment ?

William a l'air ravi. Tandis qu'il s'affaire dans la cuisine, j'essaie de me représenter cet homme à l'époque du technocauste. Ce n'est pas difficile. Il dégage encore énormément de force et de détermination. Je me rappelle la première fois où je l'ai vu. J'ai pensé qu'il avait l'air d'un guerrier. C'était assez proche de la vérité, en fait.

Érica pose sa main sur son épaule.

Je me souviens avec quelle chaleur elle m'a parlé de son amour pour lui. Je ne sais rien du mariage. Je n'ai jamais connu de gens mariés, auparavant. Je me demande ce que ça représente d'avoir un compagnon de vie. Je crois que quelqu'un comme moi n'aura jamais la chance de le savoir.

# 18

# Mon nom

Vers la fin de l'après-midi, je suis de nouveau en route vers la pente de ski, un scanner miniature dans la poche. Je suis passée devant le Grand Hôtel, aller et retour, sans problème. J'ai transmis à Clara les mesures de Marella, qu'elle doit fournir à la couturière, et je lui ai donné le microdisque de Lem. Elle l'a pris avec un calme exemplaire, comme si c'était la chose la plus naturelle du monde. Puis, elle est allée à la recherche d'un scanner. Les gens de Kildevil n'utilisent pas de scanner de cuisine pour leur inventaire, mais Clara savait où trouver les enfants qui s'amusent avec ces gadgets. « Quand j'étais petite, il était interdit de jouer avec ces choses-là, m'a-t-elle confié, mais les temps changent. »

J'aperçois enfin la maison de Lem et je suis curieuse de savoir ce que je vais apprendre. Mon identité, mon âge, mon nom ? Toutes ces choses

que je pensais ne jamais pouvoir m'approprier. Je presse le pas, si bien qu'à la fin, je cours, et qu'en arrivant devant la porte, je suis à bout de souffle.

— Lem, êtes-vous là ?

Il paraît sur le seuil de la cuisine et me sourit.

— Bonjour, petit épi de blé. As-tu trouvé un scanner ?

Je le lui tends. Son sourire s'assombrit.

— Oh la la ! Il est vétuste, ce machin. Où l'as-tu trouvé ?

— À Kildevil.

— Est-ce qu'il fonctionne ?

— Clara en a fait l'essai avant de me le donner. Il semble qu'il marche, oui.

— On a mis au point au moins trois ou quatre nouvelles versions de cet outil, depuis le temps. Les gens de Kildevil n'ont pas la réputation d'être très portés sur la technologie.

Il retourne le scanner dans sa main et ajoute :

— Vois-tu, après le technocauste, on a grandement limité l'usage de ces outils. Ce petit appareil a été conçu au moment où l'on commençait à assouplir les règles. Je peux le reprogrammer, mais il me faudra un peu de temps. Reviens demain…

— Demain !

Le mot m'a échappé comme un cri. De surprise, Lem a sursauté et il a failli lâcher le scanner. J'essaie aussitôt de me rattraper :

— Est-ce que je peux vous être utile d'une façon ou d'une autre ?

— Je ne vois pas comment, petit épi de blé. Je dois brancher ce machin sur un dispositif d'entrée des données que je dois saisir manuellement. Je n'ai besoin que d'une paire d'yeux et d'une paire de mains. Le code est simple, mais il est long, soupire-t-il. Si j'y travaille toute la nuit, tu devrais avoir ce que tu cherches demain matin.

— Mais je ne voudrais pas que vous y passiez la nuit.

Il hausse les épaules.

— Je ne dors jamais beaucoup de toute façon. J'aime autant avoir quelque chose à quoi m'occuper. Cela m'aide à éloigner les fantômes, dit-il, comme s'il était tout naturel de vivre parmi eux.

J'avais presque oublié combien il a souffert.

— Je ne sais pas comment vous remercier pour cela, pour essayer d'entendre le son sur mon objet, pour tout. Vous ne me connaissez même pas et vous êtes si gentil.

Lem me regarde droit dans les yeux, ce qu'il ne fait que rarement, et sourit. Toutefois, ce sourire n'efface pas la tristesse dans ses yeux.

— Les âmes en peine comme nous doivent être solidaires, petit épi de blé. Tu as perdu ta famille et même ton identité. Moi, j'ai perdu une grande partie de moi-même. Plus que je ne saurais le dire. Érica aussi. Nous faisons de notre mieux

pour nous soutenir les uns les autres. On ne peut rien faire de plus.

Il détourne le regard, embarrassé d'en avoir tant dit.

— Je vais m'y mettre tout de suite. Reviens demain matin et nous verrons ce que nous pourrons en tirer.

Je ne sais pas si Lem dort cette nuit-là, mais pas moi. J'ai du mal à rester en place tout le temps du dîner et ensuite, je peux à peine me concentrer pour lire. Je reste allongée là, les yeux grands ouverts, tendue comme un arc, à repasser sans arrêt le film de mes pauvres souvenirs. La ville. Les immeubles en pierre. Les bras qui m'enlacent. Ces mains qui jaillissent de l'obscurité, le cri qui me suit dans le noir. C'est tout ce que je sais de mon passé. Suis-je sur le point d'en reconstituer le casse-tête ? Je ne devrais pas nourrir trop d'espoir, mais c'est plus fort que moi.

Dès que l'aube pointe, je me lève et je m'habille sans faire le moindre bruit, puis je descends à la cuisine. La simple idée de manger me retourne l'estomac, mais je fais bouillir de l'eau. Peut-être que je cesserai de trembler si je bois quelque chose de chaud. Quelqu'un ouvre la porte et je sursaute. Je croyais qu'à cette heure, tout le monde était au lit. Érica tressaille, elle aussi, en m'apercevant.

— Oh ! Blé, mais il est si tôt !

Elle va vers le panneau de contrôle et active le dispositif de brouillage.

— Tu n'as pas l'intention d'aller chez Lem à cette heure-ci, dis-moi ?

J'approuve d'un signe de tête.

— Il m'a dit qu'il lui faudrait toute la nuit pour programmer le scanner. Si j'y vais maintenant, il pourra dormir. Mais si j'attends, je devrai peut-être le réveiller.

— Je suppose que tu as raison. Préfères-tu y aller seule ?

— Non. Voulez-vous m'accompagner ?

Je ne sais pas comment la remercier. Le thé me fait du bien. Au moment où je quitte la maison, mes mains ne tremblent plus. Mon haleine forme des petits nuages autour de ma bouche tant il fait froid. Un givre duveteux recouvre tout. À nouveau, je grelotte.

Érica le remarque.

— Tu as froid.

Je secoue la tête.

— Non, j'ai peur. J'attends depuis si longtemps et maintenant, je redoute d'apprendre certaines choses, ou encore de ne rien apprendre du tout.

Érica se tait, mais elle prend ma main dans sa paume usée par le travail, et nous montons la colline.

Lem dort, la tête sur son bras posé sur la table, le visage tourné dans notre direction. Il semble épuisé, mais en paix. Et bien qu'il soit grand et robuste, il semble à cet instant fragile. Les mèches grises dans ses cheveux et sa barbe sont comme

le frimas qui disparaît dès que le soleil se lève. Il y a chez lui quelque chose d'immatériel. Érica lui tapote gentiment l'épaule.

— Lem ?

— Michelle…

Il ouvre les yeux, et comprend :

— Oh ! vous voilà ! Es-tu prête, Blé ?

Nous faisons tous comme si nous n'avions pas entendu le nom qu'il a échappé au réveil.

Je tremble tellement qu'Érica approche un tabouret pour que je m'assoie.

— N'aie pas peur, tu ne sentiras rien, me rassure Lem.

J'approche mon poignet du scanner. Il émet le même bip que celui que j'ai entendu des douzaines de fois, dans la cuisine.

— C'est tout, dit Lem. Tu peux baisser ton bras.

Des caractères en rouge surgissent sur l'écran relié au scanner ; on dirait des feuilles qui volent au vent. Puis, tout s'arrête.

— Qu'est-ce que ça dit ? demande Érica.

Je suis incapable d'ouvrir la bouche.

— Laisse-moi l'écrire.

Lem prend un papier et un crayon. Il écrit comme s'il n'allait jamais s'arrêter. Puis, il me tend le papier.

— Lis-le à haute voix.

Je m'exécute.

« Lieu de naissance : préfecture de Toronto. Numéro d'enregistrement : 2352051409384.

Date, le 14 juillet 2352. Sexe : féminin. Couleur des yeux : brun. Signes distinctifs : aucun. Nom : Blake Saman. »

Mon regard va de Lem à Érica, d'Érica à Lem.

— Blake Saman. C'est mon nom.

Soudain, je réalise qu'il manque quelque chose :

— Pourquoi ne dit-on rien de mes parents ?

— Le numéro est un code de préfecture, répond Lem. Nous pourrions trouver leur identité dans le registre.

— Mais c'est quoi ce nom, Blake Saman ?

— Tes parents ont dû l'inventer, répond Érica. C'était la mode avant le technocauste. Saman. C'est un arbre. On l'appelle aussi l'« arbre à pluie ». Blake est un prénom plutôt rare, pour une fille.

— Elle a peut-être reçu son nom en l'honneur du poète, suggère Lem.

— Oh ! on ne peut pas le savoir, dit Érica, et le nom de tes parents était sans doute différent.

Elle jette un coup d'œil aux renseignements inscrits sur le papier.

— 2352. Blé... Je veux dire, Blake, tu n'as pas treize ans. Tu en as seize. Si tu avais un an ou deux quand tu as échoué dans la rue, c'était alors en 2353 ou 2354, au plus fort du technocauste.

Elle se tourne vers Lem.

— Tu avais raison. Tout concorde. Le message sur la cassette. Le micropoint. Le nom à la

mode. Ses parents avaient de l'instruction. Elle doit faire partie des disparus.

— Dans ce cas, je peux sans doute savoir d'où elle vient.

— Vous le pouvez ? Mais comment ?

— La résistance a fait circuler une liste des enfants disparus dans certains groupes secrets d'utilisateurs en informatique, explique Lem. On les a archivés sur le Web. Si quelqu'un a tenté de te retrouver pendant le technocauste, je peux sans doute le savoir de cette façon.

J'en suis toute bouleversée.

— Combien de temps faudra-t-il pour faire la recherche ?

Lem bâille et se lève.

— Pas mal de temps, petit épi… Je veux dire Blake. Les archives ont été chiffrées. Je possède les codes, mais on n'a jamais indexé les données, afin de compliquer la tâche de la Commission, si jamais elle parvenait à pirater les sites. Des milliers d'enfants ont été portés disparus. Même si je commence en 2354 et procède systématiquement, je mettrai plusieurs semaines avant d'y arriver.

Il sourit :

— Il faut espérer que ta disparition a eu lieu en début d'année.

— Je ne pense pas que ce soit le cas, dis-je.

Et je lui parle de mes souvenirs. Le bol jaune était sur une table dehors. Il y avait des feuilles

aux arbres. Quand je décris les immeubles en pierre, Érica semble surprise.

— Un immeuble avec un toit rond et vert ? C'est un de tes souvenirs, vraiment ?

Je fais signe que oui.

— Il n'y a que peu d'endroits qui correspondent à cette description, fait remarquer Érica. On dirait l'université de la préfecture de Toronto.

— Vraiment ? Vous savez de quoi je parle ?

— J'enseignais dans cet établissement.

— Peut-être avez-vous connu mes parents ?

— Je ne crois pas Blé… Blake. Des milliers de gens sont passés par cette université. Je n'avais pas d'amis qui avaient des enfants en bas âge. C'est quand même étrange. Il se peut que nous nous soyons croisées quand tu étais encore bébé. Avant que tout change.

Son regard se fait lointain, comme s'il contemplait le passé. Quand elle se tourne vers moi, ses yeux brillent.

— Si tu fais partie des disparus, tout ne s'arrête pas là. Il existe des moyens pour trouver qui tu es. Mais il faut garder le secret. Si la Commission l'apprenait, on t'enlèverait à moi. Tu as toutes les raisons du monde de détester ces gens. Et il est important de ne pas attirer l'attention sur le travail de Lem.

— Mais est-ce que je peux au moins dire mon nom ?

J'emprunte malgré moi un ton suppliant. J'ai attendu de connaître mon nom depuis si longtemps ; maintenant que j'en ai un, j'aimerais tant pouvoir l'utiliser.

— Oui, bien sûr, il serait cruel de t'en empêcher. D'accord, Blake. Tu peux dire comment tu t'appelles et parler du micropoint, mais ne dis rien sur Lem.

— Très bien. C'est ce que je vais faire… Mais vous ne serez pas fixés avant plusieurs semaines ?

— Si tu étais toujours auprès de tes parents au milieu de l'été, dit Lem, je vais sauter les premiers mois de la première année. On parviendra peut-être à accélérer les choses de cette façon.

La tâche qui l'attend est énorme. Encore une fois, je ne sais pas comment exprimer ma gratitude. Pour autant que je me souvienne, c'est la première fois que j'ai envie de prendre un homme dans mes bras. Pour qu'il sache ce que tout cela représente pour moi. Mais je ne pense pas qu'il accepterait aussi facilement que je le touche.

— Merci, dis-je dans un murmure.

Mes yeux se remplissent de larmes. Et je vois qu'il a, lui aussi, le regard brillant. Il se détourne.

Au bout d'un long moment, Érica intervient :

— Bon, tu ne perdras pas ton temps en attendant, Blake. J'étais à Kildevil ce matin et j'y ai fait certains arrangements. Demain, nous partons pour les hauts plateaux.

# 19

# Leçon de géologie pour bioguide

Au moment où nous rentrons à la maison, Marella est en train de manger le déjeuner qu'elle a préparé toute seule. Elle a l'air de mauvaise humeur.

— Tu devais te demander où nous étions passées, dit Érica pour détendre l'atmosphère tout en activant le dispositif de brouillage.

— C'est-à-dire... oui. En effet.

— D'abord les bonnes nouvelles. Un bateau doit quitter Kildevil avec un chargement de tissu. Il devait partir dès aujourd'hui, mais je me suis arrangée pour qu'il ne parte que demain. Tu resteras dans la cabine pour que nous puissions nous rendre jusque dans les hauts plateaux sans violer le tabou qui t'interdit de paraître devant les gens de la ville. De cette façon, tu pourras subir la dernière épreuve avant les grands froids

et nous pourrons procéder à la cérémonie au moment fixé sans trop de difficulté.

Érica est fière de son coup. Cela explique en partie pourquoi elle était à Kildevil avant le lever du soleil.

— Merci, répond Marella, non sans réticence.

Elle préférerait ne rien devoir à Érica.

Si la réaction de Marella irrite Érica, elle ne le montre pas.

— Nous avons d'autres bonnes nouvelles, ajoute-t-elle, mais je laisse Blake t'en parler elle-même.

Ce n'est pas la première fois que, sans me prévenir, Érica braque l'attention sur moi.

— Qui est Blake ? demande Marella.

Je tente de répondre, mais les mots me restent en travers de la gorge et je dois toussoter avant de pouvoir les exprimer.

— C'est moi, dis-je. J'avais un micropoint dans le bras. Maintenant, je sais qui je suis.

— Le secret était tout ce temps dans le scanner de la cuisine, conclut Érica, sans mentir, mais sans en dire plus qu'il n'en faut.

Marella blêmit.

— Mais si tu sais qui tu es, est-ce que je dois comprendre que tu vas me quitter ?

Le ton de sa voix exprime une crainte sincère. Je ne peux pas m'empêcher d'en éprouver de la joie.

— Oh non ! J'ai un nom, voilà tout. Mon passé est perdu. Bien sûr que je resterai auprès de toi.

Marella respire à nouveau.

— Va rejoindre William maintenant, Marella, murmure Érica. Dis-lui que j'ai pu faire les arrangements nécessaires pour le voyage. Il fera ce qu'il faut pour que tu puisses t'y préparer. Blake et moi, nous nous occuperons des bagages… Je ne savais pas qu'elle t'appréciait à ce point, ajoute Érica dès que Marella a quitté la pièce.

À l'entendre, elle est tout aussi ravie que moi. Il est possible que Marella tienne à ma présence parce que je connais les réponses dont elle a besoin, mais malgré moi, j'espère qu'elle éprouve tout de même un peu d'affection pour ma personne.

Après avoir procédé aux observations matinales, nous entamons les préparatifs du départ. J'avais toujours cru que le fait de connaître mon nom changerait ma vie du tout au tout. En apparence, tout est comme avant, mais en travaillant, je me rends compte que les idées s'enchaînent et que je me perçois différemment. Je cesse d'être l'enfant rejetée que j'étais, abandonnée par ses parents qui ne pouvaient pas en prendre soin. Ce quelqu'un qui me tenait dans ses bras n'était pas seulement un produit de mon imagination. Ma « mère ». Je répète ce mot dès que je suis seule, tout doucement, comme pour me convaincre de

sa réalité. Je peux presque la voir, malgré l'ombre qui obscurcit mon champ de vision. Tout en préparant le déjeuner, j'interroge Érica. Je voudrais tant que les traits de cette inconnue se précisent dans ma tête.

— Pourquoi Lem a-t-il dit, ce matin, que Blake était un nom de poète ?

— William Blake. C'est un poète de la fin du XVIIIe, début du XIXe siècle. Un anglais. Il a vécu à peu près à la même époque que Shelley que tu aimes tant, mais Shelley était plus jeune et il est mort prématurément. Blake était un fou ou un génie. Il débordait d'idées, il était passionné, et je ne sais pas si tu as reçu ton prénom en son honneur, mais si c'est le cas, on peut supposer que tes parents étaient des idéalistes. Et qu'ils avaient probablement de l'instruction. À mon avis, cela explique bien des choses. Tu ne t'es jamais comportée comme une enfant de la rue. Ce n'est pas que ces enfants soient moins intelligents. Au contraire. Mais l'intérêt que tu manifestes à l'égard de la poésie et ta gentillesse m'incitent à croire qu'on a dû prendre bien soin de toi au cours des premières années de ta vie.

— Il me semble avoir été heureuse jusqu'à ce dernier souvenir, quand on m'a enlevée au milieu de la nuit.

Érica approuve.

— Cela s'est sans doute passé quand les troupes ont découvert tes parents, s'ils sont venus

jusqu'ici à la poursuite des Béothuks. Les soldats faisaient ce genre de choses : enlever les enfants et les abandonner quelque part pour qu'on les trouve. Ils n'amenaient pas les enfants à Markland.

— Et c'est Hilary qui m'a trouvée. Pensez-vous que les choses se sont passées de cette façon ?

— C'est vraisemblable. Hilary a pris soin de toi, n'est-ce pas ?

— Oui. Elle m'aimait.

— Quel âge avait-elle ?

— Je ne sais pas. Je ne crois pas qu'elle le savait elle-même. Elle n'était pas tellement plus vieille que moi, c'est certain. Elle était encore en pleine croissance. Elle avait parfois besoin de nouvelles chaussures et de nouveaux vêtements, et quand ceux qu'elle avait ne lui allaient plus, elle me les donnait. Ils étaient trop grands, mais j'aimais bien les porter parce qu'ils lui avaient appartenu.

Ce souvenir m'attendrit et je souris.

— Tout s'éclaire, s'exclame Érica. Tu as connu l'amour tout au long de ton enfance, contrairement à la plupart des pensionnaires, là-bas.

Érica indique sèchement d'un coup de menton le camp de travail. Je n'ai pas une seule fois pensé aux enfants qui y triment depuis que j'en suis sortie. J'ai un peu honte.

— Je suppose que j'ai eu de la chance.

Érica hésite, troublée.

— La plupart des gens ne seraient pas de cet avis, d'une certaine façon, tu as raison.

À la fin de la journée, j'ai le dos en compote à force de me pencher sur les boîtes et sur les sacs. Je me sens comme si j'avais travaillé tout le jour à la décharge. Il a fallu tout emballer en double parce que Marella et moi irons seules vers les hauts plateaux tandis qu'Érica et le maître attendront à l'endroit où le bateau aura jeté l'ancre. Le sommeil qu'hier encore je ne trouvais pas m'envahit, et je voudrais me laisser bercer par lui, mais je ne peux pas. Pendant que Marella prend un bain, je trouve le livre qu'il me faut, dans sa chambre: *La géologie à l'intention des bioguides.*

Le chapitre sur les schistes de Burgess me fascine. Je recule dans le temps, il y a 530 millions d'années, et je descends dans un univers sous-marin habité par des créatures étranges aux noms mélodieux. Bien entendu, on les a nommées ainsi beaucoup plus tard, il y a une centaine d'années à peine. Mais ce sont des noms qui chantent (opabinia, aysheaia, amiskoui et marella) ou qui font sourire (yohoia et hallucigenia). Certaines de ces créatures sont gracieuses tandis que d'autres sont si bizarres qu'on a peine à imaginer qu'elles aient réellement existé. Je me familiarise avec leur morphologie et leur façon de se mouvoir, et je les reconstruis dans ma tête. Je plonge dans l'hologramme et je nage au milieu

de ces animaux qui ont existé bien avant l'arrivée de l'être humain sur terre.

Quand, enfin, je m'endors, les créatures des schistes de Burgess m'accompagnent dans le sommeil et remplissent mes rêves de leur danse silencieuse. Je ne leur fais pas peur. Elles me traitent en amie.

Je me réveille avant l'aube et, à nouveau, j'éprouve ce sentiment de bonheur qui m'est désormais familier. Je murmure « opanibia, yohoia », comme des formules secrètes. Mais qu'est-ce qui fait que je me sente si bien ? L'épreuve ne doit même pas avoir lieu aujourd'hui. Comment se fait-il que j'ouvre les yeux remplie d'un bonheur indéfinissable après avoir lu ces livres la veille ? Quel est, entre ces différents moments, le dénominateur commun ? Les livres et rien d'autre. Cette idée s'inscrit naturellement dans l'ordre des choses, comme la roue dentée s'insère d'emblée dans un engrenage bien huilé. Sur le sol, près du lit, mon sac de voyage est prêt. J'y glisse le livre que je dissimule au milieu de mes vêtements. Marella pourra peut-être le consulter quand nous serons à bord du bateau.

Pendant que je fais du thé vert dans la cuisinette, je regarde autour de moi. Je vis ici depuis très peu de temps et pourtant, c'est maintenant chez moi. Je n'aime pas l'idée d'avoir à quitter cet endroit, ne serait-ce que pour quelques jours.

Je réveille Marella aussi délicatement que possible.

— Assieds-toi pendant que je bois mon thé, ordonne-t-elle.

Elle le boit, silencieuse, en broyant du noir. Je croyais qu'elle était impatiente de se rendre sur les hauts plateaux.

— C'est la dernière épreuve, dit-elle. William m'a expliqué en quoi elle consistait. C'est très simple. Nous aurons de la nourriture et un abri, et nous devrons nous débrouiller seules sur les hauts plateaux jusqu'à ce que j'aie fait un rêve. C'est tout.

Je ne sais que répondre. Je ne peux pas lui assurer que nous réussirons l'épreuve, je suppose. J'ai du mal à capter son regard.

— Blé…

Je l'interromps spontanément :

— Blake.

Le ton est aimable, mais ferme. Mon nom, c'est tout ce que je possède. Je me moque de savoir si je la vexe ou non. C'est mon nom que je veux entendre.

Elle fait oui de la tête.

— Blake, tu ne me trahiras pas, n'est-ce pas ?

Je lève les yeux, étonnée.

— Bien sûr que non.

— Mais pourquoi ? Ce pourrait être toi qu'on honore. Tu n'en as pas envie ?

L'angoisse dans le ton de sa voix me sidère. Cette idée ne m'a jamais traversé l'esprit. Maintenant qu'elle en parle sans détour, cette perspective me semble absurde.

— C'est toi la bioguide, celle qui souffre. C'est toi que l'on veut. Moi, je ne suis... rien. Personne. Je n'avais même pas de nom jusqu'à hier. Personne ne voudrait de moi à ta place. Je ne suis ici que pour t'aider.

— Comment peux-tu éprouver des sentiments pareils ?

Je hausse les épaules.

— Pourquoi devrait-il en être autrement ? Je te suis reconnaissante de m'avoir permis de vivre ici.

Un long silence s'ensuit puis, d'une voix dure, elle rétorque :

— Sais-tu seulement pourquoi je t'ai choisie ?

Pour que je sois son amie ? Je sais que c'est faux, mais je voudrais bien qu'il en soit ainsi.

— Non. Pourquoi ?

— Parce que tu avais l'allure de quelqu'un qui ne pourrait jamais prendre ma place. Quelle ironie, tu ne trouves pas ?

Elle ricane méchamment.

— Fais mon lit, maintenant. J'ai du travail qui m'attend.

Elle se lève et quitte la chambre.

Je me sens tout engourdie, comme sous le coup d'une gifle monumentale. Dans ma poitrine,

un grand vide s'ouvre pour recevoir la souffrance, mais elle ne vient pas. Je ne ressens rien de rien. Je fais son lit et je range sa chambre pratiquement sans m'en rendre compte, car mes pensées ont implosé. Je suis de retour dans ma propre chambre avant d'éprouver à nouveau quelque chose, mais ce n'est pas du tout ce que j'attendais. Je ne ressens ni douleur ni peine, mais une colère chauffée à blanc. Qu'est-ce qui l'obligeait à me dire une chose pareille ? Je pensais qu'elle m'avait choisie pour ma valeur, pas pour le contraire.

Mais elle a tort. Cette pensée m'étonne moi-même, mais c'est la vérité. J'avais tort, moi aussi, de penser que je n'étais rien. Je reste plantée là, au milieu de la chambre, tétanisée par cette idée. Puis, je l'enfouis au fond de ma cervelle comme s'il s'agissait d'une clé dont on n'a plus besoin, mais qui pourrait bien servir à ouvrir une porte, tôt ou tard. Lorsque je descends dans la cuisine, je tombe en plein chaos.

— Mais il y a beaucoup trop de bagages, s'écrie le maître. On ne pourra jamais porter tout ça.

— William, nous serons partis toute une semaine. Le froid s'est installé. Je ne vois pas comment nous pourrions faire autrement.

Érica rougit d'énervement. Le maître lève les bras au ciel.

— Montre-moi comment il faut faire pour transporter tout ce barda !

Je ne les ai jamais vus se disputer de cette façon.

— Les garçons qui s'occupent du bateau viendront tout chercher. Quand nous serons rendus aux Jardins verts, il suffira de transporter tout ça en haut de l'escalier. Je referai les bagages pour les filles et nous les accompagnerons jusque sur les hauts plateaux. Je ne suis pas idiote, tu sais.

Un ange passe.

— Mais je sais bien, ma chérie.

Elle sourit.

— Nous sommes tous à cran, aujourd'hui. Il vaudrait mieux ne pas trop se prendre au sérieux.

On cogne à la porte. Érica s'empresse d'ouvrir.

— Voici les garçons.

Elle se tourne vers William.

— Blake et moi, nous les aiderons. S'il te plaît, assure-toi que personne ne voie Marella.

Carson Walsh se tient sur le seuil.

— Madame, dit-il, on vient pour vos bagages.

Tandis que Carson et les autres garçons entrent dans la cuisine, je comprends ce que tout cela signifie. Nous embarquerons sur le bateau dont parlaient Érica et Carson, il y a quelques jours, dans le sentier. Et Carson nous accompagnera ; il portera le code de chiffrement. Soudainement, je ne sais plus quoi penser. Marella sera tout à côté de lui, mais elle ne pourra pas le voir.

Ce matin, j'aurais eu de la peine pour elle. Plus maintenant.

Mais mon cœur bat plus fort quand je pense que nous aurons le code de chiffrement avec nous. Érica a-t-elle perdu la tête ? Non. Elle est simplement très futée. Personne ne se méfiera de sa ruse.

Carson n'est pas venu seul. Un des deux garçons qui l'ont suivi doit avoir son âge et l'autre a, semble-t-il, le mien ; il est petit et il a les cheveux noirs. Les deux plus vieux se mettent au travail sans attendre, tandis que le plus jeune me dévisage, bouche bée, si bien que j'en rougis. Carson lui donne un coup de coude.

— Cesse de la lorgner de cette façon, Fraser, et au travail. Où sont tes manières, fiston ?

Le ton de Carson est sans malice, mais l'autre garçon éclate d'un rire moqueur et Fraser s'attelle aussitôt à la tâche comme une bête de somme.

Il ne me regarde plus et j'en suis soulagée. Il est bizarre, celui-là. Ils vident la cuisine et Carson s'approche de moi.

— Nous allons tout embarquer sur le bateau, à présent. Ensuite, tout le monde se retirera pour que la bioguide puisse monter à bord sans qu'on la voie. Quand la barque sera amarrée au bateau, on viendra nous chercher. Nous vous rejoindrons sans tarder.

Lorsque Carson s'en va, Érica active le dispositif de brouillage. Tant mieux, car je veux savoir pourquoi nous procédons de cette façon.

— Nous n'aurions pas pu utiliser un véhicule ?

— Pas sans offenser les habitants du village. Les gens sont plus réceptifs à la technologie depuis le technocauste, mais les mentalités changent lentement. On tolère les piles à combustible pour les bateaux, mais sur terre, on les utilise fort peu, sauf si le trajet est très long ou si c'est absolument nécessaire.

— C'est assez déroutant, dis-je.

Elle sourit.

— Les comportements humains sont souvent déroutants. Bon. Il est temps de partir. Peux-tu avertir Marella et William qu'ils peuvent descendre ?

Au moment du départ, je monte une dernière fois à ma chambre. En fermant mon sac de voyage, j'aperçois le livre *Leçons de géologie à l'intention des bioguides*. Les livres représentent-ils la réponse à tout ? Je me le demande. Je le prends. Je pourrais le laisser ici et Marella échouerait à l'épreuve. Mais je ne le ferai pas. Peu importe mes sentiments à son endroit, je ne peux décevoir le maître. Je replace le livre dans le sac et je rejoins William et Marella.

Une demi-heure plus tard, nous quittons la maison. Marella porte un vêtement inconfortable qui la couvre entièrement pour que les gens de la ville ne puissent pas la voir. Mais à peine venons-nous de nous mettre en route qu'on nous

a déjà repérés. Gardienne Novembre et quatre de ses acolytes nous attendent devant le camp de travail. William les voit et se raidit. Machinalement, il porte la main à sa hanche comme pour y saisir une arme qui ne s'y trouve pas.

— Bonjour, honorable guide. Nous allons vous escorter jusqu'à Kildevil pour nous assurer que tout va bien pour le voyage.

Gardienne Novembre est polie, mais le ton de sa voix est sans équivoque. Elle ne nous laisse pas le choix.

— Comme vous voulez, jette froidement le maître.

Il ne sert à rien de discuter. Au moment où elles nous emboîtent le pas, on pourrait presque palper la colère d'Érica.

— Combien de temps durera votre quête ? demande gardienne Novembre.

Elle ne prend pas la peine d'expliquer comment il se fait qu'elle soit au courant de notre projet.

— La bioguide doit attendre que la terre lui parle. Il est impossible de prévoir combien d'heures ou de jours cela prendra, rétorque William.

Gardienne Novembre ne semble pas se rendre compte de l'hostilité sous-entendue dans sa réponse.

— J'ai toujours voulu connaître la Voie un peu mieux, poursuit-elle. Quand je vivais dans

la rue, et depuis que je suis au camp de travail, je n'ai encore jamais eu l'occasion d'apprendre quoi que ce soit.

Le silence tombe lourdement, car le maître s'abstient de répondre.

L'antipathie que William éprouve à son endroit est telle que gardienne Novembre devrait comprendre mais, à voir sa tête, je devine avec étonnement qu'elle en souffre. Je n'avais encore jamais soupçonné qu'elle pouvait avoir des sentiments comme tout le monde. Je réalise soudain que nous avons des points communs – nous sommes toutes deux des enfants de la rue, avides d'affection. Elle me ressemble.

Mais le sentiment oppressif d'être sous sa garde éteint aussitôt cette étincelle de sympathie. Plus j'avance, et plus je me rends compte à quel point la Commission a contrôlé ma vie, à quel point elle l'a faussée. Du coup, je suis envahie par la même colère qu'Érica et malgré moi, de hargne, je presse le pas.

Nous arrivons enfin au quai. Il est vide, comme Carson nous l'avait promis. Une barque nous y attend, pour nous conduire vers un bateau amarré dans la partie la plus profonde de la baie. Le village a l'air désert.

— Nous prendrons congé de vous ici, déclare fermement William.

Gardienne Novembre perd un peu contenance. Peut-être voulait-elle savoir qui d'autre

serait du voyage. Elle approuve d'un bref hochement de tête.

— J'espère que la fille trouvera ce qu'elle cherche.

Elle a dit « la fille » en parlant de Marella. C'est une insulte et elle le sait. Personne d'autre n'aurait osé dire une chose pareille. Elle tourne les talons et ses compagnes la suivent.

Je n'aime pas les bateaux. Celui-ci tangue sur l'eau comme un bouchon de liège. William y embarque avec une agilité qui m'étonne et guide Marella vers une traverse, en poupe, où elle s'assoit, puis il me tend la main. J'hésite. J'ai mes raisons de craindre les hommes. Mais la main de William n'est pas cruelle. Même quand il est en colère, il ne lève jamais la main sur qui que ce soit. Alors je m'oblige à accepter son aide pour grimper dans la barque. Je sens la chaleur de sa paume longtemps après l'avoir lâchée, alors qu'il s'est déjà tourné vers Érica. Je me dis qu'il ne faut pas toujours craindre le contact avec les hommes, et pour la première fois de ma vie, j'en ai la preuve.

Érica est assise en face de William, qui rame en tournant le dos à Marella et à moi. Érica crache sa rage à voix basse pour qu'on ne puisse pas l'entendre de la rive.

— De l'intimidation. Voilà ce que c'était. Nous faire savoir qu'on nous a à l'œil. Quelle insulte !

— Érica, tu connais la chanson aussi bien que moi. Il vaut mieux faire comme si tout était normal.

Elle se tord les mains.

— Mais, William, faudra-t-il endurer cette situation encore longtemps ? Que devons-nous faire ?

— Nous perdons notre temps en vaines inquiétudes, dit William qui, du coup, redouble d'efforts et rame avec une énergie farouche.

Le bateau sur lequel nous embarquons et qui prendra le large est plus petit que je le croyais. La cabine dont parlait Érica n'est rien d'autre qu'une portion de la cale, aménagée à cette fin. Moite de sueur, Marella arrache en grognant son habit encombrant.

— Quoi ? Je ferai tout le voyage sans pouvoir sortir d'ici ? C'est injuste.

— Marella, baisse le ton, la gronde William, tu ne peux pas te comporter de cette façon.

Érica jette un coup d'œil sur le pont tandis qu'on lance les moteurs.

— Ah oui, Carson et les autres sont déjà montés à bord.

Marella écarquille les yeux et demeure un instant bouche bée. Aussitôt, elle se ressaisit et serre les lèvres pour ne pas se trahir. Elle sait, maintenant. Carson Walsh est à quelques pas. Elle se tourne vers moi :

— Rends-toi utile. Tu n'as encore rien fait pour moi, aujourd'hui. Fais mon lit.

Je m'exécute mais, au passage, je retire de mon sac de voyage *Géologie à l'intention des bioguides* pour le mettre à portée de main près de sa couche. Je ne sais plus si j'agis pour lui être utile ou par méchanceté. Puis, j'étends un sac de couchage sur un lit gonflable.

— Tu ne sais pas t'y prendre, ronchonne Marella qui me bouscule et retire le sac de couchage.

William se lève, comme s'il avait l'intention d'intervenir, mais il se ravise. Il n'y a rien qu'il puisse faire.

— Blake, dit calmement Érica, il est inutile que tu restes enfermée ici. Va donc explorer le bateau, mon petit. Va prendre un peu l'air.

Marella jette à ses pieds le sac de couchage et dévisage Érica avant de se tourner vers moi. Des larmes de rage roulent sur ses joues. Elle paie le prix de son mépris à mon endroit, mais Érica ignore à quel point. Avant aujourd'hui, j'aurais sans doute choisi de rester auprès de Marella, par solidarité. Plus maintenant.

— Merci, Érica. J'y vais.

Les collines qui entourent la baie défilent lentement sous mes yeux. Non, c'est nous, plutôt, qui filons en longeant la rive. L'eau est si calme qu'on ne sent pas le mouvement. Un vieil homme

tient le gouvernail sur la passerelle. L'équipage est composé seulement des trois garçons qui se sont présentés à notre porte ce matin. Le plus petit des trois, l'étrange Fraser, est assis sur un baril et tient dans sa main des baguettes et du fil. Je crois qu'il fabrique quelque chose, mais pour l'instant, il me dévisage à nouveau. Qu'est-ce qu'il me veut, celui-là ? Je m'aperçois soudain que je suis en compagnie de trois curieux garçons. Est-ce que je dois me méfier de leurs intentions à mon égard ? Je songe à redescendre me mettre en sécurité dans la cale étouffante, mais Carson me rejoint avant que j'aie pu faire un geste.

— Elle est bien installée, là, hein ? demande-t-il sans la moindre trace de menace ou de moquerie. Je ravale les mots malveillants qui montent malgré moi. Je ne veux pas lui enlever ses illusions.

— Elle va bien. Merci.

Il sourit.

— On en a mis du temps pour nettoyer la cale. Tu aurais dû voir ça avant. On a fait de notre mieux, comme je te le dis.

Heureusement, il n'a aucune idée à quel point Marella lui est « reconnaissante » d'avoir travaillé si fort.

— C'est parfait, dis-je. Très confortable.

Il me sourit, radieux.

— Mark et son père sont fiers de vous avoir à bord.

Il fait un signe en direction du capitaine, sur la passerelle, et pointe l'autre garçon. En entendant son nom, ce dernier nous rejoint.

— Il fait bon pour cette époque de l'année, lance Mark pour dire quelque chose.

Je cherche un sujet de conversation :

— Est-ce que vous avez déjà vu les hauts plateaux ?

Carson opine du bonnet.

— J'ai dû m'y rendre une fois déjà, pour les rites d'initiation du chasseur. C'est un endroit très particulier. Plein de pouvoirs.

Je ne suis pas du tout sûre de comprendre ce qu'il veut dire.

— Qu'est-ce que tu devais faire, au juste ?

— Plus ou moins la même chose qu'elle, je suppose, dit Carson. J'ai écouté la terre, j'ai attendu d'avoir une vision et bien sûr, j'ai demandé qu'on me pardonne.

— Qu'on te pardonne ? Mais de quoi ?

— Le chasseur tue, répond Carson. Il prend quelque chose à la terre. Il est important de remercier la terre, de vouloir se racheter pour les dommages qu'on lui inflige par notre présence ici...

— Oh ! Je pensais...

Je m'interromps, ne sachant plus trop comment continuer.

— ... Qu'on était une bande de barbares avec du sang sur les mains, poursuit Carson. On sait ce que les habitants de la ville pensent : les gens civilisés ne mangent pas de viande. Eh bien, les gens civilisés ne voient pas plus loin que le bout de leur nez. Il existe un équilibre, ici-bas. Nous, on ne siphonne pas les ressources comme les gens des villes. Nous, on accepte de prendre ce que la nature nous donne, mais on la remercie en retour. Quand le chasseur fait bien son travail, l'équilibre n'est pas rompu. Cet orignal que je chassais, tu crois peut-être qu'il allait vivre éternellement si je ne le chassais pas ?

— Je n'avais jamais pensé à ça.

— Ouais, je le sais. Quand je tue un animal avec mes flèches, je fais du travail propre. Et j'en suis fier. Ce n'est jamais agréable, pour une créature vivante, de mourir de faim ou de maladie. Les gens de la ville, ils ne pensent jamais plus loin que le bout de leur nez ! Pour eux, ma vie est comme un crime contre la nature… C'est ma vie, la nature. Penses-y, tu verras, ricane-t-il.

Ça y est. Carson est en colère. Il me fait peur.

— Mais fiche-lui la paix, Carson, elle ne t'a rien fait.

Le timbre de cette voix derrière moi a une douceur toute féminine. Les yeux sombres de Fraser sont craintifs, mais il tient bon.

Carson rit.

— Tu as raison, fiston. Je ne voulais pas te parler si durement, ajoute-t-il en se tournant vers moi.

Ses excuses maladroites nous mettent tous deux si mal à l'aise qu'il prend congé brusquement pour rejoindre Mark de l'autre côté du bateau.

— Au fait, tu t'appelles comment ? demande Fraser.

Je commence à comprendre que c'est la timidité envers les étrangers qui les rend brusques, plus que le manque de savoir-vivre.

— Blake Saman.

Il me dévisage.

— Qu'est-ce que c'est que ce nom-là ? Et d'où tu viens ?

Je pourrais me sentir vexée ou embarrassée, mais sa rudesse me fait rire.

— Je ne connais la réponse à aucune de ces questions.

Et voilà que, assise sur le pont d'un navire, je raconte l'histoire décousue de ma vie à un garçon inconnu sans rien omettre, mis à part ce qu'Érica et William ne veulent pas que je révèle. Tandis que je me livre, Fraser manie les baguettes et le fil de laine et fabrique un joli bout de tissu.

— C'est une belle histoire, fait-il remarquer, comme si je venais de tout inventer uniquement pour lui plaire. Et tu ne connaissais pas ton nom avant hier ? T'es pas en train de te moquer de moi, hein ? dit-il en secouant la tête.

— Bien sûr que non...

Quelle drôle d'idée !

Fraser remarque ma réaction.

— Il fallait que je pose la question, vois-tu ? On essaie toujours de me faire des blagues parce que je ne suis rien que le berger.

En passant, Carson entend la remarque de Fraser. Il tend la main pour ébouriffer sa tignasse noire.

— Exact. Fraser garde les chèvres. La totalité des moutons que nous possédons nous causent moitié moins de problèmes que cette douzaine de chèvres. Pas vrai, fiston ?

Fraser hoche la tête.

— Les chèvres, c'est toujours du trouble. Elles font toujours à leur tête. Et ces chèvres ne s'acclimatent pas bien, ici. Elles supportent le froid uniquement s'il est sec. Mais depuis quand l'hiver est sec, par ici ? Je dois veiller à leur sécurité et à leur santé. J'ai dû les enfermer pour la journée, ajoute-t-il, content de lui-même.

— Pourquoi les garder si le climat ne leur convient pas ?

— Parce que c'est des chèvres angoras. Elles produisent un type particulier de laine. Les tisserandes apprécient beaucoup cette laine. Je voudrais bien qu'on m'accorde la même importance, soupire Fraser en tirant sur son brin de laine.

— Comment t'y prends-tu pour faire ça, Fraser ?

— Quoi, tricoter? Ne me dis pas que t'as jamais vu personne tricoter?

— Une fois seulement. À une réunion de la guilde des tisserandes, l'autre soir.

— Alors là, c'est toi la barbare, m'est avis.

Fraser rit sans malice et hausse le ton pour s'adresser à Carson, à l'autre bout du pont.

— Tu te rends compte, Carson, une fille de son âge qui ne sait pas tricoter. Nous savons tous tricoter. Tous. Tu vois le chandail de Carson? C'est lui qui l'a fait, tout seul, comme je te le dis. Pas vrai, fiston?

Le chandail est splendide, bleu marine, comme les yeux de Carson, et le point semble complexe.

— C'est le premier motif que j'ai fabriqué moi-même.

Carson baisse le ton, même s'il n'y a personne alentour qui puisse entendre.

— Nous tricotons en l'honneur des tisserandes, ajoute-t-il, par respect, à cause de la démocratie qu'elles veulent préserver, tu comprends?

— C'est en plein ça… Ma foi, qu'est-ce que tu penses de ce motif-là? demande Fraser en déployant devant moi son tricot dont le motif ressemble à des cordes tressées.

— C'est extraordinaire qu'on puisse faire quelque chose comme ça avec deux baguettes seulement, dis-je.

— On dit des aiguilles, pas des baguettes, me corrige-t-il, resplendissant d'orgueil. Depuis quelque temps, on se sert de machines à tricoter, mais on ne peut pas les prendre au travail. Alors, la plupart du temps, les hommes utilisent les aiguilles.

Le temps file, comme le paysage, sans que je m'en aperçoive. Les garçons rient et se livrent plus facilement. Ils commencent à m'accepter. Je me demande, de temps en temps, comment Marella se sent, toute seule, en bas dans son trou.

Au bout d'un moment, Fraser abandonne son tricot et sort un drôle d'objet : deux petites plaques octogonales reliées entre elles par un morceau de cuir plissé. Il pompe entre ses mains l'instrument dont la musique, douce et triste, est portée par les flots. Elle m'apaise au point que je dois fermer les yeux et m'appuyer contre le bateau. Je me rends compte que je me suis assoupie seulement quand la musique s'arrête. J'ouvre les yeux et Fraser me dévisage.

— C'était magnifique, dis-je. Qu'est-ce que c'est que cette chose ?

Je tente de distraire son attention.

Il semble ravi.

— C'est un concertina.

— Où as-tu appris à jouer comme ça ?

— Oh ! lance Carson, Fraser peut jouer des tas de vieilles mélodies ! Tu as hérité de *son* talent, pas vrai ?

Il s'interrompt brusquement, comme s'il prenait conscience d'avoir dit ce qu'il ne fallait pas. Fraser s'empourpre de colère, bien qu'il ait, jusqu'à présent, accepté de bonne grâce toutes les taquineries.

Carson semble regretter son indiscrétion ; il se tait. Fraser se détourne et joue un air guilleret qui empêche la poursuite de toute conversation.

Bientôt, le bateau jette l'ancre à Woody Point, et Carson me prend à part.

— Je dois partir maintenant. Je serai de retour demain pour vous aider à débarquer les caisses et ramener le bateau à la maison quand vous serez arrivées aux Jardins verts.

Il fait une pause et, soudain, sort quelque chose de sa poche.

— Tu pourrais lui donner ça ? Quand tu seras seule avec elle, bien sûr.

Il me tend une petite enveloppe. Je la prends et je bredouille quelque chose, des mots sans queue ni tête. Pour un peu, l'empressement dans son regard et dans sa voix exciteraient ma jalousie. Est-ce que, un jour, un garçon éprouvera des sentiments pareils à mon endroit ?

— Qu'est-ce que vous faites, tous les deux, demande Fraser.

— Rien, Fraser. Il faut que je parte, maintenant.

Carson s'élance à l'autre bout du pont avec sa grâce habituelle. On ne penserait jamais qu'il est sur le point de remplir une mission secrète.

Peu importe où se trouve le centre de communication, il est à moins d'un jour d'ici.

J'ai si bien profité de l'air frais et de ma liberté que je n'ai aucune envie de retourner dans la cale, où l'on étouffe. Mais à ma grande surprise, tout le monde est calme. Érica pose quelques plats froids sur des cartons dont elle a fait une table improvisée. Marella lit le livre que j'avais mis près de son lit. Elle a dû s'y plonger parce qu'elle l'a presque fini. Ce livre fera peut-être des merveilles pour elle, cette fois. Qui sait, elle n'aura peut-être besoin de personne ?

Dans ma poche, le lettre de Carson me met sur des charbons ardents. Je ne sais pas encore ce que j'en ferai.

# 20

# Les hauts plateaux

Nous arrivons sur la berge des Jardins verts quelques heures avant la tombée de la nuit. William accompagne Marella au campement pendant qu'Érica et moi, nous nous occupons des bagages éparpillés sur la grève. Accoster n'a pas été une partie de plaisir. Si la mer avait été mauvaise, nous aurions pu nous échouer. Pour le père de Mark, le capitaine Daniel Jones, le danger était ailleurs, tout au fond de lui. Même s'il s'est abstenu autant que possible de poser le regard sur Marella, il a violé le tabou en acceptant de nous accompagner jusqu'ici. On pouvait voir la tension sur son visage blême quand il ramait. Mark et Fraser se sont tenus à l'écart pour ne pas risquer d'apercevoir Marella, même si elle avait revêtu son lourd habit protecteur. Je réalise seulement maintenant le danger de la situation.

— Qu'est-ce qui se serait passé, Érica, si la barque avait chaviré ? Fraser et Mark ne l'auraient même pas su.

Elle lève les yeux, sans cesser de s'affairer autour des bagages.

— C'est exact. Mais l'idée ne les a même pas effleurés. Ils s'attendent à ce que la terre prenne soin de nous.

Sa réponse m'irrite.

— Nous aurions pu nous noyer. Où pêchent-ils toutes ces idées stupides ?

Érica sourit.

— Elles semblent stupides uniquement hors contexte, Blake. Tu dois essayer d'imaginer ce qu'était l'époque de la Noirceur. Les gens devaient vivre dans un monde en ruines, sans recours à la science ou à la technologie, sans gouvernement et sans structures sociales. Ils n'avaient aucun contrôle, et c'est pourquoi ils ont développé des coutumes et des croyances qui leur permettaient de mieux vivre.

— Mais ces croyances sont idiotes et personne n'en a plus besoin, à présent.

— Les gens n'arrêtent pas de croire en elles seulement parce qu'ils le peuvent. Toutes ces choses sont désormais inscrites dans leur tête.

— Ils ont des idées si curieuses sur le danger. Regarde Carson, il se balade avec un secret comme si de rien n'était, mais...

Je m'arrête juste à temps.

Érica me regarde, perplexe.

— Mais quoi ?

— Mais il chasse cet énorme orignal sans aucune crainte pour sa sécurité.

J'improvise. J'ai failli lui parler de la rencontre entre Carson et Marella, l'autre jour, près de l'eau.

— Eh bien, Carson est un chasseur expérimenté. Son rôle est considéré comme sacré parce que les gens devaient chasser pour se nourrir, à l'époque de la Noirceur. Ils croyaient qu'il était mal de tuer des animaux, mais il fallait bien manger, c'est pourquoi ils ont inventé des rituels pour concilier ces idées contradictoires.

— Je sais. Carson m'a raconté son voyage sur les hauts plateaux.

En levant la tête, je vois William descendre l'escalier du campement où il a laissé Marella. Je parle rapidement, car je veux en apprendre plus avant qu'il nous ait rejointes.

— Marella devra-t-elle faire la même chose que Carson ?

— Pas tout à fait, commence-t-elle. Elle s'interrompt lorsqu'elle aperçoit William. Ah ! bien, poursuit-elle. Au travail, maintenant.

Elle a oublié ma question.

— Comment va Marella ? demande-t-elle.

Il fronce les sourcils.

— Physiquement, mieux que je l'espérais. Aucun signe d'asthme. J'étais inquiet. Les allergies

sont fréquentes à cette époque de l'année, à cause de l'humus.

— Mais ?

— Elle est de mauvaise humeur. Elle s'est tellement bien débrouillée pour les autres épreuves ; je ne comprends pas qu'elle soit si anxieuse.

Un bref instant, je me demande si je ne devrais pas simplement leur dire la vérité. Il me semble que j'ai tort de les tromper. Mais je ne peux pas. Marella a lu le livre pendant la traversée. Si j'ai vu juste, elle pourrait réussir la dernière épreuve sans mon aide et endosser le rôle de bioguide d'assez bonne foi. J'ai également peur de ma propre réaction. Si on apprenait la vérité, peut-être me choisirait-on pour prendre sa place. L'idée d'être prisonnière de croyances que je ne partage pas me terrifie. Et il se passe quelque chose d'important dans le monde qui est le mien. La Commission pourrait être sur le point de perdre sa toute puissance. Je peux participer à la lutte. Le fait de rester dans l'ombre me permet de me rendre utile. C'est pourquoi je me tais tandis que nous nous chargeons comme des bêtes de somme et que nous entamons le premier voyage vers le campement. Mais mon secret est plus lourd que n'importe quel bagage. Peut-être que, une fois les épreuves terminées, il deviendra inutile de mentir.

Le campement est plus accueillant que je le croyais : il est bien abrité, entouré d'herbes et

situé en lisière de bois denses qui surplombent l'océan. Le maître m'apprend à monter la tente que nous emporterons sur les hauts plateaux. Il s'agit d'une structure de membranes semi-perméables qui s'assemblent lentement d'elles-mêmes, une fois déballées. Marella nous observe avec inquiétude et parle peu. Je pense à la lettre de Carson, que j'ai en ma possession. Marella et moi ne nous sommes pas retrouvées seules depuis que je la porte. Je ne suis pas bien certaine qu'elle mérite de l'avoir. Le ciel s'assombrit et le vent devient plus frais. Quand la nuit descend, de gros flocons de neige tombent et fondent instantanément en touchant le sol, nos tentes, nos vêtements.

— Allez, vous deux, sous la tente. Vous n'aurez pas froid tant que vous resterez au sec, dit Érica en préparant le repas, sans se soucier de son propre confort.

— Quelle horreur, s'écrie Marella.

Moi, il me semble que je n'ai jamais rien mangé de meilleur. Ça me réchauffe le cœur, comme le bonheur. La nuit venue, je m'endors dans la chaleur et l'obscurité riche et enveloppante de la tente. La neige se transforme en pluie, mais je suis au sec et au chaud, mis à part le bout de mon nez. Je fais toute la nuit des rêves magnifiques. Le matin venu, ils s'exilent tout au fond de ma mémoire, là où je n'y ai plus accès. Mais je sais qu'ils ont existé.

Nous mangeons le déjeuner dans l'autre tente après avoir démonté la nôtre en prévision du voyage final, et nous préparons notre départ dans la confusion, sous les trombes de pluie qui balaient l'horizon de tous les côtés. Tandis que je rince la vaisselle à l'eau chaude, Érica grommelle :

— Je déteste transporter la tente mouillée, quand elle n'est pas en état de latence. Qu'arriverait-il si elle attrapait un virus ?

William surgit derrière elle et lui embrasse la nuque.

— Nous avons du temps devant nous avant de la replier. Et sur les hauts plateaux, le vent la séchera.

Marella a très peu mangé, et c'est à peine si elle a prononcé un mot. Quand nous sommes enfin prêtes à partir, elle s'assoit sur une roche et fond en larmes.

— J'ai froid et je suis mouillée, gémit-elle. Je n'ai pas fermé l'œil de la nuit tellement j'avais peur que le vent ne nous pousse à la mer. Pourquoi n'avons-nous pas attendu le printemps ? Je veux retourner à la maison.

Elle cache son visage dans ses mains et sanglote.

Érica et William tournent vers moi un regard inquiet. Ils me traitent en égale, ce que j'apprécie, bien sûr, mais ce matin, je ne trouve pas la moindre parole aimable pour ma compagne, et c'est pourquoi Érica se charge de la réconforter.

Elle prend le menton de Marella entre ses doigts et le soulève gentiment.

— Mon petit, dit-elle, il se passe tellement de choses dans le monde, actuellement. Au printemps, il aurait peut-être été trop tard. Tout ça, c'est pour toi que nous le faisons.

Marella semble troublée, mais la gentillesse d'Érica l'apaise. Il ne servirait à rien de lui expliquer la situation. Elle se lève et saisit son petit sac. Elle a les yeux bouffis et le nez rouge comme un lumignon. Elle fait tellement pitié que, même moi, j'ai de la peine pour elle.

Le sentier grimpe vers l'intérieur des terres, parfois doucement, parfois abruptement, au milieu d'une épaisse forêt d'épinettes qui nous protège du temps épouvantable. À un moment donné, j'aperçois un bout de chemin qui semble goudronné, en bordure du sentier.

— Est-ce que cet endroit a déjà été asphalté ?

Érica rit.

— C'est une région volcanique.

William s'empresse d'intervenir.

— Il y a quatre cent quatre-vingt-dix millions d'années, des volcans ont craché leur lave sur le sol de l'océan Japet, une étendue de mer entre deux continents, le continent Laurentien et le continent de Gondwana. Ce que tu vois là, c'est ce qui reste des cheminées volcaniques. Les continents et la mer n'existent plus.

— Comment ça, « n'existent plus »? demande Marella, dont il a, cette fois, piqué la curiosité.

— La mer s'est refermée. Les continents se sont joints, puis se sont à nouveau séparés pour former de nouveaux continents. Cette île est le témoin de l'événement. La côte ouest, où nous nous trouvons présentement, constituait autrefois un banc dans la mer tropicale du continent Laurentien. Le plancher océanique était au centre de l'île et la zone était rattachée au continent de Gondwana. Il y a, à St. Pearl, des rocs jadis liés à ceux qu'on trouve aujourd'hui en Afrique du Nord. Nous avons l'impression que la terre ne bouge pas, mais les continents dérivent sur des plaques immenses. Graduellement, sur des millions d'années, elles bougent et engendrent des tremblements de terre, des montagnes, des volcans, de nouvelles masses continentales.

La joie que manifeste William fait vibrer une corde encore sensible du rêve de la veille. Quand nous passons à nouveau tout près d'un segment de sentier qui ressemble à un ruban de lave noire, je me penche pour y toucher.

— Imagine un peu, dit William, la danse des continents autour de nous, une danse si lente qu'il nous est impossible de nous en rendre compte puisque notre vie n'a même pas la durée d'un clignement de paupières par rapport aux temps géologiques. Même notre présence sur

terre, en temps qu'espèce, ne durera qu'un bref moment.

Je tente de me figurer cette réalité, mais je n'y parviens pas. Elle me file entre les doigts.

À mesure que nous grimpons, la végétation se fait plus rare. Le sentier est moins accidenté, et le sol se couvre de pierres. La pluie diminue et un épais brouillard se lève. Bientôt, le sentier se réduit à une bande de terre caillouteuse qui serpente dans une plaine semée de pierres orangées où les plantes se font rares. Soudain, nous voici en face d'escarpements rocheux qui disparaissent dans le brouillard des deux côtés. Rien ne pousse là-dessus.

— Les plateaux !

William lève les bras pour indiquer la colline au-dessus de nous.

— Pourquoi n'y a-t-il rien, ici ?

— Bonne question, répond William, mais assez de géologie pour aujourd'hui.

Son refus soudain de répondre à mes questions m'agace. Je veux apprendre. Érica remarque ma déception :

— Les hauts plateaux doivent rester un mystère pour le moment, Blake. Le but de ce voyage est de découvrir leurs secrets.

Je me souviens brusquement que ce n'est pas pour moi qu'on a entrepris ce voyage. Nous progressons et je continue de me demander ce qui

se cache derrière ces épreuves. S'agit-il de science ou de magie ? Je ne devrais pas m'en soucier et pourtant, je ne peux pas m'en empêcher. Tout m'est arrivé à moi, et non à Marella. Et la magie semblait plus présente qu'à aucun autre moment dans ma vie. Peut-être pas la sagesse transmise par des médiums, d'anciens désincarnés, mais de la magie tout de même. Je voudrais bien comprendre de quoi il s'agit. Nous traversons une route qui longe la base des hauts plateaux et qui s'étale à perte de vue.

— Une route ? Moi qui croyais qu'on était en pleine nature sauvage, dis-je.

— Il y avait une colonie non loin d'ici avant que le niveau de la mer s'élève. Rivière-à-la-truite, explique William.

Puis, il pointe le doigt droit devant.

— Il y a un fjord qui rejoint la mer, là-bas. Avant, cette région était enfermée dans les terres. Le fjord commence de l'autre côté des hauts plateaux, mais on ne peut y amarrer un bateau. Nous devons maintenant nous remettre en route. Érica et moi retournerons ensuite au campement. Toi, tu as quelque chose à faire, dit-il en se tournant vers Marella. Courage ! Jusqu'à présent, tu t'es débrouillée mieux que je ne l'avais espéré. Tout sera bientôt fini.

La mauvaise humeur de Marella est encore plus impénétrable que le brouillard.

Les hauts plateaux sont très abrupts. Les quelques plantes accrochées aux parois rocheuses sont de plus en plus clairsemées, jusqu'à ce que nous grimpions sur une longue bande de roches orangées. Je n'ai jamais rien vu de tel. Marella peine à reprendre haleine et sa respiration devient sifflante. Nous faisons une pause pour qu'elle prenne son médicament.

— Encore un petit effort, l'encourage le maître. Je n'insisterais pas, Marella, mais on y est presque.

Peu après, nous arrivons dans un lieu protégé du vent par des rochers, où nous pouvons monter la tente.

Érica et William travaillent vite et bien, comme du temps où ils étaient hors-la-loi, j'en suis sûre. Puis, William confie à Marella un petit fanal.

— Quand tu seras prête, allume-le.

— Mais comment saurais-je quoi faire ? demande Marella, au bord du désespoir.

William sourit.

— J'ai confiance. Tu sauras.

Il se tourne vers moi.

— Prends bien soin d'elle, Blake.

*Prends soin d'elle et fais son boulot, c'est ça.* Je tente de lui sourire en retour, mais je n'y arrive pas. Érica me lance un rapide coup d'œil interrogateur. J'aime autant que nous n'ayons pas le temps de nous parler seule à seule.

William et Érica disparaissent presque aussitôt dans la brume. Nous n'avons plus pour compagnon que le vent qui hurle. J'étends nos sacs de couchage. La tente est humide, de même que nos vêtements et les sacs de couchage dans lesquels nous avons dormi la nuit dernière. Le brouillard flotte autour de nous et m'étourdit. Je retourne sur mes pas, jusqu'à un petit ruisseau qui coule entre les rocs chauves. J'y puise de l'eau que je filtre et que je mets à bouillir pour faire du thé.

— Quelle misère, se lamente Marella en guise de remerciements alors que je lui offre une tasse de thé fumant. C'est tellement inculte, tout ça.

— En effet, oui.

Qui affirmerait le contraire ? Tout ce que nous apercevons du paysage semble ne pas avoir changé depuis des millions d'années avant l'arrivée de l'être humain. À nouveau, un sentiment de joie inattendu me réchauffe le cœur, comme une petite flamme qu'aucune brise ne pourra souffler. Peu importe l'humidité, ma joie restera allumée.

Après le repas du soir, je lave la vaisselle et je range. Bien qu'il soit encore très tôt, il ne nous reste plus qu'à nous installer sous la tente. Tant que nous étions à l'extérieur, je pouvais prétendre ignorer l'humeur massacrante de Marella. Maintenant sa présence remplit l'espace exigu de la tente, et j'ai bientôt l'impression de suffoquer. Il faut que je parle :

— Tu as lu le livre, n'est-ce pas ? Je t'ai vue lire, sur le bateau.

— Presque tout. Ennuyeux comme la pluie. Mais ce n'était rien, comparé au voyage. Quand je serai bioguide, plus personne n'osera me demander de me cacher comme ça.

Il est difficile d'avoir une conversation avec une personne aussi égocentrique, mais je fais une deuxième tentative.

— Je pense que la réponse est dans les livres.

Pour une fois, j'ai retenu son attention. Les lueurs de la nuit tombante filtrent à travers la tente et illuminent son visage de teintes étranges.

— Que veux-tu dire ?

— J'ai lu les livres que le maître te demandait de lire. *La flore: histoire naturelle à l'intention des bioguides* avant la première épreuve ; *Biodiversité à l'intention des bioguides* avant la deuxième épreuve. Les deux fois, j'ai su ce qu'il fallait faire. Comme si quelqu'un m'avait soufflé les réponses. Je ne crois pas avoir de dons particuliers. Je pense que c'est à cause des livres. Et maintenant, tu as lu le livre qu'il fallait. Peut-être que le rêve viendra à toi.

Marella s'anime.

— Crois-tu ? J'ai tellement hâte que tout soit terminé. Ce n'est pas comme je l'imaginais. Tout cela est un véritable calvaire. C'est injuste. As-tu la moindre idée de la raison pour laquelle ils font tout ça ? J'ai longtemps pensé qu'ils essayaient

de se débarrasser de moi, mais ils font tellement d'efforts que je ne sais plus quoi penser.

Je me demande jusqu'à quel point je peux lui faire des confidences. Il vaut peut-être mieux qu'elle sache.

— Je pense que c'est en partie pour des raisons politiques, dis-je.

J'ai aussitôt le cœur qui bat très fort. Elle balaie mes paroles d'un geste.

— Oh ! la politique ! La Commission nous déteste. Quel besoin d'en savoir plus ?

Elle s'allonge et me tourne le dos. La conversation est terminée.

Elle vient de rater sa chance d'apprendre ce que je sais. Elle n'a pas dormi la nuit dernière et la journée a été exténuante, même pour moi. Je ne suis pas surprise qu'elle s'endorme aussitôt. D'ailleurs, il fait trop noir pour faire quoi que ce soit d'autre.

Je me réveille soudain au milieu de la nuit, comme si on m'appelait. Quelque chose a changé. D'abord, je ne parviens pas à savoir ce que c'est, puis je m'aperçois que le hululement du vent s'est tu et que la tente n'est plus battue par les rafales. Tout est calme et il fait froid. Je veux me rendormir, mais je sais que je n'y parviendrai pas avant d'avoir vidé ma vessie. Je quitte silencieusement mon sac de couchage, j'attrape mon manteau et je sors à l'air libre.

J'ai la surprise de ma vie : la brume s'est levée. Au-dessus de ma tête, le ciel est lourd de millions d'étoiles qui semblent si proches que je pourrais presque en cueillir une gerbe et toucher l'arc lumineux de la voie lactée. La beauté du paysage me comble. Je suis comme un lac qui se remplit d'eau pure. Je lève les bras au ciel et je décris lentement de larges cercles comme si j'entrais dans la danse de l'univers. Même si j'étais la seule créature vivante sur cette planète, j'aurais toujours l'impression d'être entourée de vie. Comme si les pierres sous mes pieds pouvaient respirer. Comme si le ciel contenait toutes les pensées, toutes les émotions du monde, tout ce qui respire, désire et vit. Et moi, je participe à tout cela, ici-bas, au cours de ma vie, et même pour toujours. Je ne sais pas combien de temps je reste là, émerveillée, perdue dans mes rêves. Tout mon être en harmonie avec l'univers. Mais bientôt l'ivresse s'estompe et je me rappelle pourquoi je suis sortie.

De retour dans la tente, je plonge dans un sommeil paisible et les rêves du début de la nuit reviennent comme des bêtes sauvages que, du fond de mon bonheur, j'ai su apprivoiser. La terre s'étend devant moi, à perte de vue, comme un ciel brodé de lumière d'or et je vis au rythme des temps géologiques. Je vois une seule grande masse sur la planète, une immensité plate, un désert sans relief. Le globe terrestre est transparent. À travers la mer qui luit comme de la glace pure

et bleue, j'aperçois les énormes plaques sur lesquelles sont posés les continents en formation, et encore plus profondément, la roche rouge en fusion qui les soutient. Pendant que je regarde, les plaques se séparent et se heurtent à nouveau, donnant parfois naissance à un seul grand continent et parfois, à plusieurs petits. Il arrive que la mer submerge presque toute la terre. De gigantesques chaînes de montagnes émergent tandis que les plaques se repoussent et se replient ; des chaînes volcaniques surgissent de la mer là où les plaques se séparent. La terre s'agite, elle ondule comme de l'eau dans une danse monstrueuse et fantastique dont chaque figure se déploie sur des millions d'années. Puis, je me retrouve dans une région où un ancien océan tropical s'étend et engendre dans ses profondeurs des volcans qui luisent comme des colliers de pierres précieuses. Petit à petit, la terre se contracte à nouveau et, là où les plaques se rencontrent, une petite portion de la roche brillante fait surface et refroidit. Au cours des millénaires qui suivent, l'érosion fait son travail et la roche est exposée à la lumière crue du soleil, lissée par le passage des glaciers et transformée en roche orangée. Des forêts surgissent tout autour, mais quelque part, tout au creux de la terre, la roche ne quitte jamais son état de fusion et se soustrait pour toujours à la vie verdoyante. Même en rêve, je reconnais les hauts plateaux.

Je me réveille à l'aube. J'entends le croassement des corbeaux et je sais que tout est fini. Le rêve caché dans ce lieu est venu, et c'est à moi qu'il s'est présenté. Sous le balbutiement incessant du doute et de la confusion qui dominent en apparence ma vie, j'éprouve un contentement fluide. Peu importe que je l'aie voulu ou non. Et peu importe de quoi il s'agit, c'est moi qu'on a choisie. Je me demande si Marella a, elle aussi, fait le même rêve, mais dès que je vois son visage endormi, je sais que ce n'est pas le cas. À partir de maintenant, je reconnaîtrai toujours ceux qui auront fait le même rêve que moi. Ce savoir m'apparaît de façon nette et précise. Si quelqu'un l'avait placé carrément sur mes genoux, je n'aurais pas été plus surprise. Il doit y avoir quelque chose de plus puissant que les livres, mais je ne peux m'imaginer ce que cela peut être.

La Blake qui sort de la tente au matin ne sera jamais plus la même que celle qui l'a quittée au milieu de la nuit. J'inspire profondément l'air frais. D'un côté, les plateaux se succèdent comme autant de collines, gris et verts dans l'horizon lointain. De l'autre, je vois le fjord et l'océan à perte de vue, non loin de nous. Cette rupture aride dans le paysage m'impressionne. Je prends la bouilloire pour faire du thé, saisissant l'occasion de réfléchir.

Je suis la personne que William cherchait, mais je n'en parlerai à personne. Marella veut

être la bioguide et moi, non. Elle veut ce rôle pour le pouvoir et la position qui en découlent, mais moi, ces choses ne m'intéressent pas. Alors, je lui donnerai mon rêve. Pas pour son bonheur à elle, mais pour le mien. Par pur égoïsme. Pour me donner le temps de garder mon secret jusqu'à ce que je décide quoi en faire. Mais je ne le lui donnerai pas tout de suite. Je lui accorderai jusqu'à demain. Je lui laisse une chance de faire, elle aussi, ce rêve. Je me dis que j'agis par gentillesse, mais au fond, je sais que ce n'est pas vrai. J'ai gaspillé auprès d'elle tous mes efforts les plus louables. Fini le temps où je voulais sans cesse lui faciliter la vie. Je porte encore sur moi la lettre de Carson, en sécurité, dans ma poche. Je ne veux pas voir le plaisir dans ses yeux en la lui donnant. Une fois de plus, je chasse cette idée de mon esprit. Je retourne au campement et je fais bouillir de l'eau pour le thé vert de Marella. Curieusement, l'idée de la servir ne me gêne pas. J'ai le cœur sec.

# 21

# Les liens brisés

Le matin suivant, il fait encore beau et, alors que nous levons le camp, nous voyons de loin Érica et William qui viennent vers nous à travers les broussailles ; plus tôt, nous avions allumé le fanal pour les appeler, après que j'ai enfin raconté mon rêve à Marella.

— Qu'est-ce que tu veux que je fasse, à présent ? demande Marella.

Jusqu'à aujourd'hui, je n'aurais jamais pensé qu'elle finirait par me donner un coup de main.

— Vide le purificateur d'eau. Et récite le rêve encore une fois, c'est plus prudent.

Elle le récite sans se tromper. Quand elle s'y met, Marella peut apprendre rapidement.

— Ça va, dis-je quand elle a terminé. Tu passeras l'épreuve, c'est sûr.

— Et tu ne diras rien ?

Je secoue la tête, mais je suis incapable de prononcer un mot. Je fais cela pour moi et pour personne d'autre.

Quand William voit que nous avons déjà rassemblé la moitié des bagages, il sourit.

— Tu dois être bien sûre de toi, Marella. Raconte-moi ton rêve.

Elle s'exécute et il la félicite d'une tape amicale sur l'épaule.

— Excellent ! Parfait ! Les hauts plateaux faisaient autrefois partie du manteau terrestre, comme l'indique ton rêve. Tu as subi l'épreuve avec succès. C'est fantastique.

Érica la félicite aussi, mais dans la foulée, on m'oublie. Je les observe tandis qu'ils se réjouissent et je me demande si j'ai bien fait. William relève sa manche et touche un petit dispositif accroché à son poignet.

— Voilà qui activera le fanal de notre campement aux Jardins verts. Quelqu'un viendra de Woody Point pour nous chercher, d'ici quelques heures.

Quand le bateau arrive enfin, les bagages sont prêts et alignés sur la plage. La mer est calme et nous montons à bord sans problème. Cette embarcation est plus spacieuse et plus large, et deux hommes de Woody Point, Chesley Barnes et son frère David, forment l'équipage. Leur communauté n'est pas dirigée par une guilde de tisserandes, de sorte que le tabou leur est étranger :

William et Marella n'ont pas à descendre se cacher dans la cale.

Le voyage devrait se faire dans le calme, et pourtant, le capitaine Barnes semble inquiet.

— Nous retournons directement à Kildevil, dit-il. Je veux vous ramener chez vous le plus vite possible.

— Quelque chose ne va pas ? demande Érica.

— La garde de la Commission s'est pointée sans prévenir et elle a embarqué les jeunes. La plupart d'entre eux ont dû partir.

Mon cœur fait un bond.

— Même à Kildevil ?

— Ils ont frappé Kildevil en premier. On raconte l'histoire tout le long de la côte. Les tisserandes ont tenu bon et exigé que leurs apprenties restent avec elles. L'affrontement a duré des heures. Et puis, la Commission a capitulé. Je dois dire que la guilde des tisserandes m'impressionne. La Commission elle-même n'ose pas l'affronter.

Il rit, et plus sérieusement, il ajoute :

— Tout le monde attend les instructions de Kildevil, à présent. Je suppose qu'on se doutait, à la Commission, qu'il y aurait un soulèvement si les tisserandes étaient contrariées. En fin de compte, la Commission n'a pas touché aux apprenties. Mais tous les jeunes de plus de quinze ans ont été réquisitionnés.

Je pense aux garçons. Sont-ils partis ? Sûrement pas Fraser. Il est si petit. On a dû le croire

plus jeune. Mais Carson et Mark? Partis, sans doute. Quand je pense aux dangers que peut courir quelqu'un comme Carson, j'en suis malade.

Marella a blêmi.

— Je crois que je vais descendre dans la cale, à présent.

— Nous devrions descendre tous les deux. Je vais m'occuper d'elle, dit William à Érica. Tâche d'en apprendre le plus possible.

Le capitaine Barnes nous raconte tout ce qu'il sait des actions de la Commission, et il en connaît un rayon. Il n'est pas venu jusqu'à nous par hasard : il fait partie de la résistance.

Pendant le trajet, nous apercevons des véhicules de la Commission qui vont et viennent le long de la rive. Je suis contente qu'on n'ait pas à s'arrêter. Plus tard dans l'après-midi, un bateau chargé d'un groupe de personnes en uniforme vient vers nous, mais l'embarcation passe son chemin sans s'arrêter.

— J'ai cru qu'ils étaient des gardes de la Commission, dit Érica.

— Non. Ce sont des militaires, rectifie le capitaine Barnes. Nous croyons que les militaires n'ont joué aucun rôle dans toute cette histoire. Je ne crois pas que la Commission interviendrait dans vos affaires. La Voie, tout comme la guilde, est trop puissante pour que la Commission se permette de la défier.

Érica pousse un long soupir.

— J'étais de cet avis, avant. Mais je n'en suis plus si sûre.

Elle pose sa main sur ma tête.

— Je suis si contente que tu te sois trouvée à l'abri sur les hauts plateaux quand tout cela est arrivé.

Le capitaine me regarde et rit sans méchanceté.

— Elle est bien trop petite pour leur être de quelque utilité que ce soit, Érica. Je pense que tu pourras la garder.

La sollicitude d'Érica me touche.

L'après-midi tire à sa fin quand nous atteignons enfin Kildevil. Le capitaine Barnes a prévenu les villageois de notre arrivée ; c'est pourquoi le lieu semble aussi désert qu'au moment de notre départ. Dieu merci, les gardiennes n'ont pas mis sur pied un comité d'accueil. Du coup, en pensant à ces dernières, une question me vient à l'esprit.

— Et le camp de travail ? Est-ce que la Commission a envoyé ces gens au camp de travail ?

— Mais bien sûr, répond le capitaine Barnes. On dit même que les camps de travail n'ont jamais été que des camps de recrues pour la Commission. Tous ceux qui avaient l'âge requis sont partis, y compris quelques gardiens. Le camp est à moitié vide. Et la Commission a nommé gardienne Novembre comme responsable principale. Les conscrits ont été conduits à St. Pearl.

— Est-ce que nous aurons de leurs nouvelles ? demande Érica.

Elle aussi doit être inquiète pour Carson. Le capitaine Barnes secoue la tête.

— Je ne sais pas. Je suis content de ne pas avoir d'enfant de cet âge. Vous êtes certains qu'il vaut mieux que j'évite de vous raccompagner à la maison ?

— Mieux vaut qu'on ne nous voie pas en votre compagnie, dit William.

— Je vous tiens au courant, dit le capitaine à Érica.

Qui viendra chercher toutes nos affaires sur le quai demain matin, en l'absence de Carson et de Mark ? Nous chargeons tout ce que nous pouvons sur nos épaules, et nous laissons le reste. Je m'attends plus ou moins à devoir emprunter le sentier plus en retrait pour rentrer à la maison, mais nous nous dirigeons vers la route. Le camp de travail a déjà éteint ses feux pour la nuit. Même si nous avons quitté la maison il y a trois jours à peine, je n'ai jamais éprouvé autant de bonheur à me trouver quelque part. Nous mangeons un repas léger. J'aide Marella à défaire ses bagages, puis je m'écroule dans mon lit sans même toucher à mon sac de voyage.

Il est déjà tard quand je me réveille, le lendemain matin, mais c'est le silence dans la chambre de Marella. Je me lève et je sors les vêtements sales de mon sac. En vidant mes poches pour la

lessive, je tombe sur la lettre de Carson. J'ai les larmes aux yeux. J'aurais dû la transmettre à Marella, pour son bien-être à lui. Est-ce que nous le reverrons un jour? J'apporte à Marella son thé et je pose la lettre à côté de la tasse, sur le plateau.

— Qu'est-ce que c'est que ça? demande-t-elle.

— Quelque chose que j'aurais dû te donner il y a déjà quelques jours.

Je quitte la chambre sans rien ajouter.

Je suis surprise de trouver Donna et Clara en compagnie d'Érica, à la cuisine. L'urgence des circonstances doit prendre le pas sur la peur du tabou. Les yeux de Donna sont rouges tant elle a pleuré. Je n'ai plus aucun doute: Carson n'est plus là.

— Nous parlions justement de l'investiture, m'informe Érica. Clara et Donna croient qu'il faut agir sans tarder pour bien faire comprendre notre point de vue à la Commission.

Elles ne devraient pourtant pas s'exprimer aussi librement, ici. Malgré moi, je dirige mon regard vers le panneau de contrôle. Érica lit l'inquiétude sur mes traits.

— Ne t'inquiète pas, Blake. Désormais, le panneau est en panne en permanence. Que les gardiennes nous demandent pourquoi, si elles en ont l'audace, déclare-t-elle en se redressant sur sa chaise.

— Nous sommes en guerre, s'écrie Clara. Espérons qu'il n'y aura ni sang, ni armes, ni balles tirées, mais s'il le faut, nous nous battrons. Érica, tout le monde attend que tu te prononces.

— Heureusement que nous avons un nouveau code de chiffrement, dit Érica. Il est préférable de changer les sites de transmission, de temps en temps. Pouvez-vous me trouver un endroit où travailler, cet après-midi?

Les femmes approuvent d'un hochement de tête.

— Bien. Blake, tu pourrais porter un panier de nourriture à Lem, tout à l'heure?

— Avec plaisir.

C'est peut-être égoïste, mais je n'ai envie que de ça.

— Merci, ma chérie.

À mon intention, Érica se lève et pose des aliments sur un plateau.

Je demande:

— Est-ce que vous avez des nouvelles des garçons?

Elles secouent la tête: non.

— Ça ne saurait tarder, soupire Érica. Maintenant, nous devons nous occuper de certains préparatifs pour l'investiture. De tous les petits détails. Pourquoi ne pas t'installer dans la salle à dîner pour manger tranquillement?

Comme c'est étrange de manger seule dans cette pièce. À l'idée que je verrai bientôt Lem et

que je saurai ce qu'il a appris, je ne tiens plus en place. Je marche jusqu'à la fenêtre en grignotant un bout de pain. La grande fenêtre de la salle à dîner surplombe le camp de travail, là où le sol descend en pente douce. Pour un peu, le pain me serait tombé des mains : je vois les enfants, pour la plupart des petits, qui avancent en file indienne, sous la surveillance de gardienne Novembre. On dirait de minuscules soldats. « Mais qu'est-ce que... » dis-je tout haut, mais pour moi-même.

— Tout un spectacle, pas vrai ? murmure William.

Il a surgi derrière moi.

Cette fois, le pain me tombe vraiment des mains.

— Je ne vous ai pas entendu entrer, dis-je en cherchant le morceau sur le sol.

— Je suis désolé, Blake, je ne voulais pas te faire peur.

William s'approche et se poste à côté de moi.

— J'observais cette scène édifiante de mon bureau et je t'ai entendue. Je voulais m'assurer que tu la verrais, toi aussi... Qu'est-ce que tu penses de cette femme ?

— Gardienne Novembre est différente de la gardienne en chef qui l'a précédée. C'est plus qu'un travail, pour elle. C'est toute sa vie. On sait par son nom qu'elle a été une enfant de la rue, vous savez ? Comme nous toutes.

— Oui, je sais. Je me demande pour quelle raison elle a adopté le point de vue de la Commission avec tant de zèle.

— Si on veut le pouvoir, on peut vouloir commencer par un poste de gardienne en chef.

— Crois-tu que c'est ce qu'elle veut ?

Je secoue la tête.

— Je n'ai pas la moindre idée de ce qu'elle veut.

Puis, je me rappelle l'expression de son visage quand William l'a rejetée, pendant le trajet vers les hauts plateaux.

— Elle a peut-être simplement envie de trouver sa place, comme chacun de nous.

Un long silence s'ensuit, et je me demande si j'ai fait une gaffe.

— Eh bien, dit enfin William, toi, tu as certainement trouvé ta place, ici. J'étais persuadé que Marella échouerait aux examens jusqu'à ce que tu commences à l'aider dans ses études. Aujourd'hui, elle se débrouille tellement bien.

Nous nous engageons sur un terrain glissant. Je dois changer de sujet le plus vite possible.

— Je suis toujours ravie d'être utile, dis-je. À propos, je pense qu'Érica a besoin de moi.

Je quitte la pièce sans me retourner. Dans la cuisine, je ramasse les tasses vides de Donna et de Clara, heureuse de retrouver ma petite routine.

Quand Marella se pointe pour le petit-déjeuner, j'évite de la regarder dans les yeux et je m'affaire autour d'elle jusqu'à ce qu'elle aille rejoindre William. Je me souviens alors qu'il faut faire les relevés des rayons ultraviolets.

— Ne t'inquiète pas, la rassure Érica, William a mis en place un petit robot pour faire le travail pendant que nous étions partis. Il affirme que Marella s'est améliorée au point qu'il n'est plus nécessaire qu'elle s'occupe des relevés pendant que nous préparons l'investiture. Il ne reste qu'une semaine. Et nous deux, nous avons tous les bagages à défaire.

Je suis ravie de ranger tout cet équipement que nous avons dû déballer, puis remballer si souvent. Érica rassemble nos vêtements sales et les sacs de couchage. Une montagne, me semble-t-il. La matinée file à toute vitesse.

Durant l'après-midi, Érica remplit le panier de Lem.

— Je t'accompagnerais bien, mais j'attends toujours des nouvelles de Donna et de Clara.

Sur les entrefaites, on cogne à la porte.

— Fraser !

Je n'ai pas pu retenir un cri de joie dès que la porte s'est ouverte. Je suis tout étonnée de mon propre ravissement. Fraser s'empourpre, mais il a l'air vraiment content.

— Je… je me demandais si tu étais en sécurité, dis-je pour justifier cette explosion de joie.

— On m'a enfermé dans le camp avec les petits, pour que je sois en sécurité, je suppose, nous confie-t-il, l'air vaguement triste. Faut croire que ça a marché.

— Je souhaitais que tu le sois, dit Érica, tu n'as que quinze ans, pas vrai ?

Fraser fronce les sourcils :

— Quinze ans et demi.

— Bien sûr. Entre. Raconte-nous ce qui est arrivé.

Mais puisqu'il a passé la journée à l'école, Fraser ne sait presque rien.

— Quand nous sommes sortis après la classe, on avait déjà rassemblé Carson, Mark et les autres. J'ai vu que les tisserandes ont refusé de céder ; elles ont résisté bec et ongles. Vous auriez été fières d'elles, poursuit-il en souriant. Elles ont insisté pour qu'on épargne leurs apprenties et elles ont fourni à toutes les jeunes femmes présentes le foulard des tisserandes. Comme ça, elles ont toutes été relâchées. Mais je suis venu pour vous accompagner jusqu'au village. Faut y aller, maintenant, termine-t-il en se levant.

— Dis-moi seulement où me rendre, Fraser. Je n'ai pas besoin d'escorte en plein jour, rétorque Érica. Tu peux rester plus longtemps avec Blake si tu veux.

C'est très aimable de la part d'Érica, mais pour l'instant, je ne pense qu'à une chose : monter sur la pente de ski.

— Tu aimerais peut-être venir avec moi chez Lem le loup ?

— Quelle bonne idée ! s'écrie Érica.

Fraser se raidit.

— Non, merci, répond-il sèchement.

— Oh, Fraser, pourquoi ?

Érica insiste. Je me demande pourquoi. Je me souviens comment Carson et Mark taquinaient Fraser. Si elle a envie qu'il vienne avec moi, je sais peut-être comment m'y prendre pour le convaincre.

— Tu n'as quand même pas peur de Lem le loup, dis-moi ?

Je me moque gentiment. Soudain, le regard de Fraser devient dur, impénétrable.

— Certainement pas. Mais parlons d'autre chose. Maintenant, madame, si vous êtes prête, je vous accompagne.

Et il sort sans un mot. Érica me jette un coup d'œil contrit et le suit.

J'ai l'impression qu'on vient de me donner un coup de poing dans le ventre. J'attends qu'ils soient loin avant de m'engager dans la direction de la pente de ski. Pourquoi Érica insistait-elle pour que Fraser vienne avec moi ? Pourquoi a-t-il si mal réagi et pourquoi en suis-je à ce point affectée ? J'essaie de balayer ma tristesse. Si Lem a trouvé quelque chose qui concerne mon passé, sa découverte compensera cette déception. En tout cas, c'est ce que je me répète. Quand j'arrive

au sentier qui bifurque vers Kildevil, je me détends un peu. Je me demande ce que nous pourrons bien nous dire, Fraser et moi, la prochaine fois que nous nous rencontrerons. Je grimpe la pente de ski aussi vite que je peux.

La maison est vide. Je pose le panier dans la cuisine et fais le tour des pièces en désordre, comme si quelqu'un d'aussi imposant que Lem pouvait se cacher dans l'une d'elles. Ma déception vire à l'inquiétude. Et si la Commission était venue jusqu'ici ? Mais rien ne semble avoir été déplacé. Soudain, je comprends où Lem se trouve. Je sors sur le sentier qui mène au jardin et je le vois qui s'apprête à ranger ses lyres éoliennes pour l'hiver. Je l'interpelle de loin, de l'autre côté du jardin, car je ne veux pas le faire sursauter. Il se retourne et sourit.

— Petit épi de blé, te voilà... Mais je suppose que je devrais t'appeler Blake, désormais.

— Non, petit épi de blé, c'est mignon. Je peux vous donner un coup de main ?

Au fond, j'aime bien ce surnom.

— Absolument. Une paire de mains supplémentaire pour faire ce travail, c'est excellent.

Nous travaillons en silence à décrocher les lyres des arbres et à les ranger dans une boîte posée à nos pieds. S'il y avait du nouveau, il en parlerait, mais comme il se tait, j'essaie de prolonger autant que possible ce moment de sérénité.

— Le ciel nous est tombé sur la tête en ton absence, déclare-t-il sur un ton neutre.

— Comment l'avez-vous appris ?

— Mon frère est venu de Kildevil pour s'assurer que j'allais bien.

— Vous avez un frère qui vit à Kildevil ?

Est-ce qu'un jour, cet endroit cessera de me surprendre ?

Lem opine.

— Nous n'avons jamais eu d'atomes crochus, mais il fait son possible pour m'aider. Maintenant, tu voudrais bien savoir si j'ai trouvé quelque chose. En fait, non. Mais je n'ai pas arrêté de chercher, méthodiquement, jusqu'en juin 2354. Je viens à peine de commencer mes recherches pour le mois de juillet. Si ton nom s'y trouve, je vais tomber dessus. Pour ce qui est de la machine à cassettes, je progresse. J'ai réglé le mécanisme pour que la cassette avance à la bonne vitesse. Il faut maintenant que j'ajuste le dispositif magnétique.

Il semble si confiant que je suis rassurée.

— C'est fantastique.

— Pas trop vite... Le plus difficile reste encore à faire.

— Vous devez y passer tout votre temps. Comment pourrais-je vous remercier ?

Son regard se perd au loin.

— Tant d'enfants ont perdu leurs parents dans le technocauste ! Tant de liens brisés. Ma

propre vie a volé en éclats. Il faut croire que le fait de t'aider me rend la vie plus facile.

Il soulève la boîte à ses pieds.

— Ça y est. Nous avons terminé. Viens avec moi, je voudrais te montrer quelque chose.

Nous rentrons à la maison. Lem me tend un livre.

— Tiens. Prends. Tu aimes la poésie et peut-être qu'on t'a donné ton prénom en l'honneur de Blake. Alors, j'ai pensé que ceci te plairait.

— Merci, dis-je.

C'est un vrai livre. Un vieux livre. Je lis, sur le dos : *Milton et Blake: poésies complètes.*

— Heureusement que mes parents n'ont pas choisi de m'appeler Milton.

Lem éclate d'un rire tonitruant dont toute tristesse est absente.

— Quant à moi, tu n'as pas du tout l'air d'un Milton. Je vais faire du thé.

J'esquisse le geste d'ouvrir le livre, puis je me ravise. Je préfère attendre. Je me dirige plutôt vers le clavier. Chaque note prise individuellement est décevante. Et quand j'appuie sur plusieurs notes à la fois, c'est une catastrophe. Plus j'essaie et moins je parviens à en sortir des sons agréables.

Tandis que Lem revient avec le thé, je lui demande :

— Pourquoi est-ce si difficile d'en tirer de la musique, comme vous le faites ?

— Il faut y travailler très, très longtemps. Cela demande beaucoup de patience et des années de pratique.

— À vous voir, on dirait que c'est si facile.

— Eh bien, non. C'est difficile. Même les gens qui ont naturellement du talent doivent travailler dur.

Je pense à Fraser et à son concertina.

— Je connais quelqu'un comme ça. Il s'appelle Fraser et il vit à Kildevil.

Un nuage assombrit le regard de Lem.

— Comme ça, tu connais Fraser, chuchote-t-il, si bas qu'il a l'air de se parler à lui-même.

Je me demande si Lem sait pourquoi Fraser a refusé de venir ici, mais je n'ose pas lui poser la question. Je demande plutôt :

— Est-ce que vous le connaissez, Lem ?

— Non. J'en sais seulement ce qu'Érica et mon frère m'en disent. Maintenant, petit épi de blé, tu m'excuseras, mais j'ai à faire.

Je me retrouve dehors avant d'avoir pu poser une autre question, sans avoir même touché à mon thé. Un autre des nombreux mystères de Kildevil.

L'après-midi tire à sa fin, mais Érica n'est toujours pas rentrée à la maison. Marella est sans doute dans sa chambre. Il faudra bien que tôt ou tard, je l'affronte. Autant le faire dès maintenant. Elle est assise sur son lit, la lettre de Carson dans les mains.

— Tu as pensé ne jamais me la donner ? demande-t-elle.

À ma grande surprise, elle n'est pas en colère.

— Je ne sais pas. Je suppose que j'aurais fini par le faire.

Marella reprend, dans un murmure :

— Tu dois vraiment me détester.

Je n'ai pas le cœur de lui mentir.

— Je ne t'aime pas beaucoup, en effet, mais je n'irais pas jusqu'à dire que je te déteste.

Marella secoue la lettre qui bat l'air comme un oiseau aux ailes cassées.

— Il voulait me voir. Je devais lui envoyer un mot par ton intermédiaire. Je ne le reverrai sans doute jamais.

Elle pleure à chaudes larmes.

— Sa mère aussi a de la peine, dis-je.

Elle ouvre de grands yeux.

— Tu connais sa mère ?

J'approuve d'un signe.

— Madonna Walsh. Elle est tisserande.

— Est-ce que tu crois que je pourrais lui plaire ? demande Marella sur un ton suppliant.

Je ne crois pas une minute que Donna rêverait de cette enfant gâtée pour son fils, mais je réponds :

— Je ne sais pas.

Il y a des limites à l'honnêteté. Je me retire et je la laisse ruminer sa misère. Tandis que je descends à la cuisine, toutes sortes de pensées

tourbillonnent dans ma tête. Érica est partie depuis trop longtemps. Peut-être devrais-je la chercher. J'ouvre la porte de la cuisine et elle est là, préparant déjà le dîner.

— Je suis contente que vous soyez revenue.

Je ne lui demande pas où elle était ni ce qu'elle a fait. Mieux vaut ne pas le savoir.

— Comment va Lem ? demande-t-elle.

— Il va bien.

— Tu veux que je t'explique, à propos de Fraser ?

Je suis surprise de sa proposition.

— Je croyais qu'il s'agissait d'un secret.

— Non. Personne n'en parle sans avoir de bonnes raisons. Mais je pense que tu devrais savoir. Il est préférable que tu t'assoies… Quand Michelle est morte, Lem s'est retrouvé en état de choc. Je t'en ai déjà parlé. Pendant des années, il était méconnaissable. Il aurait eu besoin d'aide, mais au moment du technocauste, c'était impossible. Les gens d'ici se sont contentés de le cacher et de faire leur possible. Il ne s'est remis que très lentement. Lem semble à peu près normal aujourd'hui, mais quiconque l'a connu avant sait qu'il n'est plus que l'ombre de lui-même. Et il a des... comment dire ? Des trous de mémoire. Il a totalement oublié les quelques mois qui ont précédé la disparition de Michelle.

J'imagine à quel point le fait d'oublier la mort d'Hilary aurait pu me faciliter les choses.

— Mais c'est tant mieux comme ça, non ?

Érica soupire.

— Peut-être, sauf qu'il a oublié quelque chose de très important.

— C'est-à-dire ?

— La naissance de son fils.

Je réalise lentement ce qu'Érica est en train de me révéler.

— Fraser ?

Elle fait signe que oui.

— Il n'avait que six mois. Lem n'a absolument aucun souvenir de lui. Les soldats l'ont abandonné dans son berceau, en pleurs. Les gens de Kildevil sont venus le chercher dès qu'ils ont pu. Les femmes ont pris soin de lui jusqu'à ce qu'il soit assez vieux pour aller vivre avec le frère de Lem, Rob.

Je me rappelle ce que disait Lem cet après-midi, qu'il n'entendait parler de Fraser que par Érica ou par son frère.

— Mais ils ne se sont jamais rencontrés ? C'est inoui !

— Rob est une personne difficile. Les gens de Kildevil prétendent qu'il passe son temps à les contredire. Même avant le technocauste, Lem et lui ne s'entendaient pas très bien. Il n'a jamais accepté la fascination de Lem pour la technologie. Et il ne croit pas une seconde que Lem ait oublié l'existence de Fraser. Il dit que Lem prétend ne pas s'en souvenir pour échapper à ses responsabi-

lités. Et Rob est parvenu à en convaincre Fraser. Il n'a jamais rencontré Lem parce qu'il ne veut pas. Et Lem n'a pas la force d'insister.

Je me souviens de l'expression sur le visage de Lem quand j'ai parlé de Fraser.

— Mais Lem le veut ! Je sais qu'il le veut. Il m'a parlé aujourd'hui de tous ces enfants qui ont perdu leurs parents dans le technocauste. Je ne savais pas…

— Je crois que tu as raison, Blake. Je crois que c'est pour cette raison qu'il fait de son mieux pour t'aider. Mais la plupart des gens croient que c'est au-delà de ses capacités. Ils croient que, pour le bien de Lem, il est préférable de ne rien changer.

— Et vous, qu'en pensez-vous ?

Érica secoue la tête :

— Je ne sais pas.

— Tu ne sais pas quoi ? demande William qui entre dans la pièce.

— Je racontais à Blake l'histoire de Lem et de Fraser.

William fronce les sourcils.

— Rob Leloup est un homme insatisfait. Il l'a toujours été. Pauvre Fraser. Il ressemble tellement à sa mère. Qu'est-ce que c'est que ça ? demande William en saisissant le livre que j'ai posé sur la table.

— C'est Lem qui m'en a fait cadeau. Parce que j'aime la poésie. À cause de Blake.

William ouvre le livre et affiche une mine étonnée.

— Ce livre appartenait à Michelle. Tiens, regarde.

Son nom, Michelle Blanchette, est écrit d'une main ferme et sûre.

# 22

# La tunique et la robe

La semaine s'écoule lentement. Aucune nouvelle des garçons. Nous observons les enfants qui s'adonnent à des exercices militaires, chaque matin, devant le Grand Hôtel. Tout est dangereusement calme. La rumeur veut que la Commission n'ait pas la puissance nécessaire pour assurer le contrôle hors de St. Pearl, mais il est difficile de savoir dans quelle mesure, ici, on prend ses rêves pour des réalités.

Marella passe ses journées en compagnie de William pour préparer l'investiture et le sacrifice. Elle apprend ce qu'elle a toujours voulu savoir et je ne lui suis plus d'aucune aide. Érica disparaît tous les après-midi et revient un peu plus troublée chaque fois. Mis à part les tâches domestiques, je ne fais rien de mes journées. Pour la première fois de ma vie, je peux lire tout mon soûl. J'emprunte des ouvrages de science dans la

bibliothèque de William. Je lis les poèmes de Milton et de Blake. Je m'immerge complètement dans les livres. Je rends visite à Lem aussi souvent que je le peux, mais il ne semble pas faire de progrès avec la machine à cassettes, et il n'obtient pas non plus de résultats en fouillant dans la liste archivée. Mais tout cela me préoccupe moins qu'on pourrait le croire parce que désormais, je pense davantage à mon avenir qu'à mon passé. Qu'adviendra-t-il de moi après l'investiture ? Je ne retournerai pas au camp de travail, quoi qu'il advienne. Érica pourra peut-être me trouver une place dans la résistance et je pourrai lutter contre la Commission. Je lui en glisserai un mot après la cérémonie, même si l'idée de les quitter, elle et William, me brise le cœur.

Le jour de l'investiture se rapproche et Kildevil entre en effervescence. Toute cette opération me rappelle les jours qui précèdent la Cérémonie de la mémoire, à une autre époque, il y a quelques semaines seulement.

— On apportera la robe de Marella dès ce soir, m'informe Érica, pour qu'elle en fasse l'essayage.

— L'avez-vous vue ?

Elle hoche la tête.

— Oui. Elle est magnifique. Elles ont même créé un turban parce que je leur avais dit que c'était nécessaire.

Érica lisse ma chevelure entre ses doigts.

— Tu pourrais avoir de beaux cheveux. Pourquoi ne les laverais-tu pas ? Ensuite, je vais te les couper.

Je hausse les épaules.

— Je n'ai rien de beau et de toute façon, personne ne me regardera, demain soir.

Mes propos semblent l'offusquer.

— Je suis désolée. Bien sûr, vous pouvez me couper les cheveux. Je vais tout de suite les laver.

Je reviens dans la pièce où elle m'attend avec des ciseaux et un miroir dans lequel je l'observe pendant qu'elle coupe mes cheveux avec adresse, pour que mes boucles mettent mon visage en valeur. Je dois admettre que c'est beaucoup plus joli ainsi. Mais tandis que j'aide Érica à préparer le dîner, je me rends compte que j'ai le cœur en miettes. Je ne peux pas supporter l'idée de la quitter, mais je ne vois pas comment il pourrait en être autrement.

On frappe à la porte. Si je m'étais arrêtée à y penser, j'aurais compris que Fraser aurait la tâche de livrer la robe.

— Magnifique, s'écrie Érica. Je vais la porter là-haut. Blake, pourquoi ne ferais-tu pas du thé pour Fraser ?

Et elle file en nous laissant seuls ; son intervention semble en tout point délibérée. Je ne sais plus où poser les yeux. Je m'attends à ce que Fraser me batte froid, mais non, pas du tout.

— Tu as changé ta coiffure, constate-t-il.

Je porte vivement la main à ma tête, comme si je n'étais pas au courant du changement.

— C'est Érica qui m'a coupé les cheveux. Pour demain. Pour que j'aie l'air respectable.

— C'est le cas.

Il tient toujours le sac dans lequel la robe se trouvait. Il balaie des yeux la cuisine.

— Est-ce qu'on a parlé de faire du thé ?

— Oui, bien sûr. Assieds-toi, enfin, je veux dire...

On dirait que j'ai désappris à parler. Je me sens tellement idiote. Je lui tourne le dos, tout en mettant la bouilloire sur le feu.

— Je suis désolé pour l'autre jour. Je n'étais pas très aimable, dit doucement Fraser.

— Non. Tout était de ma faute. Je ne savais pas, tu comprends, pour Lem et toi. Je ne t'aurais pas proposé de m'accompagner si j'avais été au courant.

— Madame Townsend m'a raconté.

La bouilloire est sur le feu, mais je continue de lui tourner le dos. Je n'ose pas le regarder en face. Je ne bouge pas, même si je sais que mon attitude est étrange, et je voudrais que l'eau bouille tout de suite. En vain.

— Est-ce que tu as l'intention de te retourner, tôt ou tard ? demande Fraser au bout d'un moment.

Je m'exécute. Une tunique de laine blanche immaculée, de la laine la plus fine que j'aie jamais vue de ma vie, est posée sur la table. Il la soulève et me la montre :

— Je l'ai tricotée pour toi. Tu veux bien l'essayer ?

La tunique me tombe juste au-dessus du genou. On dirait que je porte un nuage. Le point en est extrêmement compliqué.

— Elle est jolie ! Je n'ai jamais rien possédé d'aussi beau. Comment pourrais-je te remercier ?

— Porte-la simplement, pour moi, demain soir, après la cérémonie. C'est tout ce que je demande.

William entre dans la cuisine quelques minutes plus tard.

— Bonté divine, Blake… Comme tu es belle.

Je rougis, je le sens.

— Érica m'a coupé les cheveux et Fraser a tricoté cette tunique pour moi.

William fronce les sourcils.

— Et tu l'as acceptée ? Fraser, penses-tu qu'elle comprend ce que cela signifie ?

Fraser s'empourpre, les yeux rivés au fond de sa tasse de thé.

— Je suppose. Elle n'a pas été élevée chez les barbares.

— Tu as raison. Mais elle n'est pas d'ici et elle ne connaît pas tes coutumes.

Ils discutent comme si je n'étais pas présente.

— Écoute, Fraser, ce soir, Érica et moi lui dirons de quoi il retourne et tu lui en reparleras demain, d'accord ?

Fraser semble blessé ; son visage se ferme.

— Croyez-vous qu'elle me rendra la tunique ?

— Non ! m'exclamé-je, mais William lève la main pour m'enjoindre de me taire.

— Nous verrons.

Fraser se lève brusquement :

— Dans ce cas, je ferais mieux de m'en aller.

Et avant que j'aie eu le temps d'intervenir, il était déjà parti.

Pour la première fois de ma vie, je ne cherche pas à dissimuler ma colère.

— Qu'est-ce que c'est que cette histoire ? Pourquoi l'avez-vous traité de façon aussi mesquine ?

— Blake, que se passe-t-il ? demande Érica en entrant dans la cuisine. Mon Dieu ! comme tu es jolie.

William se tourne vers elle.

— C'est la tunique. Fraser l'a fabriquée pour elle.

— Oh, je vois...

— Est-ce qu'on va bientôt finir par m'expliquer ce qui se passe ?

Érica m'entoure les épaules de son bras.

— À Kildevil, explique-t-elle, quand un garçon offre un tricot qu'il a fabriqué à une jeune fille, c'est un gage. Si elle l'accepte, il s'agit d'un signe.

— Que voulez-vous dire ?

— Un gage d'amour, précise William. Si tu acceptes le cadeau de Fraser, tout le monde à Kildevil comprendra cela.

Mon embarras est tel que je fonds en larmes et que je sors en courant de la maison. Il fait froid, dehors, mais je brûle de honte et la tunique de Fraser me garde au chaud. Je cours au hasard jusqu'à ce que j'aperçoive quelqu'un devant moi dans le sentier. J'ai rejoint Fraser. Il me voit et je peux lire l'espoir dans ses yeux.

Je suis inconsolable. Je ne peux pas cesser de pleurer.

— Oh ! Fraser, je ne savais pas ! dis-je, haletante, je ne savais pas que ce cadeau avait une signification ! Comment l'aurais-je su ?

Il m'entoure de ses bras. Je ne le repousse pas. Au contraire, je m'abandonne sur son épaule frêle. Curieusement, je n'éprouve aucune crainte.

— Allez, ne pleure plus. Je n'ai jamais voulu te faire de la peine. Tu semblais tellement contente de voir la tunique que j'ai pensé que tu comprenais mes intentions.

Je secoue la tête. Je voudrais dire quelque chose, mais je sanglote, je hoquette et je n'y parviens pas. Fraser sourit doucement.

— Ne te torture pas, Blake. La première fois que je t'ai vue, dans la cuisine du maître, je ne pouvais pas détacher mes yeux de toi. Tu te souviens quand Carson se moquait de moi ? Et encore,

cette autre fois, dans le bateau, quand tu m'as raconté ta vie, il m'a semblé que nous étions faits pour nous entendre. J'ai décidé ce jour-là de tricoter cette tunique pour toi.

— Mais William m'a dit ce que ce cadeau signifiait.

Ma voix n'est plus qu'un murmure :

— Je ne sais pas si je peux tomber amoureuse de toi. Ou de quiconque. Je n'ai jamais essayé.

Il me regarde, surpris.

— On n'essaie pas ce genre de chose. Ça se produit ou ça ne se produit pas.

Je n'ose pas le regarder en face. Je fixe le sol à mes pieds.

— Je ne suis pas prête, Fraser. Je ne sais simplement pas comment faire. Je vais te redonner ta tunique.

Je m'apprête à la retirer, mais il m'en empêche.

— Non, proteste-il. Je ne la donnerai à personne d'autre. Et tu n'accepteras pas de cadeau de ce genre de personne d'autre, promis ?

J'approuve. Il sourit :

— Alors, garde-la. Pas pour la porter, simplement parce qu'elle est à toi. Nous en reparlerons plus tard. Ce sera plus facile, après l'investiture. Quand les choses reviendront à la normale.

Ses yeux sombres sont pleins de douceur. Un autre que lui aurait pu être furieux, ou cruel. Mon cœur déborde de tendresse pour lui.

— Ça va mieux, maintenant ? demande-t-il.

Je fais signe que oui et je tourne les talons. Après demain, tout le monde reprendra son train-train quotidien, mais ma vie à moi partira en fumée. Sa gentillesse me touche au-delà des mots. J'ai ressenti une fois déjà ce bonheur inattendu. Pendant un court instant, je cherche à me rappeler à quelle occasion. Puis, je me souviens. C'était avec son père. Avec Lem.

Quand je rentre à la maison, Érica et William sont assis à table. Ils semblent bouleversés.

— Je suis désolée. Ça va mieux, maintenant.

— Tu n'y es pour rien, Blake, dit William. C'est Marella. Elle refuse de porter la robe. Tu pourrais peut-être essayer de lui parler ?

Je fais mine de me diriger vers la porte, mais Érica me retient.

— Tu portes toujours la tunique. Je croyais que tu courais après Fraser pour la lui rendre.

— Je lui ai parlé, en effet. Nous avons décidé que je la garderais. Je ne la porterai pas. Je la conserve, simplement, pour l'instant.

William affiche une mine grave.

— Il est tout à fait naturel qu'un garçon comme Fraser ait envie de s'établir le plus rapidement possible. Il n'a jamais eu assez d'amour dans sa vie et…

Je l'interromps.

— Dans ce cas, vous pouvez comprendre qu'il m'était impossible de l'éconduire aussi brutalement, n'est-ce pas ?

J'ignorais que telle était la nature de mes sentiments jusqu'à ce que les mots sortent de ma bouche.

— Oh ! Blake, sois prudente, me conseille Érica. Tu es beaucoup trop jeune pour t'engager de cette façon.

Je secoue la tête.

— Ne vous inquiétez pas. J'ai quelques idées sur mon avenir. Nous pourrons peut-être en reparler après-demain. Maintenant, je vais voir ce que je peux faire pour Marella.

Elle est allongée sur son lit, le visage contre l'oreiller. La robe de cérémonie confectionnée avec tant d'amour gît, bouchonnée, sur le plancher. Pour la deuxième fois de la soirée, je sens la colère monter en moi. Je me penche pour ramasser la robe et je tâche de reprendre mon sang-froid. Marella se retourne et me regarde.

— Qu'est-ce qui t'est arrivé ?

Je cherche une façon de lui expliquer la raison de mon affliction, mais elle enchaîne :

— Je ferais n'importe quoi pour avoir des cheveux comme les tiens. Et je suppose que tu porteras cette tunique, demain, au moment de l'investiture ?

Je secoue la tête.

— Non. J'ai décidé de ne pas la porter pour le moment. Mais ce n'est pas de cela que je veux te parler. As-tu la moindre idée des efforts qu'il a fallu déployer pour fabriquer ta robe ?

— Elle est couverte de petits crabes, se lamente-t-elle. Ça me donne la chair de poule.

— *Marella splendens.* C'est de cet animal que tu tiens ton nom. Les tisserandes ont mis des mois à en concevoir le motif. Elles ont utilisé leurs fibres les plus fines. Comment peux-tu être aussi ingrate ?

Marella renifle et se tait. Son silence m'encourage à poursuivre :

— Si tu refuses de la porter, la mère de Carson ne t'adressera jamais la parole de sa vie.

À dire vrai, je n'en sais rien. Je pense qu'on accepterait de l'honorer, même si elle se comportait de façon odieuse. Mais je ne permettrai pas qu'elle fasse une chose pareille.

Marella se redresse sur son lit.

— Tu crois ?

— Absolument.

Je n'ai jamais su mentir, mais je veux tellement croire que c'est la vérité, que moi-même, j'y crois.

Marella replace son turban.

— Il faudra repasser la robe, déclare-t-elle.

— Je vais y voir.

Je quitte la chambre en serrant la robe contre mon cœur et contre la tunique que Fraser a, lui aussi, fabriquée avec amour – pour moi. Je n'aurais jamais imaginé, avant, qu'un si beau vêtement serait destiné à quelqu'un comme moi. Maintenant, je le peux.

# 23

# L'investiture

Le matin suivant, avant même d'ouvrir les yeux, je sais que quelque chose ne va pas. Une sorte de stridulation, trop aiguë pour que mon oreille en identifie la source, remplit l'air. Avant d'aller rejoindre Marella dans sa chambre, je m'habille et je descends à la cuisine. Je redoute confusément de trouver la cause de toute cette agitation devant le Grand Hôtel. Et j'ai vu juste. Des véhicules militaires de toutes les tailles et de toutes les formes envahissent le terrain. Il n'y a personne aux commandes de ces engins, mais le sifflement suraigu des piles à combustible m'a réveillée. Érica et William arrivent à leur tour. Celle-ci a les lèvres pincées de rage.

— Et voilà où nous en sommes rendus.

Je lui saisis le bras à deux mains.

— Est-ce qu'ils viennent vous chercher ?

Elle se libère gentiment de mon étreinte.

— Non, mon petit. Ils sont ici à cause de l'investiture.

— La cérémonie donne à la Commission l'occasion de montrer sa puissance. Nous redoutions cette situation, ajoute William.

— Est-ce qu'ils vont tenter de nous nuire ?

C'est William qui parle, mais c'est le guerrier qui s'exprime en lui.

— Ils peuvent toujours essayer ; ils n'y parviendront pas. Si chacun de nous leur tient tête, l'investiture aura lieu.

— C'est exact. Et elle aura lieu.

Marella paraît sur le seuil. Je n'aurais jamais parié sur son courage et pourtant, il irradie maintenant de toute sa personne.

Cette journée attendue avec tant d'impatience, nous la redoutons, à présent. Nous attendons le moment où les soldats surgiront mais ils ne viennent pas. En fait, si ce n'était des véhicules, on ne saurait pas qu'ils sont là, tout près. À midi, pendant le déjeuner, Érica et William élaborent une stratégie.

— On pourrait accompagner discrètement Marella jusqu'à Kildevil par le sentier en retrait de la route, propose Érica.

— Tu sais bien que les femmes doivent venir jusqu'ici la chercher au coucher du soleil. Cela fait partie de la cérémonie. Si nous changeons nos plans, nous avouons d'emblée notre défaite, réplique William.

Il prend la main d'Érica et poursuit :

— Il ne s'agit ni de la cérémonie ni même de la Voie. Tout ce en quoi nous croyons est en jeu, ici, tout ce pour quoi nous avons tant travaillé. Tu le sais, Érica, n'est-ce pas ?

Érica approuve, mais ses yeux se remplissent de larmes.

La discussion est terminée. Marella doit rester.

La journée n'en finit plus de passer. Enfin, au coucher du soleil, Érica porte un coffret dans la chambre de Marella.

— Un peu de maquillage…

Marella lève vivement la main, comme pour protéger son visage.

— Je ne peux pas me servir de ça.

Érica sourit.

— Ces produits sont inoffensifs. J'ai eu beaucoup de mal à me les procurer.

Et elle se met au travail pour donner des couleurs au teint de porcelaine de Marella.

— Blake, dit Érica, j'ai posé une robe pour toi sur le lit. Enfile-la. Ensuite, nous aiderons Marella à s'habiller.

J'aperçois la robe et j'en ai le souffle coupé. Un dégradé du rouge incandescent à l'orange allant de l'ourlet jusqu'à l'encolure. Je ne pensais pas porter quelque chose d'aussi joli ce soir. Je me débarrasse de mes vêtements. Le tissu soyeux de la robe glisse sur ma peau. Quand je virevolte, il

chatoie comme une flamme. Je n'ai encore jamais porté de robe.

Le visage de Marella s'empourpre de colère quand elle me voit, mais elle doit soudain se rappeler qu'elle est la raison d'être de tous ces préparatifs, car elle baisse les yeux et se tait. En revanche, Érica sourit, et ce sourire me comble davantage que tous les compliments du monde.

— À ton tour, maintenant, lance-t-elle à Marella.

Quand nous avons fini, Érica dit :

— Suivez-moi maintenant. Je veux que vous puissiez vous voir, toutes les deux.

Nous nous tenons devant un grand miroir en pied dans sa chambre. Marella ressemble à une fleur délicate, à un jardin de neige fraîche. Je me souviens combien je l'avais trouvée belle la première fois où je l'ai vue. Peu importe ce qui arrivera ce soir, je n'échangerais pas ces dernières semaines pour tout l'or du monde. Je me tiens derrière elle, comme une ombre colorée. Sa beauté dégage une lumière qui éclipse ma robe et mes cheveux sombres.

— Descendez, maintenant. Et dites à William de me rejoindre. Nous devons nous aussi nous préparer.

Marrella et moi entrons dans la salle à dîner aux premières lueurs du crépuscule. Je n'en crois pas mes yeux : les véhicules militaires ont disparu. On dirait qu'on a restauré l'atmosphère

comme par magie. Ai-je dit « magie »? Je m'interroge. S'agit-il depuis le début de magie ? Lui fera-t-on une place, ce soir, durant la cérémonie ? Je ne peux pas poser la question à Marella. Elle arpente la pièce de long en large, incapable de dire un mot tant elle est fébrile, car nous percevons déjà, au loin, le chant des femmes de Kildevil. Puis, entre les arbres, nous remarquons la lumière vacillante des torches.

— Marella, ne reste pas près de la fenêtre, ordonne William qui entre dans la pièce.

— Je suis désolée, j'avais oublié, rétorque Marella.

Elle a les yeux brillants et, pour le moment, tout va pour le mieux. William et Érica resplendissent. Elle porte une robe dont le dégradé va du jaune au vert, et la tenue du maître marie le bleu et le violet.

— Viens.

Érica prend ma main. Nous sommes devant le seuil, William, Érica et moi. Les femmes grimpent la colline en file indienne ; on dirait une rivière chantante, joyeuse dans la lumière des torches. Je retiens mon souffle tandis qu'elles passent devant le Grand Hôtel ; elles poursuivent leur route sans problème. Puis, elles s'arrêtent devant nous, rayonnantes, vêtues de robes semblables aux nôtres.

Clara fait un pas dans notre direction.

— Nous venons souhaiter la bienvenue à notre bioguide.

— Et comment l'honorez-vous ? demande William.

Elles répondent en cœur :

— Nous l'honorons par nos voix et par nos chants.

— Ce n'est pas suffisant, constate William.

Je me tourne vers Érica, stupéfaite. Mais elle est tout sourire.

— Nous l'honorons par notre vie et par notre travail, affirment-elles en haussant la voix.

— Ce n'est pas suffisant.

— Nous l'honorons comme nous honorons la terre ! crient-elles joyeusement.

— Dans ce cas, elle est à vous, tranche William.

La porte s'ouvre toute grande et, sur un signe, Marella sort. Sa robe blanche scintille comme un joyau diaphane dans la lumière déclinante. On l'accueille avec un murmure d'admiration.

Elle lève la main pour commander le silence.

— Vous toutes, je vous servirai comme je sers la terre elle-même, en lui consacrant ma vie.

On entend des hourras tandis que les plus âgées des femmes guident Marella vers une sorte de chaise à porteurs décorée de rubans. Elle y prend place et quatre garçons s'avancent pour la soulever de terre. Fraser est le plus vieux d'entre eux. Ils sont trop petits pour cette charge. Je me

souviens avec un pincement de cœur que les autres garçons ont dû partir. Je suppose que Carson Walsh aurait fait partie des porteurs.

Les garçons soutiennent bravement le poids de Marella. Toutes les femmes présentes chantent et dansent, dissimulant tant bien que mal leur inquiétude : elles savent que la charge est trop lourde pour ces enfants. Je suis de près la chaise et les porteurs ; je peux donc voir Fraser trembler sous le poids. Il transpire tellement que ses fins cheveux noirs collent à son front, bien qu'il fasse frais, ce soir. Quand les garçons semblent sur le point de s'écrouler, William intervient pour les délester. Seuls ceux qui sont tout près s'aperçoivent que William soutient la chaise d'une poigne ferme.

La cérémonie doit se dérouler dans le plus gros immeuble de Kildevil, le Hall. C'est une salle de rencontres. Érica m'explique qu'il s'agit aussi de la biblio-tech et qu'on y entrepose les autres outils de cette technologie sophistiquée que les gens de la ville sont disposés à tolérer, mais dont ils ne veulent pas chez eux. J'aperçois soudain les véhicules militaires ; j'ai été bête de croire qu'ils s'étaient simplement retirés. Ils sont là, bien sûr. Je voudrais m'enfuir. Les femmes continuent de chanter sans interruption, contournant les véhicules, comme si tout ce cirque faisait partie de la fête. Elles ne sont pas surprises. Même si elles savaient que les militaires seraient présents, elles sont allées de l'avant. Leur hardiesse me

donne du courage. Je saurai affronter ce qui nous attend.

Les énormes portes du Hall s'ouvrent sur un intérieur noir comme la nuit. On dirait qu'un ogre monstrueux s'apprête à nous avaler. Nous traversons un couloir étroit jusqu'à une pièce circulaire au fond de laquelle on a monté une scène. Des chaises sont disposées en demi-cercle. La moitié de la salle est pleine de citadins et l'autre moitié, de soldats. Je me demande depuis combien de temps ils attendent ainsi, côte à côte. Les garçons posent enfin la chaise devant la scène décorée de couleurs vives, et les tisserandes les plus âgées accompagnent Marella jusqu'en haut des marches. William, Érica et moi, nous les suivons, ainsi que d'autres tisserandes et les quatre porteurs. Fraser a l'air malade, mais je ne saurais dire si c'est d'épuisement ou de peur.

— Gens de Kildevil… commence William pour s'interrompre aussitôt.

Gardienne Novembre grimpe à son tour sur la scène en compagnie d'un petit groupe d'officiers. Leur uniforme beige se découpe comme une tache blafarde sur la scène multicolore.

— Qu'est-ce que ça signifie ? demande William, tremblant de rage dans sa toge bleue scintillante.

Sa voix porte jusqu'au fond de la salle, où tombe un silence absolu. Pour un peu, on croirait que la salle s'est vidée.

À ma grande surprise, c'est gardienne Novembre qui prend la parole.

— La Commission désire souhaiter la bienvenue à notre nouvelle bioguide.

William se détend.

— Si c'est l'unique raison de votre présence ici, eh bien, soyez la bienvenue.

Gardienne Novembre semble d'abord déconcertée, puis furieuse.

— Nous désirons également exiger de la bioguide un serment d'allégeance à la Commission avant le début de votre cérémonie. Si vous refusez, vous devrez en répondre devant l'armée.

Il semble qu'elle soit prête pour la confrontation.

William se gonfle d'une colère dévastatrice, mais avant qu'il ait le temps d'ouvrir la bouche, un officier s'avance. Il parle si bas que nous sommes les seuls à pouvoir l'entendre :

— Gardienne Novembre, ce n'est pas du tout ce qui était convenu.

Il se tourne vers nous.

— Je suis le capitaine Mars de la garnison de Corner Brook. Nous sommes ici uniquement en tant qu'observateurs. J'ai reçu l'ordre de ne pas intervenir.

Gardienne Novembre s'adresse à lui :

— Oseriez-vous désobéir à la Commission ?

— Je reçois mes ordres directement du général Ryan.

Elle hésite, cherchant le moyen d'imposer sa volonté. Soudain, nous entendons de la musique. Un air pour clavier nous enveloppe comme un vent de paix.

— *That Sheep May Safely Graze*[2]; c'est tout indiqué, déclare le capitaine Mars tandis que retentissent les dernières notes.

— Maître, poursuit-il, au nom du général Ryan et de l'armée, nous souhaitons la bienvenue et beaucoup de joie à la nouvelle bioguide.

— Merci, capitaine Mars, réplique William. Et nous acceptons également vos souhaits, gardienne Novembre.

Les soldats se retirent, si bien que gardienne Novembre n'a d'autre choix que de les suivre. La cérémonie commence, mais c'est à peine si je m'en rends compte. Tandis que la musique jouait, j'ai repéré qu'elle provenait d'un coin sombre de la salle. Fraser en a fait tout autant. On a dû planifier avec soin la contribution de Lem à la cérémonie, car sa musique est parfaite pour l'occasion. Il est assis en retrait, dans le noir. Et quand il joue, il ferme les yeux comme s'il était seul au monde. Je passe le reste de la soirée à regarder Fraser faire comme si son père n'existait pas.

---

[2] Pièce musicale de Jean-Sébastien Bach. On peut traduire ce titre par « cette brebis peut paître en paix » (NdT).

# 24

# Ce que nous avons perdu

La fête qui suit l'investiture se poursuit jusqu'aux premières lueurs de l'aube. C'est alors le moment du sacrifice. On conduit Marella aux abords d'un jardin muré près de la salle. Elle est là, debout, son visage nu exposé au soleil. Elle ferme les yeux et respire profondément. Puis, on lui tend une tasse en terre cuite pleine d'eau et une carotte qu'on a fait pousser ici même, l'été dernier. Tandis qu'elle boit et qu'elle mange, la foule psalmodie doucement. D'abord, les mots sont prononcés à voix trop basse pour être audibles mais bientôt, j'en saisis le sens: «Nous te rendons grâce pour ton sacrifice», encore et encore. Puis, William trempe son pouce dans l'eau et dessine une ligne sur le front de Marella. Elle sourit. Les gens poussent des hourras et tout est fini.

De nos jours, la cérémonie ne comporte plus de risque ; elle n'a rien de magique non plus, j'en suis sûre. Les bioguides mouraient à une autre époque, sans doute à cause de toutes les toxines qui polluaient la terre, pas à cause de cette exposition rituelle. Mais on n'avait aucun moyen de vérifier ce qui les décimait. Pas étonnant qu'on parle de la Noirceur pour qualifier cette époque. Quand le danger était réel, ce sacrifice offrait une protection tellement dérisoire. J'imagine tous ces gens vivant dans un environnement si malade qu'ils n'avaient plus que des superstitions pour toute protection. En fin de compte, je peux comprendre quelle était l'importance de ces rites et pourquoi, encore maintenant, on tient tant à les perpétuer.

Il fait jour quand nous retournons à la maison. Je m'endors avant même que ma tête ne touche l'oreiller. Plus tard, en fin d'après-midi, je me lève et je trouve William, seul. Je ne sais pas comment il fait pour avoir l'air tout à la fois épuisé, satisfait et inquiet.

— Où sont passés les soldats ?

— Ils sont toujours à Kildevil, répond-il. La Commission les a invités, et ils sont venus. Ils n'avaient pas l'intention d'empêcher l'investiture. Ils voulaient s'assurer que nous allions procéder comme prévu. J'aurais aimé qu'ils nous avertissent, mais ils préféraient que gardienne Novembre ne soit pas au courant. Érica a dû se

rendre à une rencontre entre le capitaine Mars et la guilde des tisserandes, il y a quelques heures. Elle ne rentrera peut-être pas de la journée. Nous voulions connaître la position de l'armée. C'est très encourageant.

— Mais pourquoi Érica et pas vous ?

— Érica est une des têtes de la résistance sur l'île. Je croyais que tu le savais. Mon projet à moi n'a rien de politique, bien que, en fin de compte, je suppose qu'il finira par l'être.

— C'est pour cela que vous préparez Marella ? Pour ce projet ?

Je m'affaire à remplir la bouilloire pour éviter son regard ; je tente de faire comme si je posais la question comme ça, simplement, en passant.

— Oui. Pendant que la guilde des tisserandes mène la résistance, la Voie essaie en douceur de réparer les dommages causés par le technocauste. Nous cherchons les personnes les plus douées pour les sciences et nous les instruisons.

Je fais demi-tour si vivement que, par mégarde, j'envoie valser une boîte posée sur le plan de travail.

— C'était donc ÇA, les épreuves ?

William me dévisage, stupéfait. J'ai dû crier.

— Je veux dire – je réfléchis à toute vitesse, cherchant une justification plausible à mon comportement – je pensais que c'était un truc magique.

William glousse.

— Pas magique. Scientifique. Bien que, au fond, la science soit notre seule magie. La Commission craint la science comme l'Église redoutait la magie au Moyen Âge, et les gens ne sont toujours pas prêts à se passer des rituels, comme celui de la nuit dernière… mais, bon. Non. Les épreuves n'ont rien de magique. La logique qui doit guider le lecteur vers la bonne réponse se trouve dans les hologrammes, dans les livres qu'a lus Marella. C'est une technique d'apprentissage de pointe, encore tout à fait expérimentale. Nous savons depuis longtemps que la pensée scientifique n'est pas purement rationnelle. Il y a un facteur créatif dans toute découverte. Appelle ça l'intuition si tu veux. On ignore encore comment tout cela fonctionne, mais nous avons appris comment reconnaître ceux qui possèdent ce talent. Ils font les meilleurs scientifiques et, de nos jours, nous devons nous concentrer uniquement sur eux. J'étais persuadé que Marella n'avait pas ce talent et puis tout à coup, il s'est avéré qu'elle l'avait. Tout le monde peut lire ces livres, mais seules les personnes qui possèdent ce talent d'apprentissage intuitif connaîtront la réponse sans avoir à y réfléchir ; elles sauront choisir parmi les plantes et les animaux ceux qui sont les plus intéressants du point de vue scientifique, comprendre la géologie du territoire où nous avons décidé de les envoyer.

Je ramasse la boîte que j'ai fait tomber sur le plancher et je me détourne. Je croyais offrir à

Marella de la camelote. Il me semble tout à coup que je lui ai fait cadeau de mon propre avenir. Je m'agite autour de la théière, ne sachant pas comment je pourrai me pardonner un jour d'avoir fait une chose pareille. Je ne veux pas savoir ce qu'il adviendra de Marella maintenant, mais je dois poser la question. J'attends que l'eau bouille parce que je crains que ma voix ne trahisse mon émotion.

— Ça dépend, dit William. Il y a quelques semaines, j'étais persuadé qu'elle ne resterait pas ici. Mais si le vent tourne comme nous le souhaitons, nous pourrions à nouveau ouvrir les portes de l'université. Imagine un peu !

Je préfère m'abstenir de trop y réfléchir.

— Je pense que je vais prendre le thé dans ma chambre, dis-je.

— Bien, répond simplement William, perdu dans ses pensées. Ne réveille pas Marella. Elle a bien mérité de dormir tout son soûl.

Je m'écroule sur mon lit. Heureusement qu'Érica n'était pas présente durant cette conversation. Ou Marella. Je me rappelle les épreuves, à quel point les réponses surgissaient spontanément dans mon esprit. Maintenant, je sais pourquoi. Sur les hauts plateaux, j'aurais pu choisir ma vie. J'ai tout bazardé sans réfléchir. Si seulement j'avais su, hier, j'aurais pu tenter quelque chose. Maintenant, il est trop tard. L'investiture

est terminée. Marella est la bioguide. Elle mènera la vie que j'aurais dû mener, moi.

Je dois voir Lem. J'attrape mon objet, je quitte la maison en vitesse et je me rends en courant sur la colline, comme si je pouvais de cette façon semer ma douleur. À mi-chemin, je vois Fraser dans le sentier. Il m'aperçoit et il sourit.

— Je venais justement te rendre visite. La ville est sens dessus dessous, aujourd'hui. Tout le monde fait semblant de ne pas savoir que les tisserandes rencontrent l'armée. On se comporte comme si la présence des soldats était tout à fait naturelle. Il fallait que je sorte de là. Où allais-tu, comme ça ?

Je ne veux pas parler de Lem alors je réponds :

— Nulle part.

— Dans ce cas, on pourrait peut-être y aller ensemble ? propose-t-il en m'emboîtant le pas. Qu'est-ce que tu as là ?

— Une cassette. Je l'ai toujours eue. Peut-être qu'il y a un message de mes parents, là-dessus. Lem va...

Je m'interromps brusquement. Quelle gourde !

— Continue... qu'est-ce qu'il va, Lem ? demande-t-il sur un ton neutre.

— Il cherche à trouver une façon pour que je puisse prendre connaissance de ce message. Tu l'as vu la nuit dernière, n'est-ce pas ?

Fraser se rembrunit.

— Je l'ai vu. Il ne m'a pas regardé une seule fois. Il ne veut rien savoir de moi.

— Fraser, ce n'est pas de sa faute. C'est parce qu'il a souffert. Tu n'as pas envie de le rencontrer ?

— Mon oncle dit qu'il n'a pas envie de me connaître.

Je choisis mes mots.

— Je pense que c'est faux. Il ne parvient pas à se souvenir de toi. Il n'a pas la même vision des choses que la plupart des gens. Mais quand je lui ai parlé de toi…

Fraser me regarde, ahuri.

— Tu lui as parlé de moi ? Quand ?

— Le jour où tu as refusé de venir le voir. J'essayais de comprendre ce qui se passait. Je ne savais pas encore, à ce moment-là.

— Et qu'est-ce qu'il t'a raconté sur moi ?

Comment puis-je lui dire ce que je pense sans susciter de faux espoirs ?

— Pas grand-chose, dis-je.

Et c'est la vérité.

— Là, tu vois bien ?

Il bat l'air de la main avec irritation :

— Tu me fais penser à Madame Townsend. Tu lui donnes le bénéfice du doute, mais il ne le mérite pas.

Je lui prends le bras.

— C'est faux. Écoute-moi.

Ma voix tremble de toute l'émotion que je contiens depuis le matin.

Fraser réagit aussitôt.

— Je t'écoute.

J'ai les yeux brouillés de larmes. Je lui montre mon objet et ma voix grelotte.

— Si je connaissais quelqu'un qui a connu ma mère, on ne pourrait jamais m'empêcher de lui parler.

— Est-ce que Lem se souvient seulement d'elle ? demande Fraser.

Je ne m'étais jamais rendu compte qu'il ignorait tout ça.

— Mais bien sûr. Il pense à elle tous les jours. Il m'a donné un livre qui lui appartenait. As-tu envie de voir le livre ?

— Quel genre de livre ? demande-t-il avec un filet de voix, comme s'il craignait de poser la question.

Nous retournons sur nos pas dans le sentier.

— Un livre de poésie. Le nom que je porte, c'est en l'honneur d'un poète. William Blake.

Puis, je me rappelle ce que Lem m'a dit en me donnant le livre, sur le technocauste et sur ce qu'on lui a volé.

— Fraser, il a parlé de toi comme de quelqu'un qu'il avait perdu à tout jamais. Je n'ai pas compris sur le coup, mais il est possible qu'il m'ait donné ce livre parce que je lui fais penser à toi.

Fraser sourit.

— Eh bien, je trouve moi aussi qu'on se ressemble, alors, qui sait, peut-être que tu dis vrai.

Puis, nous gardons le silence, sans malaise. Soudain, je n'ai plus le sentiment que ma vie est fichue. Quand je tends le livre à Fraser, il le prend dans sa main comme s'il s'agissait d'un objet terriblement fragile. Je l'ouvre à la première page, et il caresse du bout des doigts le nom de sa mère.

— C'est son nom, soupire-t-il, doucement. Est-ce qu'elle l'a lu, d'après toi ?

Je ne peux pas m'empêcher de rire.

— Je suppose que oui.

—Lis. N'importe quoi. Lis.

Il brandit le livre sous mon nez.

— Fraser, tu ne sais pas lire ?

— Bien sûr que je sais, rétorque-t-il, vexé. J'ai été à l'école comme tout le monde. Je manque de pratique, c'est tout.

Je préfère ne pas insister. Le faible soleil d'hiver tombe droit sur le banc du jardin. Je m'assois et je lis quelques lignes au hasard.

— C'est un poème de Milton qui s'intitule… XIX.

— Qu'est-ce que ça veut dire ? demande Fraser.

— Aucune idée.

— Ça ne fait rien. Lis.

Je m'exécute et quand j'ai terminé, Fraser me demande :

— Est-ce que tu comprends ce qu'il dit ?

Je secoue la tête.

— Pas vraiment. Mais j'aime bien le dernier vers : *Ils servent aussi, ceux qui ne font qu'attendre, armés de courage*[3]...

— Ça veut dire quoi ?

— *Ils servent aussi...* On dirait qu'il parle de moi. Et j'aime bien aussi quand il parle de talents cachés.

J'espère que Fraser me demandera ce que je veux dire par là, mais il n'en fait rien.

— Elle lisait ça, tu crois ?

— Sans doute.

Il soupire.

— J'aurais bien aimé la connaître.

— Je sais.

J'hésite. Puis je demande :

— Crois-tu que tu voudras connaître Lem, un jour ?

Son regard se voile d'inquiétude.

— Je vais y penser. Lis-moi encore un poème.

Mais tandis que je parcours le livre, une ombre nous enveloppe.

---

[3] Traduction libre de « They also serve who only stand and wait », extrait du Sonnet XVIII, de John Milton. (NdT).

— Vous m'avez l'air bien, comme ça, tous les deux.

— Érica ! Je pensais que vous seriez partie plus longtemps.

Elle rit.

— Une réunion qui dure six heures, c'est bien assez long. Mais entrez donc, que je vous donne les dernières nouvelles.

# 25

# L'avenir et le passé

— … Et pas seulement ici, conclut Érica. L'armée est disposée à travailler avec la guilde des tisserandes sur tout le continent.

— Comme ça, on pourra restaurer la démocratie sans effusion de sang. Érica, cela dépasse largement nos espérances.

L'allégresse de William suscite enfin l'intérêt de Marella. Tant qu'a duré le compte rendu d'Érica, elle n'écoutait pas. Maintenant, c'est certain, elle se demande ce que tout cela signifie. Je n'ai pas l'intention de lui venir en aide, mais Fraser se pose lui aussi la même question.

— Et pour les conscrits de la Commission qui ont dû partir, qu'est-ce qui va se passer ?

Érica semble inquiète.

— Nous l'ignorons. Le capitaine Mars dit que les militaires ne les ont pas croisés. Selon nos sources, ils sont dans la nouvelle forteresse, à

Signal Hill. Nous croyons qu'ils ont été emmenés à St. Pearl plutôt qu'aux villes de garnison pour que la Commission puisse les tenir à l'écart de l'armée. On peut imaginer que la Commission tentera d'enrôler nos enfants dans sa garde. Je tremble à l'idée qu'ils auront à se battre contre des soldats bien entraînés. Il faut espérer que nous n'en viendrons pas là.

— Mais les militaires ne tireront pas sur eux, s'exclame William.

— Le capitaine Mars a dit que le général Ryan ne pouvait faire aucune promesse à cet égard. Si les jeunes se battent aux côtés des gardes de la Commission, l'armée n'aura pas le choix.

— Mais c'est affreux, s'écrie Marella. Comment pourraient-ils se battre contre leurs propres enfants ? Sont-ils à ce point monstrueux ?

Elle quitte la pièce comme un ouragan.

Tout le monde tourne la tête dans ma direction, car on s'attend à ce que je lui emboîte le pas, mais je suis trop curieuse. Je demande :

— Est-il possible de communiquer avec eux d'une façon ou d'une autre, Érica ? Vous avez des alliés d'un bout à l'autre de l'île.

— Il est certain qu'on a isolé les conscrits pour qu'ils n'aient de contact qu'avec les partisans les plus loyaux de la Commission. Et ce n'est pas tout. La Commission s'attelle à brouiller les signaux de communication, si bien que nous avons du mal à envoyer ou à recevoir des mes-

sages. Il semble aussi qu'elle tente de couper St. Pearl du reste de l'île. Toutes les routes sont bloquées.

— Mais pourquoi ferait-elle une chose pareille, bon sang ? tonne William.

— Selon le capitaine Mars, la Commission croit avoir les moyens d'assiéger St. Pearl et de s'y maintenir par la force, même si elle perd le contrôle dans le reste de l'île.

— En utilisant nos enfants comme chair à canon ? C'est pourquoi l'armée ne peut pas nous garantir qu'il ne leur arrivera rien ?

Le ton de William n'a plus rien de joyeux. Érica se mord les lèvres.

— Mark, Carson et les autres ne se battront jamais dans les rangs de la Commission, déclare Fraser.

Érica sourit tristement et entoure de son bras les épaules de Fraser.

— On peut forcer les gens à agir contre leur gré, Fraser. Ils ne nous trahiraient jamais volontiers, mais ils auront peut-être à se battre pour la Commission s'ils veulent avoir la vie sauve.

Elle s'ébroue, puis se lève.

— Mais il n'est encore rien arrivé de la sorte, enchaîne-t-elle. Nous avons toutes les raisons d'espérer. Et la situation pourrait évoluer sur plusieurs mois. En attendant, il ne sert à rien de se ronger les sangs.

Sauf qu'elle ne semble pas du tout convaincue de ce qu'elle dit.

Fraser se retire au moment où Érica décide qu'il est temps de manger. Je préfère lui donner un coup de main plutôt que de m'occuper de Marella. Tandis qu'elle dresse la table, Érica me tend le livre de poésie.

— Tu faisais la lecture à Fraser ?

— Oui. Un poème de Milton sur le fait de servir et d'attendre.

— Oh ! *Ils servent aussi, ceux qui ne font qu'attendre, armés de courage.* C'est le poème qu'il a écrit sur sa cécité.

— Il était aveugle ?

— Il a perdu la vue à l'âge adulte. Milton était aussi un rebelle. En fait, il est possible que sa cécité lui ait épargné la peine de mort pour activités politiques.

— Il y a longtemps de cela ?

— Attends que je réfléchisse… environ sept cents ans.

Les fourchettes que j'apportais tombent sur la table avec fracas.

— Mais les choses ne changent donc jamais !

— Oh ! Blake, ne perds pas confiance ! Tout change. Sauf les gens et leur envie de se contrôler les uns les autres.

J'en pleure de rage.

— Dans ce cas, à quoi bon faire tout ça ?

— Parce qu'il y a autre chose qui ne change jamais. Le désir des gens ordinaires de diriger leur propre vie. S'il y a une raison de lutter, c'est bien celle-là.

Je déchire furieusement la laitue en réfléchissant aux paroles d'Érica. Je remplis le saladier et je finis par admettre qu'elle a raison.

Il y a seulement quelques mois, j'ignorais tout de la liberté. Aujourd'hui, me dis-je, je n'accepterais plus jamais d'être asservie. Du coup, mes propres préoccupations refont surface.

— Érica, que veut dire Milton quand il parle du talent qu'on cache sous peine de mort?

— Il ne parle pas de la mort physique. Il aurait couru moins de risques en cessant d'écrire.

Elle s'interrompt et réfléchit.

— Il avait sans doute le sentiment que ce serait la mort pour lui s'il cessait d'écrire, même si sa cécité lui compliquait les choses. Et même si le fait d'écrire lui attirait des ennuis. C'est ça, le talent, je suppose. Avoir le sentiment qu'on doit exploiter ses propres dons, de son mieux, sous peine de voir son âme se flétrir. Pourquoi poses-tu cette question?

— Oh! comme ça... bredouillé-je.

Je soulève le bol à salade que je porte dans la salle à dîner pour qu'Érica ne soit pas le témoin de ma déconfiture.

Fraser disait que tout reviendrait à la normale après l'investiture. Au cours de ces derniers

jours, je me suis rendu compte que je n'avais pas la moindre idée de ce qu'était la « normalité ». La maison est subitement pleine de gens que je n'avais encore jamais vus. Ils viennent parler à William et rencontrer Marella. Seul Fraser vient pour me voir, moi. Érica continue de s'éclipser tous les après-midi pour tâcher d'entrer en contact avec d'autres membres de la résistance. Je ne vois Marella que pour l'aider à faire les relevés des rayons ultraviolets, maintenant qu'elle a repris le travail. C'est à peine si nous nous adressons la parole et cela nous convient tout à fait. Je ne réalisais pas qu'il était si ennuyeux de passer tout ce temps en sa compagnie.

Puis, un soir, Érica rentre plus tard que d'habitude, blême et épuisée.

— Cela fait des jours que nous ne parvenons plus à contacter quiconque hors de l'île. Le système est hors d'usage. À moins que quelqu'un ne trouve une solution, nous ne pourrons bientôt plus communiquer avec personne.

— Oh ! Érica, mais c'est épouvantable ! dis-je en lui proposant une chaise. A-t-on des nouvelles de St. Pearl ?

— Seulement de ceux qui sont parvenus à en sortir. On dit que les gens n'accepteront pas le siège de la Commission, même à St. Pearl. Nous savons qu'on planifie quelque chose. Une grosse intervention. Mais sans renseignements, nous

sommes impuissants. Et impossible de protéger les enfants.

Érica cache son visage dans ses mains.

— Merci, Blake. Tu m'aides beaucoup.

Je m'aperçois tout à coup qu'Érica est l'amie que j'attendais depuis toujours.

Je ne saisis pas la portée de tous ces changements avant d'être au lit. Il fallait sans doute passer par le système qu'on a mis hors d'état pour accéder aux archives que Lem épluchait pour moi. Si c'est le cas, il sera forcé de cesser ses recherches. C'est peu de chose comparé au sort que connaissent Mark et Carson mais pour moi, c'est important. Je cherche vainement le sommeil en tâchant de me persuader que je me trompe.

Au matin, Érica est seule dans la cuisine, curieusement désœuvrée. On dirait qu'elle n'a pas fermé l'œil de la nuit. Je voudrais tellement trouver un moyen de la réconforter.

— Je vais rendre visite à Lem, aujourd'hui, dis-je en finissant mon petit-déjeuner. Vous voulez m'accompagner ?

— D'accord. Je le néglige depuis quelque temps.

Je savais qu'elle accepterait.

— Sais-tu s'il a découvert autre chose sur ton passé ? demande-t-elle tandis que nous grimpons le sentier dans la colline.

— Non, je pense qu'il perd son temps… il n'a sans doute plus accès aux archives, n'est-ce pas ? dis-je en soupirant.

— Oh ! ma chérie ! Tu as raison. À moins qu'il ait pris la précaution de les télécharger. Il a ce qu'il faut pour ça.

— Vous croyez que c'est possible ?

— Je n'en ai pas la moindre idée. Tu devras le lui demander.

Perdues dans nos pensées, nous gardons toutes les deux le silence.

Lem est penché sur un petit appareil posé sur son établi.

— Ah ! enfin, vous voilà ! s'écrie-t-il, comme s'il nous attendait.

— As-tu essayé d'avoir accès aux archives récemment, Lem ? demande Érica pour m'éviter d'avoir à la faire.

— Pas moyen. Est-ce qu'il y a des tempêtes solaires ou quelque chose du genre ?

— C'est à cause de la Commission, murmure Érica.

Elle s'explique. Je la laisse terminer, puis je demande :

— Avez-vous téléchargé les données, y avez-vous pensé ?

Lem glisse ses doigts dans sa tignasse.

— Je n'en ai pas pris la peine. J'aurais dû. Je ne pouvais pas savoir. Désolé.

Ma vue se brouille de larmes.

— C'est bien dommage, ajoute-t-il, surtout maintenant que je suis parvenu à faire tourner cette machine à cassettes.

— Vraiment ! lançons-nous en chœur, Érica et moi.

Lem sourit, mi-figue mi-raisin.

— Je voulais justement vous le dire. Pas eu le temps.

— Alors je peux écouter ce qu'il y a sur mon objet… je veux dire, sur la cassette ?

— Comme tu dis. L'as-tu avec toi ?

— Non. Mais je vais aller la chercher.

Je me tourne vers Érica et j'enchaîne :

— Je peux ? Est-ce que je peux ? Tout de suite, là, maintenant ?

Érica rit.

— Bien entendu. Allez, va. Je reste ici. Je ne ferais que te retarder.

Je déboule le sentier comme je l'avais fait, le premier jour de mon arrivée ici, il y a maintenant tant de semaines. Sauf que, à présent, je ne tente pas d'échapper à quoi que ce soit, je tente au contraire de me rapprocher de mon passé. Je cours aussi vite que je le peux, mais il me semble que le trajet dure des années.

Quand, enfin, je m'écroule sur une chaise chez Lem, j'ai les jambes en coton et je suis trop essoufflée pour parler. Je donne mon objet à Érica, qui l'insère dans l'appareil tandis que, pliée en deux, je tâche de reprendre mon souffle.

On entend une sorte de grognement sourd et grave. Je relève la tête, étonnée. S'agit-il de ma mère ? Lem ajuste l'appareil et soudain, on entend une voix de femme aussi clairement que si elle était avec nous dans la pièce.

«... Bien. C'est étrange de te parler comme si tu étais déjà grande et loin de moi alors que tu es là sur mes genoux, en sécurité», dit la voix.

Un petit enfant babille en toile de fond. C'est moi.

«Mais nous allons bientôt entreprendre un long voyage, si périlleux que je devrai peut-être t'abandonner en route auprès de quelqu'un avec qui tu seras en sécurité. Si je dois en arriver là, je veux que tu puisses un jour entendre ma voix, pour que tu saches combien je t'aime et tout le bonheur que tu me donnes.»

Ça y est, je pleure. Érica pose une main consolatrice sur mon épaule.

«On est venu chercher ton père dans son laboratoire la nuit dernière.»

La voix est brisée par l'émotion.

«Il savait que c'était sur le point d'arriver, Blake. Il m'a fait promettre de ne pas l'attendre. Si j'étais seule, je resterais, mais je dois penser à toi. Nous devrons partir très loin d'ici toutes les deux et nous rendre quelque part où nous pourrons nous cacher. Je ne peux pas t'en dire plus. J'espère que, un jour, nous pourrons écouter ensemble ces paroles et parler de cette époque

sordide et effrayante que nous traversons maintenant. Mais je ne sais pas si ce sera possible. Si tu écoutes cette cassette en mon absence, sache que je t'aime plus que tout. Je ne t'abandonnerai jamais si j'en ai le choix. »

C'est tout. Les larmes m'aveuglent, mais je lève les yeux vers Érica.

— Elle ne m'a pas dit son nom, dis-je en sanglotant malgré moi. Elle ne m'a absolument rien dit !

Érica presse mon visage contre son flanc. Un court moment, nous nous taisons, puis elle murmure :

— Elle a pensé qu'elle pourrait te laisser auprès de quelqu'un qui connaîtrait son identité, Blake. Elle ne pouvait pas savoir ce qui l'attendait.

C'est au tour de Lem de parler.

— Elle redoutait sans doute de laisser une trace. Elle n'a pas dit non plus où elle comptait aller.

J'essuie vivement mes yeux sur ma manche.

— Je suppose que vous avez raison, dis-je.

Mais je suis atterrée.

Lem me tend le microdisque.

— J'ai numérisé tout ceci pour toi. Tu l'écouteras quand tu voudras.

Érica caresse mes cheveux.

— Nous disposons de certains indices, Blake. Ton père avait un laboratoire. C'était un scientifique. Et as-tu remarqué à quel point ta mère

s'exprime bien ? Elle a parlé d'un voyage long et périlleux. Elle avait de l'instruction. Elle n'était sans doute pas une technologue, mais tout ça se tient.

— Est-ce qu'il lui serait arrivé malheur, si nous étions restées ensemble, ma mère et moi ?

— Peut-être pas. Mais elle a fait ce qu'il fallait. Pour toi, surtout.

— Que voulez-vous dire ?

— Dans la préfecture de Toronto, on enlevait les enfants des technologues pour que les membres du gouvernement qui n'avaient pas de progéniture les adoptent. Cela aurait pu t'arriver.

— Dans ce cas, je serais… de leur côté ?

— Sans doute, et tu ne l'aurais probablement jamais su.

Ma mère a-t-elle bien agi ? Érica en est persuadée. Pas moi. Nous aurions peut-être pu ne jamais partir. Et si l'on m'avait adoptée ?

Tandis que je redescends le sentier, je me demande quelle vie j'aurais eue, privilégiée, dans une grande ville, inconsciente du sort qu'on réservait aux enfants de la rue comme moi. J'aurais pensé que le pouvoir était entre de bonnes mains. Pour le meilleur ou pour le pire ? Je n'en sais rien.

Nous montons à ma chambre. Érica me montre comment utiliser le panneau de contrôle pour écouter le microdisque. Puis, elle s'en va. Je passe

le reste de la journée seule. J'écoute le micro-disque, encore et encore, pour en mémoriser chaque mot, pour sentir toutes les nuances dans la voix de ma mère. Je comprends sa frayeur et je vois qu'elle a fait ce qu'elle croyait être son devoir envers moi. Érica m'apporte un plateau de nourriture à midi, comme elle l'aurait fait pour Marella. C'est déjà le soir quand elle monte me dire que William et elle désirent me parler.

Je m'attends à être grondée parce que je boude, mais dès que j'entre dans la cuisine, je sens qu'il s'agit d'autre chose. Érica affiche une mine énigmatique. William a l'air sérieux, mais content.

— Assieds-toi, Blake, s'il te plaît, annonce-t-il, un brin solennel. Érica m'a dit, pour la cassette, et nous avons discuté de ton avenir. Il est hors de question que tu retournes au camp de travail. Même sans la révolte qui gronde, nous n'aurions pas pu nous y résoudre.

Érica l'interrompt vivement.

— Tu vois, Blake, tu fais… comment dire… presque partie de la famille maintenant que nous connaissons ton passé de disparue. Si ta mère avait pu rallier les Béothuks, nous l'aurions certainement rencontrée. Et nous nous demandions si tu accepterais de rester ici, avec nous.

— Vous voulez dire à Kildevil ?

Érica rit.

— Non. Ici, avec nous. Nous n'avons pas d'enfant. Tu n'as plus de famille. Il serait tout naturel que tu restes ici et que tu sois, eh bien, des nôtres.

Je n'en reviens pas.

— Vous voulez bien de moi ?

— Oui. Tu seras comme notre propre fille.

Je reste sans voix. Je hoche la tête machinalement et je souris.

— Oui, je voudrais bien, dis-je enfin.

William me serre la main avec ardeur. Érica me prend dans ses bras. Puis, je pense à Marella et aux études qu'elle devra entreprendre et j'inspire profondément :

— Mais je ferai quoi, si je reste ?

Érica sourit.

— Tu pourrais apprendre le métier de tisserande. Donna te prendrait peut-être comme apprentie.

Je sais au ton de sa voix qu'elle est certaine de ce qu'elle avance. Alors voilà mon avenir. Je resterai à Kildevil jusqu'à la fin de mes jours et je deviendrai tisserande, peut-être même que je pourrai aimer Fraser si j'y mets du mien.

Une fois seule dans ma chambre, je me demande à nouveau ce qui me trouble. Enfin, j'ai ma place quelque part. C'est ce que j'ai toujours voulu. Et j'aime vraiment Érica. Qu'est-ce qui m'empêche d'être heureuse ? Avant de m'endormir, j'ouvre le livre de Michelle et je relis à nouveau le poème de Milton où il est dit qu'il

faut exploiter ses propres dons sous peine de voir son âme se flétrir.

Je referme le livre. Voilà, au fond, ce qui ne va pas.

# 26

# La bataille de St. Pearl

— Blake, réveille-toi.

Érica me secoue l'épaule. Il fait noir et il y a de l'urgence dans sa voix. Je rêve peut-être. Pourtant, je n'ai encore jamais éprouvé tant de fatigue en rêve.

— Qu'est-ce qu'il y a ?

— Il se passe quelque chose à St. Pearl. On obtient des signaux. Fraser est venu nous chercher.

Je suis debout et je m'habille avant même qu'Érica ait terminé sa phrase.

— De quoi s'agit-il ?

— Je ne sais pas exactement. Je ne suis pas restée pour l'apprendre. Fraser nous renseignera en route.

Mais Fraser ne sait pas grand-chose lui non plus :

— Donna m'a réveillé et m'a demandé de vous accompagner jusqu'au Hall aussi vite que

possible. Je n'ai pas eu le temps de poser de questions.

Il doit être deux ou trois heures du matin. Pourtant, Kildevil est en ébullition. Les enfants jouent dans la rue et tout le monde se dirige vers le Hall.

Sur place, on dirait presque que c'est la fête. Les gens ont apporté de la nourriture. Il mangent et boivent, tout en examinant l'hologramme suspendu au-dessus de la scène. Le signal va et vient. Les images que nous voyons ne sont pas très claires : des gens courent dans tous les sens, ils balancent des torches allumées à bout de bras, et puis, au bout d'une interruption d'environ cinq minutes, c'est la ville que nous apercevons.

— Ça provient de Signal Hill. Ils sont sûrement sur la colline, dit quelqu'un.

À nouveau, le signal faiblit et tout le monde proteste.

Érica joue des coudes pour rejoindre Donna.

— Qu'est-ce qui se passe ? demande-t-elle.

— On a commencé à recevoir des images vers minuit. Des jeunes utilisaient l'hologramme pour leurs jeux et ils ont constaté qu'on recevait un signal. Peu importe d'où il provient, ce n'est sûrement pas des autorités. On dirait que les gens se déplacent sans but avec des caméras agrafées sur eux et que quelqu'un transmet le signal malgré le brouillage.

Donna détache ses yeux du cylindre de neige statique qui remplit maintenant le centre de la scène.

— On dirait que les rebelles cherchent à prendre St. Pearl.

La nuit est longue et décevante. Les images vont et viennent ; parfois, le signal disparaît complètement pour ressurgir sur une autre fréquence. Les fragments qu'on reçoit ne nous apprennent pas grand-chose. On se bat quelque part, mais qui ? Et qui va gagner ? À l'aube, tandis que la plupart des gens ont sombré dans le sommeil, nous perdons complètement le signal.

Et il en est ainsi pendant quatre jours. À Kildevil, c'est le monde à l'envers. Les gens s'acquittent de l'essentiel et dorment le jour mais, la nuit venue, ils sont rivés au faisceau de neige statique au milieu duquel, de temps en temps, confusément, des images de combats surgissent. Dès la deuxième nuit, William nous rejoint, sans Marella. « Comment pourrais-je vous accompagner quand je sais que Carson est en train de se battre ? » demande-t-elle quand nous sommes seules. Donna est auprès de nous, pourtant, ai-je envie de rétorquer, mais je ravale mes mots.

Combien de temps cela durera-t-il ? Je me le demande. À Kildevil, le suspense est insoutenable, mais que dire de St. Pearl ? Je pense aux tribus. Que deviennent-elles dans tout cela ? Les enfants de la rue. Hilary et moi. La vie, pour eux, doit être

infernale. Le matin du cinquième jour, j'ouvre l'œil et je découvre des fleurs qui dansent au milieu du théâtre. C'est une émission pour enfants. Nous recevons de nouveau la programmation holographique régulière. Je ne sais pas comment changer de poste pour regarder le bulletin de nouvelles. Je cherche Érica des yeux : elle dort quelques rangées plus loin. Je secoue William par la manche. Je pointe du doigt les fleurs qui tombent au milieu d'un groupe d'enfants qui gloussent, assis sur le sol. William se lève en grognant et disparaît dans la salle de contrôle. Soudain, l'image d'un homme en uniforme surgit derrière un bureau et celle-ci forme une sorte de triangle dont chacune des faces est orientée vers l'extérieur. Au son de sa voix, les gens se réveillent et se redressent, silencieux, attentifs.

« ... reprendre le cours normal des activités, dit-il. Nous allons restaurer les services dès que possible. »

Tout est fini. Nous avons perdu la guerre. Mais Érica me regarde et son visage rayonne.

— C'est le général Ryan ! s'écrie-t-elle.

Tout le monde écoute en silence, immobile. Il poursuit :

« La Commission sera démantelée. L'armée n'a pas l'intention de garder le pouvoir et nous mettrons sur pied des conseils pour discuter de la transition vers la démocratie dès que possible.

Nous prévoyons avoir la collaboration pleine et entière de la guilde des tisserandes. Bien entendu, nous ne pourrions pas réussir sans elle. Dans d'autres régions du continent, la bataille fait rage et nous allons probablement devoir envoyer des troupes pour rétablir l'ordre. »

La foule hurle sa joie. Mais il enchaîne :

« Dès que possible, nous rendrons le corps des personnes qui ont péri dans la bataille de Signal Hill à leur famille, et les blessés pourront rentrer chez eux. »

Nous passons le reste de la journée à tenter de reconstituer ce qui s'est passé, rivés à des émissions pleines de gens que nous n'avons encore jamais vus en hologramme : des membres de tribus avec leurs visages tatoués, des boutiquiers, des éboueurs, des musiciens. Petit à petit, nous apprenons comment ils ont pris la ville de St. Pearl, quartier par quartier, jusqu'à l'arrivée des renforts de l'armée. Mais nous n'osons pas encore célébrer la victoire parce que nous ignorons les noms des victimes. Dès le deuxième jour, certains messages parviennent jusqu'à nous. Un par un, les garçons qu'on avait obligés à partir communiquent avec leur famille. Pas un seul habitant de Kildevil n'a été tué, nous apprend-on, et tout le monde respire. Mais le jour suivant, quand la liste des blessés est enfin publiée, le nom de Carson Walsh y figure.

Une semaine plus tard, Donna se présente à notre porte avec un message personnel du général Ryan.

— Carson a été gravement blessé, nous annonce-t-elle. Il perdra un pied et une partie de sa jambe.

Silence de plomb. C'est Érica qui le rompt :

— Donna, je suis désolée.

— Au moins, c'était un accident. Il a été pris en étau derrière une porte en métal quand les blindés sont entrés dans la forteresse. Il va devoir rester à l'hôpital encore quelque temps. Le général Ryan m'offre un laisser-passer pour St. Pearl.

Elle se mord les lèvres.

— Bien sûr, ajoute-t-elle, j'irai. Mais c'est un long voyage au milieu d'étrangers, et je n'ai jamais vraiment quitté la région.

Dans mon esprit, Donna est intrépide. Je me rends compte qu'à l'extérieur de Kildevil, ce ne sera plus la même femme.

Érica prend la main de Donna dans la sienne.

— Veux-tu que quelqu'un t'accompagne ?

Elle se tourne vers William.

— Tu devrais peut-être y aller avec elle. Donna se sentira en sécurité avec toi et Carson a besoin d'aide. Ta présence pourrait signifier beaucoup pour lui. Qu'en penses-tu ?

William semble surpris.

— Bien sûr, si c'est ce que veut Donna.

— Oh ! Ce serait fantastique !

L'idée plaît à William.

— Je pourrais rencontrer à St.Pearl certaines personnes qu'intéresse l'idée d'ouvrir une université.

Il semble ravi, mais il reprend bientôt conscience de la situation :

— Mais, bien entendu, je passerai le plus clair de mon temps avec Carson.

— Le simple fait de ne pas être seule durant le voyage me rassure déjà beaucoup, dit Donna.

Donna et William préparent aussitôt leur départ. Je regarde Marella, qui n'a pas soufflé mot. Elle est toute pâle et elle tremble.

— Je ne me sens pas bien, gémit-elle.

Cette fois, je l'accompagne. Je m'assois près d'elle sur le lit en attendant qu'elle cesse de pleurer. À cet instant, je suis incapable de la détester.

— Un chasseur a besoin de ses deux jambes, se lamente-t-elle.

Je me rappelle la première fois que nous avons vu Carson, vêtu de peaux de bêtes. Il était aussi gracieux qu'un oiseau de proie. C'est fini, maintenant.

— C'est affreux, dis-je.

Marella renifle, se redresse et me regarde avec cet air de défi qui la transfigure, toujours au moment où on s'y attend le moins.

— Quand il reviendra, je prendrai soin de lui, déclare-t-elle.

Elle se sent mieux, maintenant.

Érica est seule à la cuisine.

— Comment va Marella ? demande-t-elle.

— Je crois que ça ira.

— Je me demande ce qui la trouble à ce point !

Je songe un court instant à le lui dire, mais c'est le secret de Carson et de Marella, pas le mien. Je change de sujet :

— Où est William ?

— Il est allé avec Donna pour voir s'il obtiendrait un laisser-passer. Ils aimeraient bien partir dès demain. Et tu as manqué le reste des nouvelles. On tiendra une assemblée dès demain soir à Kildevil pour discuter des modalités de retour à la démocratie. Donna dit que Fraser a participé à l'organisation de cette soirée.

Érica sourit.

— Et il y a de bonnes nouvelles pour toi aussi, enchaîne-t-elle. Je croyais que tu pourrais devenir l'apprentie de Donna. Mais c'est impossible. Elle dit toutefois que Clara sera heureuse de t'apprendre le métier. Tu commences demain après-midi. Les tisserandes en chef ne prennent que très rarement des apprenties, Blake. Tu devrais en être flattée.

— Oui, bien sûr, dis-je.

Je fais vraiment mon possible pour apprécier l'honneur qu'on me fait.

— Est-ce que je devrai porter un foulard ?

— Pas tant que tu n'excelleras pas suffisamment dans le métier. C'est une façon de reconnaître le talent des tisserandes et c'est une sorte de prix qu'on décerne à l'occasion d'une cérémonie spéciale.

J'essaie de m'imaginer en tisserande. Je ne peux pas. Tout se brouille.

— Érica, qu'est-ce qui va se passer maintenant ? Tout le monde semble croire que les choses iront mieux. Est-ce vraiment le cas ?

J'ai un peu honte de poser la question. Toutefois, Érica y répond :

— C'est une bonne question, Blake. Je voudrais bien que tout le monde se la pose. Est-ce que tout ira mieux ? Pas tout de suite. En fait, les choses pourraient même aller de mal en pis au début.

— Que voulez-vous dire ?

— Les gens détestaient la Commission et ils en avaient pleinement le droit, mais elle maintenait la stabilité. Elle contrôlait jusqu'à la nourriture que nous mangeons. J'ai commencé à faire des réserves parce que, tôt ou tard, la situation va changer. Nous devons nous attendre à des temps difficiles. Malgré toutes ces réserves, quand la Commission disparaîtra, nous risquons d'en pâtir un bout de temps.

— Et les camps de travail, qu'est-ce qu'ils vont devenir ?

— On en fera sans doute des écoles. De cette façon, tôt ou tard, les enfants se sentiront chez eux à Kildevil.

Je suis étonnée.

— On dirait que vous avez déjà longuement réfléchi à tout cela.

— C'est vrai. J'ai toujours voulu faire quelque chose pour ces enfants. Je suppose que c'est une des raisons pour lesquelles j'ai insisté auprès de William pour qu'il aille à la recherche de quelqu'un comme toi. J'espère que nous parlerons de tout ça au moment de l'assemblée, demain soir. Les gens doivent être patients et ne pas s'attendre à ce que tout change du jour au lendemain et à ce que leurs moindres désirs deviennent réalité. Même avec les meilleures intentions du monde, l'armée peut mettre quelques années avant de parvenir à organiser des élections. Entretemps, nous perdrons une grande part du confort auquel nous sommes habitués. Ce sera moins pénible si les gens ont le sentiment de faire quelque chose d'utile pendant ce temps.

— Vous croyez vraiment que ce sera si difficile ?

— Oui. Souviens-toi que je connais bien l'histoire. Ce n'est pas la première fois que ce genre d'événement se produit. Il y a eu la Révolution française, la fin de l'Union soviétique en Europe. Les gens ont faim de liberté, et ils s'attendent à en cueillir les fruits instantanément. Mais, au

départ, leur qualité de vie peut se détériorer. La plupart d'entre eux ne s'en doutent pas.

— Ne pouvez-vous pas le leur dire ?

— Les gens n'entendent que ce qu'ils veulent bien, Blake. Il vaut mieux les tenir occupés et travailler à tempérer doucement leurs attentes.

Elle s'interrompt et sourit :

— Mais tu auras une dure journée demain. Repose-toi donc cet après-midi.

Le lendemain, je me souviens des paroles d'Érica au moment où je passe devant le camp de travail en me rendant chez Clara. Tout y est si calme, on dirait qu'il est désert. Les exercices militaires organisés par gardienne Novembre ont cessé dès la chute de St. Pearl. Je me demande ce que deviennent les enfants dans le camp, à présent. Les habitants de Kildevil sont-ils vraiment prêts à les accepter parmi eux ? Je me souviens de cette première fois où je suis passée par la ville. Aujourd'hui encore, le souvenir de leur froideur me glace. Mais les choses changent. Les hommes sur le quai me saluent au passage. Tout le monde semble de bonne humeur. Leur attitude changera peut-être bientôt.

Clara m'accueille à la porte.

— Je suis vraiment contente de te prendre comme stagiaire, Blake. Nous allons faire de toi une bonne tisserande.

Je jette un coup d'œil inquiet en direction du métier à tisser. Elle rit.

— Oublie cet instrument pour l'instant, mon petit. Il faudra que tu fasses tes preuves avant d'y toucher. Nous allons commencer par quelque chose de simple.

Y a-t-il seulement une telle chose dans le tissage ? C'est à voir.

— Le bobinage, poursuit Clara. Il y en a toujours beaucoup à faire. C'est un travail facile, mais essentiel, et il faut y mettre le temps. Je ne me sens pas très bien aujourd'hui, alors nous allons commencer par cela.

Elle me tend une sorte de cheville de bois.

— Voici une bobine pour le filage.

Elle me montre la manière de m'en servir en tenant la tige par le centre et en la retournant, d'une main experte, dans un mouvement d'aller-retour perpétuel.

— Tu vois ? Continue de cette façon et tu auras fait le travail en un rien de temps. Allez, à toi maintenant. Essaie.

C'est beaucoup plus difficile qu'il n'y paraît. Le fil semblait docile dans les mains de Clara. Entre les miennes, il glisse et pendouille au lieu de s'enrouler, et il s'emmêle à mes pieds.

Au bout de quelques minutes, Clara m'interrompt :

— Tu es sans doute trop nerveuse parce que je t'observe, Blake. Je vais te laisser travailler seule un moment.

Mais plus j'essaie et plus la tâche me semble difficile. Bientôt, j'en ai les larmes aux yeux. Je n'ai jamais été très adroite. Hilary avait vite abandonné l'idée de me montrer comment voler, se moquant gentiment de moi. « Blé, tu es si empotée », disait-elle. Voilà que, à présent, je dois apprendre le métier de tisserande. C'est ma seule chance de m'en sortir. Je serre la tige si fort que j'en ai les jointures exsangues et je n'arrive à rien.

— Comment t'en tires-tu ?

La voix qui me surprend est aimable, mais je sursaute et la bobine me glisse des mains.

— Fraser, tâche de ne plus me surprendre de cette façon !

Toute la colère accumulée contre ce truc et contre moi-même retombe sur lui. Le pauvre, il cligne des paupières comme si je venais de le gifler. J'éclate en sanglots.

— Désolée. Pardonne-moi, c'est seulement que je… enfin, c'est ce fichu machin, je ne sais pas quoi en faire.

Fraser ramasse le fuseau et s'assoit sur le banc près de moi.

— Tu manques de pratique, Blake, c'est tout.

Il n'y a aucune colère dans sa réponse. Je me sens d'autant plus confuse d'avoir crié.

— Tiens, mets ta main sur la mienne et essaie de suivre le rythme.

J'aime bien le contact de sa main tiède et douce sous la mienne. Il manipule la bobine en

cadence, et je commence à comprendre comment ça marche.

— Voilà, m'encourage-t-il, c'est bien. Inutile de s'acharner. Tout est dans la tension du fil.

— Comment as-tu appris ?

— Les tisserandes se sont chargées de mon éducation avant que j'aille vivre chez l'oncle Rob, quand j'avais sept ans. Dans mon plus lointain souvenir, je rampe sur le sol entre les apprenties tisserandes. Elles m'ont mis au travail dès qu'elles ont pu pour m'empêcher de faire des bêtises. L'oncle Rob dit que s'il avait su tous les problèmes que j'allais lui causer, il m'aurait laissé chez elles.

Fraser tente de rire, sans succès. Comme lui, je ressens la brûlure de l'insulte. Je serre doucement sa main. Mes yeux sont rivés sur la bobine, mais je sens qu'il se détend.

Quand Clara vient voir où j'en suis, je me débrouille déjà mieux avec le fuseau. Elle semble soulagée.

— Et bien, Fraser, tu sais que nous n'encourageons pas les apprenties à recevoir des visiteurs quand elles travaillent, mais cette fois, je crois que tu as été utile.

Je rougis violemment. Je ne sais pas si c'est la plaisanterie de Clara ou ma propre maladresse qui m'embarrasse le plus.

Fraser comprend l'allusion et s'écarte un peu.

— Viens-tu à la réunion, ce soir ?

— Je ne manquerais ça pour rien au monde.

— Fraser, dit Clara, la migraine me tourmente depuis ce matin. Si je ne me repose pas ce soir, je ne pourrai plus travailler de la semaine.

Fraser semble contrarié.

— Mais, Donna et toi, vous êtes les deux tisserandes en chef.

— Oui. Je lui en ai parlé. Nous sommes toutes deux d'avis que la tâche de présider l'assemblée devrait revenir à une jeune. Nous ne sommes pas éternelles, tu sais.

Elle se tourne vers moi :

— Tu peux rester à dîner si tu veux, Blake. De cette façon, tu n'auras pas besoin de rentrer chez toi pour ensuite revenir. Je vais en informer Érica.

Fraser semble toujours aussi consterné, mais Clara a pris sa décision. Elle nous laisse enfin seuls et soudain, il a l'air intimidé.

— Je me demandais si tu accepterais de t'asseoir près de moi, ce soir.

— Bien sûr.

Il sourit.

— Bien. Je te laisse travailler. À plus tard.

Le reste de l'après-midi, je me débrouille mieux. Clara est trop malade pour m'enseigner quoi que ce soit, si bien que je me retrouve à remuer de la laine dans des cuves de teinture, derrière la maison, pour que la couleur de la

fibre soit uniforme. Je me sens beaucoup mieux ici. C'est du travail facile. Je sais à présent que je devrai redoubler d'efforts pour devenir tisserande. Je ne suis pas du tout douée pour ce métier.

# 27

# L'assemblée

En quittant la maison de Clara ce soir-là, j'essaie d'oublier mes craintes d'apprentie. Qui sait ? D'ici quelques mois, je pourrais me découvrir du talent. Et puis, la réunion qui doit avoir lieu a plus d'importance que tout le reste. Arrivée au bout de la rue, j'aperçois Fraser qui sort de l'ombre.

— Tu m'attendais ? Je pensais que tu serais en pleins préparatifs.

— Il y a des tas de gens pour faire le boulot, dit-il. Je voulais m'assurer que tu trouverais une place près de moi.

Le regard franc de Fraser me réchauffe le cœur, mais je ne sais pas comment le lui dire. Alors je demande :

— Qu'est-ce qui va se passer, tout à l'heure ?

Il sourit.

— On s'exercera à la démocratie. Tout le monde aura le droit de s'exprimer sur quelque chose. Les tisserandes espèrent que ce sera le début d'un véritable gouvernement local.

— Tout ça t'emballe, n'est-ce pas?

— Exact. Quand tu t'approches autant de quelque chose que tu as toujours voulu, tu ne peux pas te résoudre à attendre que quelqu'un d'autre s'en charge. Je voudrais bien me présenter aux élections, un de ces jours.

Son enthousiasme est si communicatif que j'éclate de rire.

— Fraser, je ne peux pas t'imaginer en politicien.

Il fige sur place.

— C'est exactement ce que dit l'oncle Rob.

J'ai touché une corde sensible.

— Je ne voulais pas dire que... Fraser, je ne me moquais pas de toi. Je pense que tu fais un travail fantastique. Érica est aussi de cet avis. Peu importe ce que dit l'oncle Rob.

Je cherche les mots qui sauront le réconforter.

— Je suis fière de toi.

À voir l'expression de son visage, je sais que j'ai dit ce qu'il fallait.

La rue principale est pleine de monde. Un vrai festival. Mais devant la porte du Hall, j'aperçois un groupe d'hommes qui examinent tous ceux qui entrent. Cela ressemble à une menace. Fraser a la même impression. Dès que nous avons

passé la porte, j'entends un rire qui me glace. C'est le rire de Lem. Comment est-ce possible ? Je m'arrête net, décontenancée.

— Qu'est-ce qui t'arrive ? demande Fraser.

— Rien. J'ai cru… non, rien... Oh !

Les tisserandes ont fait du bon travail. Elles ont décoré la scène du théâtre de tapis tissés à la main et de tentures. Deux estrades surélevées dominent la scène de part et d'autre.

— Qu'est-ce que c'est que ça ?

— C'est là que les gens pourront s'exprimer s'ils en ont envie, m'informe Fraser tandis que nous prenons place sur des chaises.

— C'est magnifique !

Fraser rayonne.

— Absolument magnifique, Fraser. Quel beau travail, s'exclame Érica en s'asseyant près de moi.

Elle est seule. Rien d'étonnant. Même en temps normal, Marella ne s'intéresse pas à ce genre d'événement. Alors maintenant qu'elle souffre à cause de Carson…

— Si seulement Donna et William étaient ici, poursuit Érica.

Elle parcourt la salle du regard.

— Où donc est Clara ?

Fraser le lui explique. Érica semble étonnée.

— Qui doit présider l'assemblée ? demande-t-elle.

— J'ai posé la question plus tôt ; c'est Merna Bursey.

Je me rappelle cette femme hésitante et frêle qui présentait une étoffe de sa fabrication à la réunion de la guilde.

Érica fronce les sourcils.

— Je suppose que Clara sait ce qu'elle fait, sauf que...

Elle n'ose pas terminer sa phrase et Fraser s'en charge :

— ... Sauf que Merna est trop douce et elle laisse tout le monde lui en imposer. Vous n'êtes pas la seule de cet avis. Tout le monde en parlait cet après-midi. Pourtant, personne n'a osé gâcher la sauce en contredisant Clara. Et aucune autre tisserande ne participera au débat, ce soir, pour qu'on ne pense pas qu'elles cherchent à dominer l'assemblée.

Il soupire :

— Si seulement Donna était présente.

— C'est bien mon avis, renchérit Érica, qui se tait aussitôt, car la séance va commencer.

Merna s'avance et prend la parole :

— Au nom de la guilde des tisserandes, je désire souhaiter la bienvenue à...

Aussitôt, les hommes qui surveillaient la porte envahissent le Hall. La voix de Merna se perd dans la rumeur qui gronde. Donna et Clara sauraient comment réagir, mais Merna se tait, décontenancée. Je jette un coup d'œil vers Érica qui se raidit, prête à intervenir. Le calme revient, mais

une onde d'hostilité provenant du fond de la salle alourdit l'atmosphère.

Merna se ressaisit. Elle achève son mot de bienvenue et explique qu'on terminera l'assemblée par un débat. « Mais j'aimerais d'abord récapituler les événements. » Elle enchaîne avec l'histoire de la guilde des tisserandes en Amérique du Nord au cours du dernier siècle. Je n'en crois pas mes oreilles. Le public s'agite et s'ébroue tandis que son discours s'éternise, si bien que, à la fin, un homme s'écrie :

— Si ça continue, nous allons y passer la nuit !

— C'est exact, lance un autre. Est-ce que vous essayez de nous empêcher de parler ?

Merna s'empourpre.

— Bien sûr que non. Si c'est ce que vous croyez, nous allons tout de suite procéder. Je déclare la séance ouverte.

Et elle s'assoit.

Fraser marmonne entre ses dents :

— Elle a oublié de présenter l'ordre du jour. Il soupire. Nous avions élaboré un ordre du jour pour faciliter les choses.

Tout près de la sortie, une sorte de géant n'hésite pas une seconde :

— Je veux savoir pendant combien de temps nous allons devoir tolérer ce lieu, en haut de la colline. Quand la Commission aura fichu le camp, on aura ce problème sur les bras.

Sa voix ressemble tellement à celle de Lem qu'il doit s'agir de son frère Rob.

— Tout juste, ajoute un autre homme. Renvoyez toute cette racaille d'où elle vient, à la rue.

C'est de moi qu'il parle. Je n'ose pas lever les yeux. Erica pose un bras protecteur sur le dossier de mon siège.

Merna tente de reprendre le contrôle.

— Si vous désirez prendre la parole, veuillez faire la queue du côté des estrades.

— N'essayez pas de contrôler la liberté de parole, crie Rob Leloup, la Commission nous a brimés suffisamment longtemps comme ça.

Un murmure d'assentiment court dans la salle. Merna est au bord des larmes.

Érica se lève, se dirige vers une des estrades, et attend ostensiblement qu'on lui donne la parole. Elle a une tête de moins que Rob Leloup, et la salle entière les sépare, mais à distance, elle le défie du regard, si bien qu'il finit par baisser les yeux. Je me redresse sur ma chaise.

— J'aurais bien aimé que la discussion progresse plus lentement, commence-t-elle, mais je me rends compte que, pour certains, le temps presse.

Le public rit et la glace est brisée.

— Moi aussi, je suis inquiète pour les enfants du camp de travail, ajoute-t-elle.

Puis, elle entreprend d'expliquer comment on prévoit transformer le camp en école. Tandis

qu'elle parle, plusieurs personnes s'avancent et se rangent derrière elle, près des estrades. L'ordre est rétabli.

Je reconnais l'homme derrière Érica. C'est le père de Mark, Daniel Jones. Il s'exprime calmement, avec assurance.

— Nous savons tous où Madonna Walsh se trouve, ce soir. Mon fils à moi n'a pas été blessé, mais pas un seul de nos enfants n'est encore revenu au bercail.

Un vague malaise agite la salle.

Le capitaine Jones hoche la tête en direction d'Érica.

— Vos avez de bonnes intentions, madame, mais vous n'êtes pas d'ici. Vous ne pouvez pas nous demander de nous occuper de tous ces bons à rien que la Commission nous a envoyés sans nous demander notre avis. C'est trop. On ne peut pas tolérer ça.

Sa sérénité tranquille fait pencher lourdement la balance en faveur de Rob Leloup. Les gens s'approchent pour prendre la parole, les uns derrière les autres. On n'a jamais voulu du camp de travail, par ici. On rappelle amèrement tous les efforts déployés pendant si longtemps pour empêcher sa création. Certains s'expriment avec colère tandis que d'autres cherchent des excuses, mais tous s'entendent là-dessus : les enfants du camp devront partir. Quelques heures plus tard, quand Rob Leloup prend de nouveau

la parole, je me rends compte qu'Érica avait surestimé la compassion de tout ce beau monde.

— Nous sommes tous d'accord, dit-il, alors qu'est-ce que nous attendons pour agir ? Nous devons nettoyer la place, et le plus tôt sera le mieux.

Des murmures d'approbation jaillissent du fond de la salle.

Merna Bursey se lève.

— La réunion de ce soir n'avait pas d'autre objectif que la discussion, commence-t-elle.

Rob Leloup l'interrompt aussitôt.

— Vous n'avez pas été élue, Merna Bursey. Ni la guilde, pour autant que je sache. Les femmes faisaient l'affaire tant que le peuple n'avait aucun pouvoir. Maintenant, les choses ont changé. Le moment est venu pour les hommes de prendre les rennes. Je m'en vais, dès ce soir, sur cette satanée colline et quand je reviendrai, j'aurai fait place nette. Qui veut me suivre ?

À ces mots, certaines familles ramassent leurs affaires et filent. Je voudrais crier : « Ne partez pas, nous avons besoin de vous ! » Mais ça ne sert à rien. Ces gens se fichent de ce qui peut arriver tant qu'ils ne sont pas responsables. Fraser a blêmi. Érica se lève.

— Vous ne pouvez pas faire une chose pareille.

— Essayez donc de m'en empêcher.

Il quitte la salle avec une vingtaine d'hommes, la plupart de ceux qui l'ont accompagné jusqu'ici. Une fraction seulement de la population de Kildevil est de son avis. Mais elle est assez nombreuse pour faire beaucoup de mal. Je pense aux enfants qui sont restés au camp, des tout-petits. Érica se tourne vers Fraser.

— Va chercher Clara. Dis-lui de se rendre devant le Grand Hôtel.

À peine a-t-elle le temps de finir sa phrase qu'il est déjà parti. Elle se tourne vers moi.

— Je vais les suivre, il le faut.

Je la retiens par une manche.

— On pourrait peut-être appeler Donna et William ?

Érica secoue la tête.

— Nous n'avons pas le temps.

Elle réfléchit un instant et ajoute :

— Va trouver Lem. Demande-lui de venir. S'il refuse, reste avec lui. Promets-moi, Blake, de ne pas nous rejoindre si tu es seule.

Je hoche simplement la tête en espérant que, ainsi, le mensonge ne compte pas vraiment. Avec ou sans Lem, je rejoindrai Érica.

Le sentier en retrait de la route principale est tout en haut de la colline. Au bout de quelques minutes, je n'entends que ma propre respiration haletante, mais je peux suivre du regard, entre les arbres, la progression des hommes dans la lueur des torches, sur la route en contrebas.

J'essaie de ne pas penser aux armes qu'ils ont pu prendre avec eux. De là-haut, on dirait la procession de l'investiture. Et pourtant, c'est tout le contraire. Ces gens sont motivés par la haine et la destruction. J'espère qu'Érica restera en dehors de leur champ de vision.

Je n'arrête pas de courir, seule, mue par la peur, si bien que je finis par devancer les hommes, mais au moment où je rejoins la route, je dois encore grimper tout en haut de la pente de ski. Je n'espère plus arriver avant eux au Grand Hôtel, accompagnée de Lem. Je ne sais même pas comment il va réagir. Si je frappe à sa porte comme une forcenée en criant au milieu de la nuit, il pourrait décider de ne pas ouvrir. C'est pourquoi, en apercevant sa maison, je ralentis le pas et je tente de reprendre haleine. Au moins, il y a de la lumière chez lui. Je frappe doucement et je l'appelle, aussi calmement que possible.

— Lem, Lem… c'est moi, Blake, ouvrez-moi.

Au bout d'un moment qui me semble interminable, j'entends une voix craintive qui demande :

— Blake ?...

Comment Érica a-t-elle pu croire qu'il accepterait de me suivre ?

— Oui, Lem. Laissez-moi entrer. Il s'est passé quelque chose.

La porte s'ouvre à toute volée.

— Est-ce que tu vas bien ?

Je hoche la tête en tâchant toujours de reprendre mon souffle.

— C'est à propos de votre frère. Il a rassemblé des hommes et ils se dirigent vers le camp de travail. Ils veulent en chasser les enfants, dis-je entre deux halètements.

— Il ne peut pas faire une chose pareille, s'écrie Lem.

— Érica tente de les en empêcher, mais elle est seule contre eux.

— Allons-y !

Et nous voilà partis.

À mi-chemin de la pente de ski, une ombre court dans notre direction en pleurnichant dans le noir. C'est une des petites. Elle ne nous voit pas. Je dois la retenir par une épaule pour l'empêcher de nous dépasser. Elle pousse un hurlement de terreur et je la reconnais.

— Poppy, Poppy, c'est moi, Blake… Blé. Je t'ai donné les gants, tu te rappelles ?

Elle acquiesce.

— Les hommes, au camp de travail. Avec des torches. Je suis sortie par derrière.

— Nous sommes au courant, Poppy. Nous allons tenter de les arrêter.

La voix de Lem est calme, comme s'il lui faisait la conversation. Il lui tend la main :

— Tu m'accompagnes ?

On dirait qu'il lui propose de faire une simple ballade. Poppy n'hésite qu'un court instant avant

de glisser sa main dans la sienne. Elle est trop secouée pour se demander à qui elle a affaire. Je les présenterai l'un à l'autre plus tard. Elle a suffisamment peur comme ça. Elle trébuche. Lem la soulève pour la prendre dans ses bras et nous poursuivons notre chemin vers le bas de la colline. Cette fois, j'entends la foule hystérique avant même de la voir. Dès que nous contournons la maison du maître, nous voyons les hommes qui forment un demi-cercle avec leurs torches devant le Grand Hôtel. Érica les affronte, seule, comme une bête aux abois, mais elle n'est pas intimidée. Une vraie tigresse.

J'ai les jambes en coton. Je m'arrête là, incapable d'aller plus loin. Ces hommes me rappellent les escadrons de la mort. Lem me laisse seule et se rue en direction d'Érica. Il a oublié, je crois, qu'il porte Poppy dans ses bras. L'apparition soudaine de cet homme immense et de l'enfant déconcerte un instant les hommes en colère. Ils baissent leurs armes et leurs pelles. Poppy est tétanisée de peur. Lem s'adresse à son frère comme s'ils étaient seuls au monde, mais sa voix porte dans la nuit.

— Ça ne se passera pas comme ça, Rob. Personne ne fera de mal aux enfants.

Je suis la seule à remarquer l'arrivée de Fraser et de Clara. Fraser plisse le front dans un effort pour comprendre ce qui se passe.

La voix de Rob Leloup est pleine de mépris.

— Rentre chez toi, Lem. Tu n'es qu'un vieux fou. Tout le monde le sait. Va-t'en et laisse-nous faire.

Lem secoue la tête.

— Avant de toucher à ces enfants, Rob, tu auras affaire à moi.

— Et à moi !

C'est la première fois qu'Érica ouvre la bouche.

— À moi aussi !

Clara se fraie un chemin dans la foule.

Une voix retentit derrière moi et je tressaille d'effroi.

— J'ai honte de ce que je vois.

Cette fois, Marella fait bon usage de son sens du drame. Elle a revêtu sa toge d'investiture. On dirait une grande prêtresse. Les hommes s'écartent respectueusement pour lui livrer le passage. Et je suis fière de la suivre, même si j'ai le cœur qui bat la chamade. Les gardiennes ne semblent pas vouloir se montrer.

Nous sommes cinq à affronter la foule. Poppy est toujours dans les bras de Lem. Face à tous ces gens, nous ne sommes pas assez nombreux et nous ne faisons pas le poids, mais la présence de Marella fait pencher la balance en notre faveur. Personne n'oserait la toucher. Puis, Fraser fend la foule à son tour. Il se plante entre son père et moi et regarde son oncle Rob droit dans les yeux.

— Tu auras aussi affaire à moi.

Sa voix tremble un peu. Au bout d'un silence qui semble durer une éternité, les hommes commencent à se disperser par groupes de deux ou trois. Rob Leloup jure et leur emboîte le pas.

Érica s'appuie contre le montant de la porte. Elle frissonne d'émotion.

— Merci à vous tous. Nous ferions mieux de rester vigilants, cette nuit. Il y a un gros sifflet dans le bâtiment et nous pourrons l'utiliser pour donner l'alarme s'ils reviennent. Clara, tu as l'air mal en point. Je vais te préparer un lit.

Clara affiche une mine reconnaissante.

— Eh bien, bonne nuit tout le monde, s'exclame Marella, pleine d'entrain. Eh bien quoi, vous ne pensez tout de même pas que je vais passer une nuit blanche à faire le guet. Ça suffit comme ça.

Elle repart en direction de la maison.

Érica prend la main de Poppy dans la sienne.

— Est-ce que tu sais si d'autres enfants ont pris la fuite, mon petit ? demande-t-elle.

Poppy approuve d'un hochement de tête. Érica soupire.

— Nous ferions mieux de trouver les gardiennes, dans ce cas, avant que ces enfants meurent d'hypothermie.

Je reste seule avec Lem et Fraser.

Si j'espérais qu'ils se réconcilient, je suis déçue.

— Je serai de retour dans quatre heures, annonce Fraser.

Et il file illico, sans un regard pour son père.

Je me tourne vers Lem.

— Vous êtes tellement courageux. Je n'aurais jamais pu en faire autant.

Il rit doucement.

— Petit épi de blé, tu fais la moitié de ma taille. Et puis, je connais Rob. Il est méchant, mais c'est un lâche. Je savais qu'il allait capituler.

— Et s'il vous avait tenu tête ?

— J'y pensais en descendant la colline. Vraiment, je crois que j'aurais préféré mourir plutôt que de laisser l'histoire se répéter.

Il glisse ses doigts dans sa crinière et sourit :

— Mais la prochaine fois, dit-il encore, rappelle-moi de poser d'abord l'enfant que j'aurai dans les bras avant d'affronter ces imbéciles !

# 28

# Retrouver ce qui était perdu

Quand Hilary est morte, je ne pouvais pas pleurer. Au moindre signe de faiblesse, la Tribu vous passait à tabac, histoire de vous apprendre à vivre. C'est comme ça que j'ai commencé à pleurer dans mes rêves. Des années que ça ne s'était pas produit… Pourtant, cette nuit, après mon tour de garde, ça m'arrive à nouveau. Je rêve que je pleure, que je titube entre les arbres en fouillant les bois à la recherche d'enfants perdus dans la nuit froide.

Au matin, tout est calme. Érica et Clara sont là, penchées sur une tasse de thé.

— Nous les avons toutes retrouvées, annonce Érica avant même que je pose la question. La plupart d'entre elles se cachaient dans les remises. Mais les gardiennes se préparent à partir. En fait, elles ont sans doute déjà quitté les lieux.

— Et maintenant, qu'est-ce qui va se passer ?

— Il faut agir. Tout le monde doit y mettre du sien.

Clara pousse un soupir.

— J'aimerais que William soit ici. Nous aurions bien besoin de son autorité morale.

— Autorité morale ?

— Oui, c'est de ça que Marella s'est servie, la nuit dernière, pour produire son effet. Cette petite ne cessera jamais de me surprendre.

Fraser entre dans la cuisine en bâillant, la crinière en bataille.

— On ne dort pas trop mal sur le canapé du bureau, dit-il en fronçant les sourcils. Il me sera bien utile, maintenant que j'y pense. Je suppose que l'oncle Rob ne voudra plus de moi chez lui après ce qui s'est passé la nuit dernière. Il voudra quelqu'un d'autre pour prendre soin des chèvres.

— Ne t'inquiète pas, Fraser, nous te trouverons bien un endroit où vivre, le rassure Clara. De toute façon, j'ai toujours pensé que tu n'étais pas à ta place chez lui.

— Où est Lem ?

Je sais que ma question vient à un mauvais moment sauf que je n'ai pas pu m'empêcher de la poser. Je suis furieuse contre Fraser parce qu'il a tourné le dos à Lem la nuit dernière.

— Il est rentré chez lui après son tour de garde. Je vais vous préparer quelque chose à manger.

Au ton d'Érica, je comprends que le sujet est clos.

Après le déjeuner, Clara me tend une liste de noms.

— Je veux rencontrer ces gens. Vous deux, chargez-vous de les rassembler au Grand Hôtel. Il faut s'occuper sans délai des enfants du camp.

Tout espoir d'éviter Fraser dans l'immédiat s'évanouit. Je décide de m'enfermer dans un mutisme obstiné.

— Je sais ce que tu penses. J'aurais dû lui parler hier soir, dit Fraser dès que nous sommes en route, seuls l'un avec l'autre.

Je consens à hocher la tête en signe d'approbation.

— Une bonne action ne peut pas réparer toute une vie d'erreurs, dit-il.

Là, j'explose.

— Il n'a pas une once de méchanceté. Tu ne le connais pas.

Fraser soupire.

— Tu as raison. Je ne le connais pas. Pendant tout ce temps, j'ai cru qu'il était comme l'oncle Rob. J'ai toujours pensé que j'avais assez de problèmes comme ça avec l'un, alors pourquoi m'embarrasser de l'autre ?

Ma colère s'évanouit.

— Oh ! Fraser, c'est ce que tu penses ? Mais il est tout différent de Rob. Il serait mort la nuit dernière pour protéger les enfants.

Je lui rapporte les propos de Lem, même la plaisanterie à propos de Poppy.

— Il a dit tout ça ?

— Oui ! Tu veux bien le rencontrer, Fraser, dis ?

Il hésite avant de répliquer :

— Étant donné que ma famille s'est un peu rétrécie, je suppose que l'idée n'est pas si mauvaise...

Avant de comprendre ce qui m'arrive, je le serre dans mes bras. Aussitôt, je m'écarte, ne sachant plus où me mettre. Au bout d'un interminable silence, Fraser me taquine :

— Si tu as quelqu'un d'autre à me présenter, n'hésite surtout pas…

Quand je lève les yeux vers lui, il sourit de toutes ses dents.

— En tout cas, je sais de qui tu tiens ton sens de l'humour, dis-je.

Puis, j'aperçois quelqu'un sur la route devant nous et, malgré moi, je pousse vivement Fraser du coude.

— Oh ! dit-il.

— Regarde, là, c'est gardienne Novembre.

Elle avance lentement, croulant sous le poids de ses bagages. Au son de ma voix, elle se retourne.

— Rejoignons-la !

Je presse le pas. Aussitôt, elle accélère. À l'idée qu'elle puisse avoir peur de moi, j'éclate d'un rire méchant qui me surprend moi-même. C'est

le rire de quelqu'un que je préfère ne jamais connaître.

— Attendez ! dis-je.

Peut-être a-t-elle décidé qu'il ne servait à rien de fuir parce qu'elle s'arrête et pose ses valises.

— Où allez-vous ?

— Je pars. Un bateau m'attend au quai.

Elle semble plus jeune sans son uniforme, mais elle a les traits tirés et elle a peur.

— Et les enfants ?

— Ce n'est plus mon problème. Je n'ai plus de salaire depuis que les troubles ont éclaté. Représentante spéciale de la Commission… tu parles ! Tu sais ce qui s'est passé la nuit dernière. Est-ce que je devrais attendre tranquillement que quelqu'un d'autre décide de se venger ?

Elle est fielleuse. Je serre les poings. Je voudrais la voir payer cher tout ce qu'elle a fait.

Fraser nous rejoint. Il attrape un des sacs au passage et poursuit son chemin sans un mot. Je le regarde s'éloigner un court instant, stupéfaite, puis je comprends. Rob Leloup et lui n'ont rien en commun. Mes poings se relâchent. À mon tour, je soulève un sac et je le suis.

En route vers la ville, gardienne Novembre cherche désespérément la phrase qui exprimera ce qu'elle ressent. Les mots se dérobent. « Merci », dit-elle enfin en nous quittant. Elle n'a rien trouvé de mieux. Au quai, son bateau l'attend.

Les nouvelles vont vite, à Kildevil. À présent, tout le monde sait ce qui s'est passé la nuit dernière. Et Clara savait parfaitement que certains se sentiraient trop coupables pour lui refuser leur aide. Nous rassemblons en vitesse les gens dont les noms se trouvent sur sa liste et nous retournons au Grand Hôtel. Nous ne rencontrons aucune autre gardienne ; elles ont déjà toutes fui. Elles n'ont sûrement pas travaillé très fort au cours des dernières semaines. Les plantes hydroponiques sont mortes, faute de soins. Tout est en désordre. Clara et Érica ont déjà regroupé les enfants pour former des équipes. Nous passons la journée à tout nettoyer. Le soir venu, au moment où je m'écroule dans mon lit, fourbue, je sais que, dans les jours qui viennent, la gestion du camp de travail ne sera pas une mince affaire.

Tandis que je m'habille le lendemain matin, je réalise le parti que je peux peut-être tirer de la situation. J'en parle à Érica, au petit-déjeuner, en pesant mes mots :

— Il faudra beaucoup de travail pour administrer le camp. Je pourrais renoncer à mon stage avec Clara.

Érica semble ravie, mais elle réplique :

— Tu ne peux pas te sacrifier de cette façon, Blake. Le stage ne prend que la moitié de la journée. Tu pourras travailler au camp pendant la matinée. Ce sera suffisant.

Quelle idiote je fais. Au lieu de jouer les astucieuses, j'aurais dû dire la vérité. Mais si je lui confie à quel point le tissage me déplaît, elle affirmera sans doute que, avec le temps, ça s'arrangera.

Fraser se pointe avant que j'aie fini de ranger la vaisselle.

— Je suis prêt, annonce-t-il.

Il a l'air grave et je mets un moment à comprendre pourquoi. Érica se met à rire.

— Ah bon ? Que se passe-t-il ?

Nous le lui expliquons et elle approuve calmement.

— Je suis contente. Lem est plus fort qu'on ne le croit. Vous avez déjà pu le constater. Et tu sais, Fraser, je crois qu'il veut te rencontrer, lui aussi.

Fraser a la trouille.

— Voulez-vous venir avec nous ? demande-t-il.

Érica secoue la tête.

— C'est une affaire entre Lem et toi.

Je n'avais pas vu les choses sous cet angle.

— Je devrais peut-être te laisser y aller seul, dis-je.

— Non ! s'écrie Fraser. Mais aussitôt, il baisse le ton. Je veux dire… non, je ne veux pas y aller sans toi.

— Très bien. Alors, allons-y.

Je redoute d'attendre plus longtemps : Fraser pourrait changer d'avis.

Nous gardons le silence en grimpant la colline, mais dès que Fraser aperçoit la maison de Lem, il saisit ma main. Il la serre si fort qu'il me fait mal, mais je me tais.

La porte s'ouvre.

— Lem, voici…

Je n'ai pas le temps de terminer ma phrase. Lem pose gentiment ses mains immenses sur les épaules de Fraser :

— Mon fils, déclare-t-il, je te reconnaîtrais entre mille.

Les yeux de Fraser se remplissent de larmes.

— Vous… vous rappelez de moi ?

Lem secoue la tête.

— Non, j'ai vraiment essayé. Plusieurs fois. J'ai des souvenirs de Michelle enceinte, mais c'est tout.

— Dans ce cas, comment pouvez-vous me reconnaître ? demande Fraser.

— Tu es tout le portrait de ta mère. Entrez…

Lem nous précède à l'intérieur.

— Tiens, assieds-toi, dit-il.

Il s'agite quelques instants autour d'un panneau de contrôle et soudain, elle est là, dans la pièce, assise devant un clavier. Une femme délicate, aux cheveux noirs. Fraser a ses yeux. Et Lem l'accompagne, plus jeune, plus fort, avant qu'il devienne l'ombre de lui-même. Un enregistrement musical sur holodisque. Elle joue, absorbée dans la musique, et son visage transpire le bonheur. Ils

sont si jeunes, tous les deux. Ils interprètent une pièce magnifique et quand leurs regards se croisent, on comprend à quel point ils s'aiment.

Et voilà, c'est terminé. Elle s'est évanouie et la maison de Lem est aussi vide qu'un cœur brisé. Fraser la cherche encore longuement du regard. Des larmes inondent ses joues. Elle a disparu.

Lem se penche vers lui.

— Je suis désolé. Moi aussi, ça me retourne chaque fois que je la vois. J'aurais dû comprendre…

Fraser soupire, ému.

— On pourrait la revoir, encore une fois ?

# 29

# À quoi servent mes lumières

Quand nous retournons sur la colline quelques jours plus tard, Fraser prend avec lui son concertina.

— C'est magnifique, s'exclame Lem. Tiens, jette un coup d'œil là-dessus.

Il étale devant lui une feuille de musique.

— Qu'est-ce que c'est que ça ? demande Fraser, étonné.

— Tu ne sais pas lire la musique ? Je vais t'apprendre.

Fraser secoue la tête.

— Je n'ai jamais été très doué pour apprendre des trucs sur papier.

— Tu n'as jamais eu le bon professeur, voilà tout, conclut Lem.

Quand je m'éclipse au bout d'une heure, ils ne s'en rendent même pas compte. Je ne vois pas

pourquoi je resterais. Ils composent un beau duo tous les deux, une belle équipe… une belle famille. Le mot refait surface comme la pièce manquante d'un vieux casse-tête poussiéreux. Ils forment une famille, alors que moi, je suis comme… comment Lem disait-il, déjà ? Comme une âme en peine.

C'est ça. Je suis une âme en peine. La lie de St. Pearl. Au cours de la semaine qui suit, je me traite de tous les noms. Parce que le bonheur de Fraser et de Lem, ce bonheur que j'ai tant souhaité, me remplit d'une colère bilieuse dont j'ai honte. Mais je n'y peux rien. Quelque chose me ronge le cœur. J'ai réussi à les réconcilier, si bien que je les ai perdus tous les deux. Je ne peux même plus supporter de les voir ensemble.

Je lutte en permanence contre ce sentiment, j'emmêle et je démêle des fils sur toutes sortes de machines chez Clara, je fais l'aller et retour à pied de Kildevil et le soir venu, je reste allongée, éveillée dans mon lit, car le sommeil ne vient pas.

Cette rancœur ne me quitte que le matin, au camp de travail, auprès des jeunes enfants dont j'ai la charge. À la fin du premier jour, Poppy est venue me trouver : « On m'a dit que je pouvais t'aider. » Elle semblait redouter que je repousse son aide, mais j'ai besoin d'elle. La plupart des filles sont presque trop dociles. Elles font ce qu'on leur dit parce qu'elles ont peur. Sauf une des petites, cependant, qui s'appelle Violette. J'ose à

peine imaginer ce qui a pu lui arriver avant de venir ici. Quand on la touche, elle hurle. Des cris. C'est tout ce qu'on peut en tirer. Rien d'autre. Avec un peu d'aide, j'espère pouvoir faire quelque chose pour elle.

Les gens de Kildevil se manifestent, les uns après les autres, désireux de donner un coup de main, honteux à l'idée de ce qui aurait pu arriver. Le camp de travail commence bientôt à prendre l'allure d'une école. Érica s'investit de toute son âme dans le travail. Elle prend même ses repas avec les enfants, si bien que j'en fais autant, la plupart du temps. Naturellement, Marella refuse de nous accompagner. Elle ronchonne, mais elle apprend à faire ses repas toute seule, et me laisse la tâche de laver ses casseroles et sa vaisselle sales. Mes conversations avec Érica se font tellement rares qu'elle me manque presque autant que Fraser et Lem. C'est pourquoi je me réjouis quand un soir, elle me rejoint pour le dîner.

— Est-ce que tout va bien, Blake ? Tu as l'air au bout du rouleau.

— Ça va, oui.

Je mens.

Érica soupire.

— Je suppose que nous travaillons tous trop fort. J'ai tellement hâte que William rentre à la maison. Est-ce que je te l'ai dit ? Ils rentrent demain.

— Carson aussi ?

Je me demande si Marella est au courant.

— Oui. Les médecins n'ont pas pu regénérer la jambe de Carson. Ce type d'opération doit être entrepris sans délai, et il dû attendre plusieurs jours avant qu'on le conduise à l'hôpital. Le pauvre est inconsolable. Je ne sais pas comment Donna pourra s'en sortir.

— Vous vous souvenez à quel point Marella était malheureuse quand elle a su ce qui était arrivé ? Elle voudra peut-être s'occuper de Carson ?

J'ai dit cela par égard pour Donna et Carson ; je me moque bien du bonheur de Marella.

Érica ricane :

— Je ne crois pas que Marella s'abaisserait à travailler aussi dur, malgré tout son chagrin.

— On peut toujours lui demander ce qu'elle en pense.

— Tu la connais mieux que moi. On peut toujours essayer... En parlant de guérison, as-tu vu Lem dernièrement ?

— Non. Pourquoi cette question ?

J'évite son regard.

— Je me demandais si tu avais constaté un changement chez lui. Il semble tellement moins... distrait qu'avant. Peut-être qu'il allait de mieux en mieux, tout ce temps, et que je ne m'en rendais pas compte. Mais depuis qu'il a Fraser auprès de lui, il a fait des progrès spectaculaires. Tu auras

l'occasion de t'en apercevoir. Ils vont venir donner une leçon de musique.

— Ici ?

— Oui. Lem a plein d'idées pour les enfants. Fraser est si enthousiaste.

Érica allonge le bras et prend ma main dans la sienne.

— Blake, dit-elle, tu as bien agi à leur endroit.

Je hoche simplement la tête en espérant qu'elle se méprendra sur les raisons de mon silence et qu'elle y verra de la modestie. Elle doit être trop fatiguée pour me percer à jour, car elle se lève.

— C'est peut-être une excellente idée, pour Marella. Donna aura certainement besoin d'aide. J'en glisserai un mot à Marella. Et tâche de te reposer, ma chérie, tu as l'air épuisée.

Et elle file. On dirait que je peux donner un coup de main à tout le monde, mais que je ne peux rien faire pour moi-même. Je repousse mon plateau et je soupire.

« *Ils servent aussi, ceux qui ne font qu'attendre, armés de courage.* »

Je ne croyais pas que Lem et Fraser allaient donner un cours aux petits, mais le lendemain matin, ils pénètrent dans la rotonde, chargés de gros sacs pleins d'objets qui s'entrechoquent. Poppy aperçoit Lem et, aussitôt, elle quitte les autres enfants et le suit comme une ombre. Tandis que Fraser vide les sacs, Lem vient vers moi.

— Blake, où diable étais-tu passée ? Tu m'as beaucoup manqué.

Érica ne s'est pas trompée. Il a changé.

— Oh ! J'avais du travail, avec les enfants, et chez Clara, tout ça.

Il me regarde droit dans les yeux.

— Je me moque de ton travail. Réserve un peu de ton temps pour nous. Viens me rendre visite ce soir.

Je me détourne.

— Oui, bien sûr, dis-je.

Mais je n'en pense pas un mot.

— Promets-le, Blake. S'il te plaît, insiste-t-il, j'ai trouvé quelque chose sur ton passé. Il faut que je t'en parle.

Du coup, c'est comme si on me fauchait les jambes. Je chancelle, et Fraser arrive juste à temps : il tend les bras pour me soutenir.

— Hé la ! Attention à toi !

— Qu'avez-vous trouvé ?

Ma voix n'est plus qu'un murmure. Lem hésite.

— C'est compliqué, petit épi de blé.

Le surnom me réchauffe un peu le cœur. Il poursuit :

— Il vaut sans doute mieux qu'on regarde tout ça ensemble, toi et moi. Comme ça, nous pourrons plus facilement replacer les morceaux...

Tout à coup, je m'aperçois que plusieurs enfants pleurnichent.

— Oh ! Les enfants, je les oubliais.

Lem sourit.

— C'est pour ça que nous sommes ici. Regarde. Nous avons apporté toutes les percussions qui nous tombaient sous la main. Rassemblez les enfants. Poppy, peux-tu nous aider ?

Poppy obéit, sans quitter Lem des yeux. Nous passons le reste de la matinée à montrer aux petits comment jouer des instruments, avec plus ou moins de bonheur. Certains enfants sont terrifiés par le bruit. Violette refuse de quitter sa cachette. Lem prend des notes. « Pour la prochaine fois », dit-il.

Après le déjeuner, nous nous rendons tous chez Clara.

— Je t'accompagne, propose Fraser.

— Et qui rangera les instruments ?

— Je m'en occuperai à la maison. Chez Lem. C'est là que j'habite maintenant. Je n'ai jamais rencontré personne comme lui. Il travaille sans arrêt. J'étudie la musique. Il prépare des cours pour les enfants et puis, il passe le reste de la nuit à tenter de découvrir ce qui a pu t'arriver, me raconte-t-il, en route vers la maison de Clara.

Je suis si impatiente d'en savoir plus.

— Tu ne veux rien me dire ?

— Je ne sais rien, Blake. Il dit que tu dois être la première à savoir.

— Je pensais qu'il m'avait oubliée. Je veux dire, maintenant qu'il t'a près de lui.

— Pas du tout. Il pense que c'est encore plus important de savoir ce qui t'est arrivé maintenant que tu nous as réunis, et que toi, tu n'as encore personne…

Du coup, je suis libérée du tourment qui me rongeait. Lem se trompe.

— Moi aussi, je pensais que je n'avais personne sur qui compter, mais je me trompais.

— On t'a attendue plus d'une fois, me reproche Fraser. Où donc étais-tu passée ?

Je souris.

— Je suppose que je m'étais un peu perdue en route…

Il hoche la tête, mais ne pose pas de question.

Fraser est le premier à remarquer le véhicule militaire devant chez Donna.

— Regarde !

Nous courons en direction de la maison, mais bientôt nous ralentissons, de peur d'arriver comme un cheveu sur la soupe. Carson n'est pas le seul à rentrer chez lui, aujourd'hui. Donna et William quittent le véhicule tandis qu'on abaisse la plateforme sur laquelle on a poussé le fauteuil roulant où Carson est assis.

Il n'est plus le même. Le dos rond, la tête courbée, les mains inertes, posées sur ses cuisses. On dirait que ces derniers mois ont consumé sa vie tout entière et qu'il n'est plus qu'un vieillard.

William et Donna s'occupent de lui et le véhicule redémarre. Fraser fait un pas vers lui ; je le retiens et le pousse vers la maison de Clara.

— Non, dis-je, il ne veut sûrement pas qu'on le voie dans cet état.

J'ignore comment je le sais, mais j'en suis pratiquement certaine. J'ajoute :

— Il faut lui laisser du temps, dis-je.

Quand Fraser décide de se retirer, Clara me tend un dévidoir et des bobines. Je m'installe près d'une fenêtre qui donne sur la maison de Donna. J'ai honte d'espionner, mais je ne peux pas m'en empêcher. Bientôt, je vois William quitter la maison et, peu après, Marella arrive. Elle porte une tunique et des collants. Un foulard bleu lui enserre la tête. Elle porte les mêmes vêtements que lors de sa première rencontre avec Carson.

Au cours de la demi-heure qui suit, je ne réussis qu'à emmêler tous les écheveaux de fils que je touche. Comment puis-je rester là, sans rien faire, à attendre de savoir ce qui va se passer ? Mais déjà, beaucoup trop rapidement, Marella quitte la maison. Avant que j'aie le temps de me détourner, elle m'aperçoit. À mon grand étonnement, elle se présente à la porte de Clara.

— Je peux entrer ? demande-t-elle.

— Bien sûr. Je vais chercher Clara.

— Non, s'il te plaît. C'est à toi que je veux parler.

Je me comporte comme si c'était tout à fait naturel. Je reprends le travail, et elle s'assoit en poussant un soupir à fendre l'âme.

— Ce sera beaucoup plus difficile que je ne l'imaginais, dit-elle.

— Pourquoi ? Qu'est-ce que tu espérais ?

— Je croyais qu'il serait ravi de savoir que la bioguide s'occuperait de lui. Je pensais que ça lui remonterait le moral aussi sec.

Elle baisse le ton, au cas où Clara serait dans les parages.

— Je croyais qu'il serait content de me voir.

— Il ne l'est pas ?

À peine ai-je posé la question que je me rends compte de sa cruauté.

Marella rougit.

— Non.

Curieusement, elle s'interrompt un long moment avant de poursuivre.

— Tu ne sais pas comment t'y prendre, avec le fil.

Elle attrape le dévidoir et démêle les fils de laine, remplit une bobine d'une main experte et me la rend.

J'en reste bouche bée.

— Où as-tu appris ça ? On dirait que tout le monde peut faire ce travail, sauf moi.

— J'ai été apprentie chez des tisserandes après la mort de ma grand-mère. Mais j'avais des allergies aux teintures et aux fibres. C'est comme ça

que je suis devenue bioguide. Écoute, ça ne sert à rien de retourner voir Carson aujourd'hui. Laisse-moi te montrer comment bobiner tout ça correctement.

Je regarde le fil enchevêtré, comme d'habitude, entre mes doigts.

— J'aimerais mieux que tu m'apprennes comment faire pour avoir des allergies.

L'espace d'une fraction de seconde, je crois qu'elle va me gifler. Mais elle s'esclaffe. Quand enfin Clara se pointe pour comprendre ce qui se passe, nous sommes toutes deux écroulées de rire. Cette fois, avant la fin du jour, je sais comment me servir d'une machine à bobiner.

# 30

# Savoir voler

Ce soir, nous mangeons à la maison en l'honneur du retour de William. Je ne mentionne pas la découverte de Lem. En partie parce que mes problèmes pâlissent en comparaison des ennuis de Carson, et en partie parce que je suis terrifiée à l'idée d'aborder le sujet. William nous raconte comment tout s'est passé à St. Pearl.

— Quand Carson a compris qu'il était trop tard pour qu'on puisse regénérer sa jambe, il a capitulé. Il ne veut plus aucun traitement. C'est surtout son cœur qui doit guérir, maintenant.

Après nous avoir déballé toute l'histoire de Carson, William évoque l'autre raison de sa présence à St. Pearl : l'université.

— Je n'étais bien sûr pas le seul à en avoir eu l'idée. Nous sommes à peu près persuadés de pouvoir mettre quelque chose sur pied d'ici l'automne. Au départ, ce ne sera pas vraiment une

université, mais pour la population, c'est une lueur d'espoir.

Je jette un coup d'œil du côté de Marella. Elle semble aussi malheureuse que moi.

Le repas terminé, nous comprenons qu'Érica et William désirent se retrouver seuls.

— Je pense que je vais aller faire un tour chez Lem et Fraser, dis-je avec autant de détachement que possible.

Érica affiche soudain une mine curieusement grave.

— Veux-tu que je t'accompagne ?

Lem a dû lui parler de quelque chose.

— Non, restez auprès de William.

Elle hésite, puis elle m'embrasse et ajoute :

— Comme tu voudras.

Tandis que je grimpe la colline dans le noir, je me rappelle la première fois où je suis passée par ici, mon panier de victuailles sous le bras. La gamine que j'étais ne connaissait même pas son propre nom. Maintenant, je vais encore apprendre des choses sur mon passé. Dès que je vois le visage de Lem, je sais que je dois m'attendre au pire.

— Entre, petit épi de blé. Fraser, donne-lui un peu de ragoût.

— J'ai déjà mangé, merci. Lem, vous savez pourquoi je suis ici. S'il vous plaît…

Nous prenons place à la table de la cuisine. Fraser tire une chaise. Lem sort une feuille de papier d'un dossier cartonné.

— J'ai trouvé cet avis…

Il me tend la feuille. Sous l'entête électronique, on peut lire :

ENFANT RECHERCHÉ.
Blake Saman.
Âge : deux ans, un mois.
Enlevée à sa mère à St. Pearl, préfecture de Terra Nova, la nuit du 25 août 2354.

— Enlevée à sa mère ? Qu'est-ce que…

— Moi aussi, je me suis posé la question. Avec une date en main, je pouvais commencer à fouiller dans les archives. Trouver les articles concernant la résistance. Seuls les membres autorisés pouvaient consulter cette liste, car on en masquait le code d'accès. Et pourtant, on se montrait assez prudent quant aux informations qu'on divulguait. Voici ce que j'ai trouvé : « L'enfant a été arrachée de sa chaise devant sa mère sur la terrasse d'un café. La pauvre femme est au désespoir. On craint que l'enlèvement ait pour motif le prélèvement d'organes, mais nous poursuivons les recherches. L'enfant a un implant micropoint dans le poignet gauche. Toute personne en mesure de nous aider peut nous contacter. »

— Arrachée de sa chaise sur la terrasse d'un café... Mais je me souviens de ça !

Je raconte à Lem et à Fraser l'histoire du bol jaune dans un halo de lumière et comment des bras m'ont enlevée.

— Mais il y a pire, soupire Lem, en me tendant une autre feuille. C'est tiré d'un cybermagazine. J'ai souligné la partie qui te concerne.

L'article est daté de 2354 et s'intitule : DES ENFANTS DE ST. PEARL DISPARAISSENT. Au milieu de la page, à l'endroit indiqué par Lem, je commence à lire.

Emily Mobax, anciennement professeur de littérature anglaise, est arrivée à St. Pearl cet été en compagnie de sa fille de deux ans, qui a été enlevée peu après. « Une jeune femme blonde a littéralement arraché mon enfant de sa chaise à la terrasse d'un café », a déclaré la mère, en larmes. « J'ai seulement détourné la tête pour un instant. Elle m'a également volé son sac. Qui peut bien avoir payé cette jeune fille pour faire une chose pareille ? Je veux seulement retrouver mon enfant. Je ferais n'importe quoi pour ça. »

La feuille tombe sur la table et tout se brouille autour de moi.

— Blake, est-ce que tu vas bien ? On dirait que tu vas t'évanouir.

— Elle m'a enlevée.

— Qui a fait ça ? demande Fraser.

— Hilary. Elle a toujours affirmé qu'elle m'avait trouvée. Pourquoi m'a-t-elle enlevée à ma mère ?

— Est-ce que tu préfères qu'on arrête tout ça ? s'inquiète Lem.

Je secoue la tête : non.

— Dans ce cas, il y a encore une chose. C'est le plus dur. Tu veux que je te fasse la lecture ?

J'approuve.

— C'est à nouveau tiré de la cyberliste. Voici le titre : « À propos de l'enfant Blake Saman, peut-on lire. Il y a quelques semaines, je cherchais des renseignements sur une fillette portée disparue. Je vous signale que la mère de l'enfant est maintenant *sur place*. Elle a décidé de rendre l'affaire publique. Elle a ainsi déclenché une réaction en chaîne prévisible. »

— Qu'est-ce que ça veut dire ? Je ne comprends pas.

— *Sur place* signifie que la Commission est venue la chercher. En publiant cette histoire, elle a attiré sur elle l'attention de la Commission.

Je regarde le cyberarticle sur la table. Mes yeux tombent sur des mots que je lis à haute voix. « Je veux seulement retrouver mon enfant. Je ferais n'importe quoi... » Elle savait ce qu'elle faisait, non ?

— Je suppose que oui, dit Lem.

Et soudain, je prends conscience d'autre chose :

— Mais si elle a échoué à Markland, Érica l'aura probablement rencontrée, non ?

Lem secoue la tête.

— Je lui ai posé la question. Érica n'a rencontré personne du nom d'Émily Mobax.

— Érica était au courant de tout ça ?

J'ai peine à croire qu'elle ne m'ait pas accompagnée !

— Non, Blake. Je n'ai voulu en parler à personne avant de te mettre au courant. Pas même à Érica. Je lui ai seulement demandé si ce nom lui disait quelque chose.

— Y a-t-il moyen de savoir ce qui lui est arrivé ?

— Oui. Mais je voulais m'assurer d'avoir ton accord avant de commencer les recherches.

— Mais quelles recherches ?

— Dans les archives des personnes décédées.

— C'est-à-dire ?

— Eh bien, toutes les personnes victimes du technocauste. Je ne chercherai de ce côté que si tu le veux bien.

Ma voix n'est plus qu'un chuchotement :

— Il faut que je sache.

— Je comprends, murmure Lem.

Nous restons assis là, un long moment, puis il propose :

— Blake, pourquoi ne resterais-tu pas avec nous ce soir ? J'irai raconter toute l'histoire à Érica.

C'est aimable de sa part. Si Lem lui parle, je n'aurai pas à le faire. C'est trop dur.

— Merci, dis-je.

Il quitte la maison. Fraser m'enveloppe dans une couverture et me donne une tasse de lait chaud que j'avale avant même de me rendre compte de ce que je bois.

— Pourquoi a-t-elle fait ça, Fraser?

— Je ne sais pas. Parle-moi d'elle encore un peu.

Et c'est comme si je parlais d'Hilary pour la première fois, comme si je la découvrais en dévoilant ce que j'ai toujours su sans jamais le reconnaître.

— Elle voulait changer mon nom. Elle en avait un tout désigné pour moi, mais je m'obstinais à dire que ce n'était pas le mien et que je m'appelais Blé Sama. Alors elle a fini par céder.

— Et elle prétendait qu'elle était tombée sur toi par hasard? On ne choisit pas le nom de quelqu'un qu'on trouve par hasard, pas vrai?

— C'est juste. Elle a cédé parce qu'elle redoutait que quelqu'un m'entende.

— Elle savait qu'on pouvait être à ta recherche.

— Tu as raison. C'est clair, maintenant. Comment ne l'ai-je pas compris plus tôt?

— Tu n'avais aucune raison de te méfier d'elle.

Les larmes coulent sur mes joues.

— Elle a pris soin de moi, Fraser. Elle m'a appris à lire.

Je lui raconte tout. Comment elle s'est sacrifiée pour que j'échappe aux escadrons de la mort.

— Elle m'a volé ma vie et elle m'a sauvé la vie. Comment faire pour lui pardonner de m'avoir aimée ? Comment la détester puisqu'elle est morte pour que je vive ?

Fraser prend ma main dans la sienne.

— J'ai mis près de seize ans à pardonner à Lem de m'avoir oublié. Il faut du temps...

Je finis par sécher mes larmes, mais je tombe de sommeil.

— Je suis fatiguée.

Il m'entoure de ses bras.

— Eh bien, dors.

Tandis que le sommeil me gagne, je me dis à quel point il est agréable de dormir à nouveau dans les bras de quelqu'un. Comme quand je dormais avec Hilary. Je sais qu'il y a quelque chose qui cloche dans cette façon de penser, mais j'ai trop sommeil pour m'y attarder.

Au milieu de la nuit, Fraser s'éclipse. Au matin quand je me réveille, je suis allongée sur le banc, seule, avec un oreiller et des couvertures. Comment vais-je faire pour travailler, aujourd'hui ? Soudain, je pense à Poppy qui ne pourra jamais s'occuper toute seule de Violette et des autres enfants. Je ne peux pas lui faire ça. Je file sans réveiller Lem ni Fraser.

Tandis que je dévale la colline, je ne vois rien, je n'entends rien. Au moins, cette voix sur la cassette a un nom, désormais. Emily Mobax, professeur de littérature anglaise. Et elle m'aimait

assez pour risquer sa vie pour moi. Tout comme Hilary. Maudite soit-elle! Pourquoi m'avoir enlevée? Je donnerais n'importe quoi pour le savoir, mais je ne le saurai jamais.

Érica m'attend, seule, dans la cuisine. Elle me serre dans ses bras.

— Je suis désolée, j'aurais sans doute dû venir avec toi.

J'essaie de sourire.

— Lem et Fraser ont bien pris soin de moi.

— Ils t'aiment beaucoup, tous les deux. Et moi aussi…

Cette fois, le sourire me vient plus facilement.

— J'ai envie d'aller travailler, maintenant.

— Tu veux travailler aujourd'hui?

— Les enfants ont besoin de moi. C'est bien de se sentir utile.

Quand nous quittons la maison après le petit-déjeuner, Érica dit:

— Regarde, il neige.

De gros flocons blancs flottent dans l'air et explosent en touchant le sol. L'hiver est arrivé.

# 31

# L'hiver du mécontentement

La chaude effervescence de l'automne n'est bientôt plus qu'un souvenir. Toutes les prédictions d'Érica se réalisent. La démocratie n'est pas pour demain. La Commission n'est plus, si bien qu'on manque de l'essentiel et que les gens quittent leur boulot : on a cessé de les payer. Nous travaillons plus fort, mais nous sommes plus démunis que jamais. En marchant le long du quai, un jour, j'entends un vieil homme se plaindre :

— La Commission n'était pas si lamentable. Au moins, nous savions de quoi notre prochain repas serait fait.

Heureusement que William est là. Il dégage un charisme mobilisateur, comme dit Érica. Je ne comprenais pas vraiment son rôle, avant. Mais il suffit d'un bon mot de sa part ou d'une tape amicale sur l'épaule pour qu'on reprenne courage et

qu'on redouble d'efforts. « Il allège notre fardeau à tous ». Cette phrase est d'Érica. Et c'est la vérité.

À tour de rôle, Donna et Marella se réfugient chez Clara. Ce n'est pas tant la tristesse de Carson qu'elles fuient : elles ont besoin de prendre congé l'une de l'autre. Tant mieux pour moi parce qu'elles ont toutes deux la patience de m'enseigner le métier, maintenant que Clara y a renoncé. Grâce à leurs conseils répétés, je suis enfin prête à réaliser mon premier tissu. Un jour, tandis qu'elle m'aide à préparer le métier, Donna me confie :

— Je ne pensais jamais que je dirais un jour du mal d'une bioguide, mais c'est moi qui fais tout le travail. J'ignore pourquoi elle vient nous voir. Elle n'aide pas Carson et c'est sûr qu'elle ne m'aide pas, moi non plus.

— Rien n'a changé ?

Donna soupire.

— Carson se comporte comme si nous n'étions même pas là.

Elle sourit.

— Regarde, Blake. Tu t'y prends tout de travers, encore une fois. Recommence à zéro.

Donna tapote gentiment le dos de ma main.

— Je ne devrais peut-être pas le dire mais sans toi, il est probable que je n'aurais jamais le cœur à rire.

Il y a quelque temps, cette remarque m'aurait sans doute blessée, mais tout le monde recon-

naît à présent que je ne suis décidément pas douée pour ce travail.

Au moment où je prends place devant le métier, j'entends un cri qui semble trop lointain pour que je m'y attarde, mais Donna se raidit.

— Ça vient de chez moi !

Elle se précipite vers la porte, et je la suis. Au moment où nous pénétrons dans la maison, une assiette lancée à toute volée se fracasse sur le sol, à nos pieds.

— Ça vient de la chambre de Carson, s'écrie Donna.

Marella attrape les assiettes sur le plateau de Carson et les jette contre le mur. Mais elle vise mal. Elle ne remarque même pas notre présence.

— Regarde-moi ! crie-t-elle en cassant une autre assiette. Regarde-moi ! Réagis !

Elle éclate en sanglots.

— Je n'en peux plus, Carson. C'est comme vouloir aimer un bloc de pierre.

Elle attrape la dernière assiette sur le plateau, mais soudainement, elle se fige : quelques bribes d'une phrase que Carson bredouille à voix basse l'interpellent.

— Qu'est-ce que tu as dit ?

Donna et moi, nous tendons l'oreille en retenant notre souffle.

— Tu mérites mieux que ça.

Je perçois le soulagement dans sa voix, bien qu'elle pleure toujours.

— Je mérite mieux ? Miss Perfection ? C'est moi, ça, hein ? Laisse-moi te dire quelque chose, Carson Walsh. Tu n'auras pas assez du reste de ta vie pour comprendre à quel point j'ai des défauts. Commence donc par ceci.

Elle s'agenouille devant Carson et dénoue son turban. Un long ruban de tissu tombe sur le sol. Elle exhibe son crâne, plus dégarni que celui de Carson.

— Regarde-moi, ordonne-t-elle, avec tendresse cette fois.

Carson lève les yeux sur elle. Au bout d'une longue minute, il caresse de la main la repousse rêche sur sa tête.

— Je pense que je connais ton coiffeur.

Quelques semaines plus tard, Marella et moi marchons en direction de la maison, au milieu des flocons de neige mouillée.

— Donna dit qu'elle serait sortie de ses gonds bien avant si elle avait su tout le bien que ça ferait à Carson, dit-elle.

— Vous vous entendez mieux toutes les deux maintenant, n'est-ce pas ? Je ne vous vois plus que très rarement chez Clara.

— Tout va mieux, maintenant. Carson pense qu'il est prêt à aller à l'hôpital militaire de Corner Brook. Est-ce que tu pourrais te charger des lectures UV pendant quelque temps ? J'aimerais bien l'accompagner.

— Bien sûr. Ce genre de travail ne me cause aucun problème. Mais tu vas me manquer au métier à tisser...

— Tu t'améliores. Tu n'auras pas besoin de moi.

C'est vrai. Cela fait des jours que je n'ai plus eu à reprendre le travail du début. Il semble tout à fait probable que je parviendrai enfin à finir ma première pièce. Mais je continue malgré tout à ressentir un grand vide au fond de moi.

— En vérité, c'est peut-être toi qui vas me manquer, dis-je.

Je me surprends moi-même.

— Ne compte pas trop là-dessus. Je suppose que je ne manquerai pas non plus à Érica, constate Marella. En tout cas, elle semble d'accord avec mon départ.

Mais contre toute attente, William oppose à Marella un refus catégorique.

— C'est hors de question. Pas de discussion.

— Mais Blake peut se charger des lectures UV, ou vous pouvez utiliser le robot, pour cette fois.

William lutte pour garder son calme.

— Marella, ce n'est pas Blake qui a réussi les épreuves. C'est toi. Quand les classes commenceront à St. Pearl, l'automne prochain, tu y seras, avec tous les autres étudiants. Entre-temps, nous allons mettre au point un programme

d'études préparatoire. Tu devrais t'y mettre dès que possible.

Des larmes font briller les yeux de Marella.

— C'est injuste. Vous ne pouvez pas m'envoyer à St. Pearl. Avez-vous pensé à Carson ?

— Il va mieux. Tu auras ton diplôme dans trois ans. Il t'attendra.

— Trois ans !

Marella lance sa serviette et quitte la pièce en coup de vent.

Silence embarrassé.

— Est-ce que vous me permettez d'aller la retrouver ?

Érika semble soulagée.

— Je t'en prie.

Encore une fois, Marella s'est jetée à plat ventre sur son lit.

— C'est toi qui devrais y aller, se lamente-t-elle dans son oreiller.

— Je le voudrais bien, mais c'est toi la bioguide.

— Quelle supercherie ! Est-ce qu'on devrait lui révéler la vérité ?

— La vérité ? Lui avouer que nous avons conspiré pour le tromper ? Que tu es la bioguide, aujourd'hui, parce que nous avons multiplié les mensonges ? Et au bout du compte, qu'est-ce que nous y gagnerons ? Tu n'auras plus ton poste et je n'aurai plus de foyer. N'y pense même pas.

Je soupire, furieuse, en tâchant de cacher à quel point j'ai peur. Je pourrais tout perdre.

— Présenté de cette façon, ça ne semble pas être une très bonne idée, admet Marella.

— En effet. Laisse-moi réfléchir. Je trouverai peut-être une solution. Mais garde le secret.

— Je suppose que je te dois bien ça. Mais je ne vais pas aller à St. Pearl.

Je reste éveillée jusque tard dans la nuit, cherchant un moyen pour que Marella puisse se soustraire à l'université. J'oublie mes inquiétudes en prenant soin des enfants le lendemain matin, mais l'angoisse renaît dès que je m'installe au métier à tisser. La navette volante va et vient sans problème. Clara vient voir comment je me débrouille. Depuis peu, elle passe plus de temps en ma compagnie. J'étais pour elle une source d'embarras avant que Marella et Donna viennent à ma rescousse.

— Ton travail s'est grandement amélioré, Blake, me félicite-t-elle. Tu seras bientôt prête pour la cérémonie du foulard. Je me souviens, à l'époque, combien j'étais fière d'exercer ce métier pour le restant de mes jours. Je pense que c'était encore plus excitant que mon mariage.

Cette cérémonie devrait avoir la même importance que la célébration du mariage. Chaque fois que je pense à ce jour qui m'attend, j'ai envie de pleurer. Comment vais-je faire pour me présenter devant tout ce monde en faisant semblant d'être

heureuse ? Comment puis-je promettre de dédier toute mon existence à ce métier pour lequel je n'ai aucun talent ? Je ne peux pas.

— Clara, je viens tout juste de me rappeler que j'ai quelque chose à faire. C'est urgent. Est-ce que je peux partir ?

Malgré sa surprise, Clara y consent. Je déteste ce travail, mais je n'avais encore jamais demandé à en être dispensée, même pour un instant. Je me rends chez Donna.

— Viens, dis-je à Marella. Nous devons parler à William.

— Tu as trouvé le moyen de tout arranger ? Oh ! Blake, tu es si intelligente !

Elle ne me demande même pas ce que j'ai l'intention de faire.

Nous dérangeons William en plein cours de sciences auprès des enfants, au Grand Hôtel. Il a l'air mécontent.

— Ça ne pouvait pas attendre ?

— Non. Ça ne pouvait pas attendre. Voyez-vous, Marella et moi, nous vous avons menti. À tout point de vue.

Marella en reste bouche bée.

William semble étonné, mais il ajoute :

— Je vous écoute.

Je raconte toute l'histoire dans le détail, sans épargner ni Marella ni moi-même. J'ai le sentiment que je suis en train de réduire ma vie en lambeaux. J'achève mon récit, et William de-

mande à Marella sa version des faits. Elle n'ose plus me regarder, mais elle dit la vérité. Au bout du compte, William se cale dans son fauteuil; tout est clair. Il se tait longuement, si longuement que son silence prend des allures de châtiment.

— Tout cela est très grave, articule-t-il enfin.

Il s'assombrit. Je pourrais presque toucher sa colère du doigt.

Ça y est, c'est la fin de tout. Mais au fond, je me sens mieux. J'ai au moins su m'extirper de cet imbroglio.

— Quand je pense que nous avons failli commettre une erreur irréparable.

Le voilà qui crie, maintenant.

— Blake, sais-tu seulement à quel point il est rare de trouver quelqu'un qui puisse subir ces épreuves et réussir aussi bien que toi? As-tu seulement la moindre idée à quel point tu es brillante? Tu aurais renoncé à tout ça. Pourquoi?

La force de sa colère est intolérable. Je fonds en larmes.

— Je n'étais pas.... je ne suis pas la bioguide, c'est elle, dis-je en sanglotant et en pointant le doigt vers Marella.

La stupéfaction se peint sur ses traits.

— Quel rapport, dis-moi?

Je suis si surprise que, du coup, je cesse de pleurer.

— Eh bien, il faut être bioguide...

Il marque une pause et rétorque:

— Bien sûr que non. Si nous avons cherché des candidats pour l'apprentissage intuitif parmi les bioguides, c'est que nous les avions sous la main. J'ai cherché à Kildevil aussi. Nous ne pouvions pas vraiment regarder du côté des camps de travail gérés par la Commission, n'est-ce pas ? Le fait d'être ou non bioguide n'a aucune importance.

— Mais vous avez dit que je n'aurais pas l'investiture à moins de passer les épreuves, s'écrie Marella, outrée.

William a soudain l'air embarrassé.

— J'ai eu tort. Tu as raison. Mais je voulais que tu te ressaisisses. Je ne savais plus comment m'y prendre.

— Alors vous avez menti, vous aussi. Est-ce que ça signifie que je n'ai plus besoin d'aller à St. Pearl ?

Ça me scie, vraiment, de constater la facilité avec laquelle Marella tire avantage de n'importe quelle situation.

— Marella, tu n'as pas le droit d'aller à St. Pearl, réplique William en souriant. C'est Blake qui doit fréquenter l'université.

— Et qui se chargera de ces satanées lectures UV ?

Elle ne résiste jamais à l'envie de le provoquer.

— Tu restes la bioguide. Tu devras te charger de ces lectures jusqu'à la fin de tes jours. Maintenant, va-t'en.

Marella se renfrogne, mais elle ne s'éternise pas. Pour une fois, je voudrais bien pouvoir me retirer à sa place.

William s'assoit sur le coin de son bureau, droit devant moi.

— Comment ai-je pu me leurrer à ce point ? Marella ne savait rien faire. Dès que tu es arrivée parmi nous, tout s'est mis à marcher comme sur des roulettes. J'étais trop soulagé pour me poser la question. Et Érica était si ravie d'avoir une enfant sympathique à la maison que je l'ai laissée s'occuper de toi. J'aurais dû me rendre compte de la supercherie. J'ai été aveuglé par mon orgueil. Je ne pouvais pas me résoudre à penser que je ne trouverais personne de convenable. Tous les autres maîtres ont déniché au moins une perle rare. Maintenant, il te faut apprendre pourquoi tu as fait le bon choix. La Voie nous apprend à voir au-delà des apparences. C'est une façon comme une autre d'appliquer les principes scientifiques. Tout comme les livres t'ont permis de choisir les lichens et la musaraigne au lieu des asters ou de l'orignal. Les choses les plus intéressantes ne sautent pas toujours aux yeux. Je le savais et pourtant, même si je t'avais sous les yeux, je n'y ai vu que du feu, dit-il en hochant la tête.

— Je n'y tenais pas. Je ne voulais pas devenir bioguide. Mais quand j'ai su, pour l'université, j'en ai eu le cœur brisé.

— Et tu as continué à me mentir.

— Je croyais qu'il était trop tard.

— Mais qu'est-ce qui t'a fait changer d'avis ? Est-ce que Marella a insisté pour que tu m'en parles ?

Je secoue la tête. J'ai les joues brûlantes de honte.

— Je suis totalement nulle comme tisserande. L'idée de la cérémonie du foulard me révulsait.

Je relève la tête et je m'aperçois qu'il sourit.

— Heureusement pour moi ! s'exclame-t-il.

## 32

# La lyre éolienne

Par un bel après-midi d'avril, je pose mon carnet de notes sur le bureau de William.

— Ça y est, dit-il, tu as terminé. Nous allons devoir te trouver d'autres tâches pour l'été.

— Je suis certaine que vous allez trouver quelque chose.

Érica est d'avis que William exige trop de moi, mais je ne m'en plains pas, loin de là. Les idées, contrairement au tissage, ne me donnent pas de fil à retordre.

Je vais retrouver Érica dans la cuisine. On a moins besoin d'elle à l'école, maintenant. Les combats ont cessé, non seulement sur l'île, mais partout. L'armée procède lentement à une réorganisation en profondeur de la société, et les nouvelles recrues nous aident à gérer les activités du Grand Hôtel. Il n'en fallait pas plus pour alléger le fardeau de tout le monde. Elle sourit.

— Tu as fini ? Lem voudrait te voir. Je viens avec toi.

Il y a quelque chose dans le ton de sa voix qui fait battre mon cœur à tout rompre, mais je ne dis rien. Des mois, déjà, que j'attends ça.

— Est-ce que Fraser refuse encore de parler de ton départ ? demande-t-elle.

Je hoche la tête.

— Il a un peu peur que tu changes, voilà tout.

Je ne réponds pas parce que c'est la vérité, je le sais.

En fait, nous ne tenons ni lui ni moi à en parler. Comment puis-je lui dire que je ne changerai pas puisque je n'en sais rien ?

Lem et Fraser se chauffent au soleil devant la maison.

— J'imagine que tu sais pourquoi j'ai demandé à te voir, dit Lem.

J'ai la gorge nouée. J'acquiesce.

— En fait, je n'ai pas mis si longtemps à la trouver, petit épi de blé. Les archives des personnes décédées se consultent facilement. Elle est morte quelques mois seulement après Michelle.

— Elles se connaissaient sans doute, poursuit Fraser. Ça me plaît de croire qu'elles se connaissaient.

Pendant tout ce temps, tous ces mois, je n'arrêtais pas de me répéter que je n'espérais rien. Maintenant que la dernière lueur d'espoir vient

de s'éteindre et que j'ai mal, je comprends que je me mentais à moi-même.

— Pourquoi avoir tant attendu avant de me le dire ?

— Nous cherchions autre chose, dit Érica.

— Et nous l'avons trouvé, renchérit Lem. La semaine dernière, nous avons communiqué avec une dame de St. Pearl, Rose Tilley. Elle connaissait ta mère, Blake, à Markland. Les deux femmes se connaissaient bien.

— Vous avez trouvé une personne qui connaissait ma mère ? Est-ce qu'elle accepte de me parler ?

— Mieux encore. Elle veut te rencontrer. Quand elle a su que tu allais vivre à St. Pearl, elle a voulu savoir si tu accepterais d'habiter chez elle. Elle affirme qu'elle a beaucoup de choses à te dire.

Je vais enfin rencontrer quelqu'un qui s'était lié avec ma mère.

— Merci d'avoir attendu. C'est très important pour moi.

Plus tard, tandis que nous descendons la colline, Érica s'inquiète :

— Est-ce que tout va bien, Blake ?

— Il faut bien. Il me semblait autrefois que je n'aurais jamais de véritable identité sans elle. Vous, William, Fraser et Lem, vous avez changé la donne. Mais j'aurais bien aimé la connaître. Et

je voudrais bien comprendre pourquoi Hilary m'a enlevée.

Je me répète que tout va bien, mais cette nuit-là, pour la première fois depuis des mois, mes rêves reviennent me hanter. Je regarde le ciel, ma tête repose sur l'épaule de ma mère. Seulement, cette fois-ci, je me retourne et je la vois. Ma mère. Elle sourit et elle chuchote : « Je ne te quitterai jamais à moins d'y être forcée. » C'est la voix de l'enregistrement, je la reconnais. Quand je me réveille, j'ai oublié son visage, mais j'ai le sentiment qu'elle était près de moi.

Quelques jours plus tard, je suis assise devant le Grand Hôtel avec Poppy et les petits quand j'aperçois Fraser qui approche. On dirait qu'il a grandi maintenant qu'il habite avec Lem, comme si le fait de vivre avec son père lui donnait un but dans la vie.

— Je suis venu te dire qu'il y aura une cérémonie au sommet de la colline, demain. Tout le monde y sera.

— Comment se fait-il qu'on ne m'en ait pas parlé ?

— C'est peut-être une surprise. Et à part ça, comment tu vas ?

— Un peu mieux.

Je lui parle de mon rêve.

— Ça m'aide de penser que je vais rencontrer quelqu'un qui l'a connue. Je voudrais telle-

ment comprendre ce qui s'est passé dans la tête d'Hilary, dis-je, en soupirant encore.

— Moi aussi. Comment a-t-elle pu se débrouiller, dans la rue, seule avec toi ?

— Elle savait drôlement bien s'y prendre pour chiper des trucs.

Même maintenant, je ne peux pas dissimuler toute l'admiration qu'elle m'inspirait, mais je poursuis :

— La Tribu nous protégeait parce qu'elle savait comment faire pour voler ce dont on avait besoin. Il n'y avait rien à son épreuve.

— Et quand elle a eu besoin de quelqu'un à aimer, c'est toi qu'elle a prise.

Je ne sais quoi répondre. Il a sans doute raison.

— Et il paraît que c'est moi, la petite futée, dis-je enfin. Elle a construit toute sa vie autour de moi. Elle n'était qu'une enfant, mais en même temps, elle prenait soin de moi comme l'aurait fait une vraie mère.

Nous gardons le silence pendant un long moment. Quand, enfin, je lève la tête, Violette est devant moi et me tend les morceaux d'un jouet brisé.

— Blé, tu recolles, dit-elle avant de s'asseoir sur mes genoux.

Je lui caresse la tête et je la berce.

— Je voudrais bien... dis-je

— Elle parle maintenant et elle ne crie plus quand tu la touches. M'est avis que tu es tout à fait capable de recoller les morceaux.

— Peut-être bien. Mais Fraser, dis-moi, verra-t-on le jour où il n'y aura plus d'enfants comme Violette ? Ou des enfants comme Hilary, qui ont tellement besoin d'amour qu'ils n'ont d'autre choix que de voler l'affection ? Verra-t-on le jour où les enfants auront tout l'amour dont ils ont besoin ?

Fraser me dévisage un long moment, ses doux yeux bruns plongés au fond des miens. Puis, il se détourne.

— S'il n'en tient qu'à moi, tu peux en être sûre.

Alors seulement, je sais que rien de ce qui m'arrivera à St. Pearl ne m'empêchera de revenir vers lui.

Le lendemain, le ciel est nuageux et il fait froid en fin d'après-midi, mais tous les habitants de Kildevil montent vers le sommet de la colline. Érica me retient jusqu'à ce que tous les enfants aient quitté le Grand Hôtel à leur tour. Je brûle de curiosité.

— Qu'est-ce qui se passe au juste ?

— Laisse tomber. Mets quelque chose de chaud et allons-y.

Je me précipite dans ma chambre et j'ouvre un tiroir de ma commode. Là, tout à côté de la

cassette, je vois la tunique que Fraser a tricotée pour moi. Je la prends et l'enfile. Érica le remarque, mais ne dit rien.

— J'espère que tu ne deviendras pas comme Marella, maintenant, s'exclame William.

— Vous croyez que c'est possible ?

Il rit.

L'ascension vers le sommet de la colline est interminable. Je n'y suis pas montée depuis le jour de la première épreuve. Une foule nombreuse s'y est rassemblée, mais quand je me retourne pour voir à l'horizon, j'aperçois les collines brodées de lumière.

Fraser constate que je porte sa tunique, et il rougit.

— Fraser, est-ce que ça te dérange ?

— Me déranger ? Je me disais que tu trouverais quelqu'un à St. Pearl qui sait lire aussi bien que toi et que tu m'oublierais aussitôt.

— Fraser, j'emporte cette tunique avec moi. Et d'ailleurs, elle est un peu petite, maintenant. Il faudrait que tu m'en fasses une autre.

Il sourit.

— Je remplirai une penderie avec tous celles que je te tricoterai. Tu n'auras plus jamais à porter autre chose. Mais suis-moi, maintenant, on t'attend.

Lem demande aux participants de se regrouper autour d'un objet emballé dans une grande toile.

— Viens par ici, dit Fraser, tiens ça.

Je dois tenir le bout d'une longue corde qu'il met entre mes mains.

— Qu'est-ce qui se passe, au juste ?

— C'était l'idée de Lem et il nous a fait travailler comme des esclaves pendant des mois. Mais il tient à te dire lui-même de quoi il s'agit. Tiens, le voilà.

Je vois Marella et Carson derrière Lem. Carson se déplace lentement, mais sans problème, avec sa jambe artificielle. Marella sourit en me voyant. Un duvet blond lui couvre la tête.

Je les salue d'un geste et me tourne vers Lem.

— Va-t-on me dire enfin…

— Les petits à l'hôtel nous ont parlé de la Cérémonie de la mémoire. Alors nous tenons à rétablir les faits. J'ai voulu sortir ta mère des archives, et Michelle aussi, et toutes les personnes décédées, pour les amener ici, où le monde est beau. Je voulais que toutes ces personnes entendent la chanson.

Il élève la voix :

— Est-ce qu'on est prêt ?

Tous répondent en chœur et il se tourne vers Fraser et moi.

— Je vais compter jusqu'à trois et alors, tirez sur la corde aussi fort que vous pouvez. Vous autres, restez là où vous êtes et attendez.

Nous nous exécutons tandis que d'autres poussent l'objet emballé dans la grande toile ; on

le soulève avec précaution et on le déplace pour le poser sur un socle où il atterrit dans un crissement suraigu. Lem me fait signe d'approcher.

— Tire là-dessus, dit-il.

J'obéis. La toile glisse sur le sol, découvrant une grande harpe éolienne fabriquée avec les pylônes rouillés de la pente de ski. Des centaines et des centaines de noms gravés dans le métal s'enchevêtrent et s'entrelacent, comme des lichens sur la pierre. Tous ces noms sur les mâts exposés aux intempéries finiront tôt ou tard par s'estomper et par disparaître, mais nous saurons qu'ils étaient là.

La harpe se découpe sur le ciel, hiératique et fière. Dans la brise qui se lève, elle vibre et livre un hymne au renouveau, à l'espoir. Je ferme les yeux et je fais un vœu. Je souhaite que ma mère entende cette musique. Que ma mère, Michelle et même Hilary entendent cette musique qui leur est dédiée, où qu'elles soient.

# TABLE DES MATIÈRES

## Janet McNaughton

Janet McNaughton est l'auteure de plusieurs romans à succès pour les adolescents. Elle a écrit *Le secret sous ma peau* pour inciter ses lecteurs à penser au monde qu'ils veulent créer et dans lequel ils veulent vivre. Elle s'est inspirée du parc national du Gros-Morne pour situer son intrigue. Titulaire d'un doctorat en folklore de l'Université Memorial, elle vit à Saint-John, sur l'île de Terre-Neuve, avec son mari et ses enfants.

## Jocelyne Doray

Jocelyne Doray est titulaire d'une maîtrise en littérature française de l'Université McGill. Elle traduit des romans et fait le sous-titrage de documentaires. Elle écrit aussi des nouvelles, dont certaines ont été publiées dans des magazines littéraires. Elle collabore également à l'écriture de pièces de théâtre.

## COLLECTION CHACAL

1. *Doubles jeux*,
   de Pierre Boileau, 1997.
2. *L'œuf des dieux*,
   de Christian Martin, 1997.
3. *L'ombre du sorcier*,
   de Frédérick Durand, 1997.
4. *La fugue d'Antoine*,
   de Danielle Rochette, 1997 (finaliste au Prix du Gouverneur général 1998).
5. *Le voyage insolite*,
   de Frédérick Durand, 1998.
6. *Les ailes de lumière*,
   de Jean-François Somain, 1998.
7. *Le jardin des ténèbres*,
   de Margaret Buffie, traduit de l'anglais par Martine Gagnon, 1998.
8. *La maudite*,
   de Daniel Mativat, 1999.
9. *Demain, les étoiles*,
   de Jean-Louis Trudel, 2000.

10. *L'Arbre-Roi,*
de Gaëtan Picard, 2000.

11. *Non-retour,*
de Laurent Chabin, 2000.

12. *Futurs sur mesure,*
collectif de l'AEQJ, 2000.

13. *Quand la bête s'éveille,*
de Daniel Mativat, 2001.

14. *Les messagers d'Okeanos,*
de Gilles Devindilis, 2001.

15. *Baha-Mar et les miroirs magiques,*
de Gaëtan Picard, 2001.

16. *Un don mortel,*
de André Lebugle, 2001.

17. Storine, l'orpheline des étoiles,
volume 1 : *Le lion blanc,*
de Fredrick D'Anterny, 2002.

18. *L'odeur du diable,*
de Isabel Brochu, 2002.

19. *Sur la piste des Mayas,*
de Gilles Devindilis, 2002.

20. *Le chien du docteur Chenevert,*
de Diane Bergeron, 2003.

21. *Le Temple de la Nuit,*
de Gaëtan Picard, 2003.

22. *Le château des morts,*
de André Lebugle, 2003.

23. Storine, l'orpheline des étoiles,
volume 2 : *Les marécages de l'âme,*
de Fredrick D'Anterny, 2003.

24. *Les démons de Rapa Nui,*
de Gilles Devindilis, 2003.

25. Storine, l'orpheline des étoiles,
volume 3 : *Le maître des frayeurs,*
de Fredrick D'Anterny, 2004.

26. *Clone à risque,*
de Diane Bergeron, 2004.

27. *Mission en Ouzbékistan,*
de Gilles Devindilis, 2004.

28. *Le secret sous ma peau,*
de Janet McNaughton, traduit de l'anglais par
Jocelyne Doray, 2004.

AGMV Marquis
MEMBRE DE SCABRINI MEDIA
Québec, Canada
2004